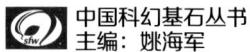

中国科幻基石丛书
主编：姚海军

新人类系列 NEW HUMAN

王晋康 著

类人

四川出版集团
四川科学技术出版社

图书在版编目（CIP）数据

类人 / 王晋康著 . -- 成都：四川科学技术出版社，2012.6

（中国科幻基石丛书 / 姚海军主编）

ISBN 978-7-5364-7432-1

Ⅰ.①类… Ⅱ.①王… Ⅲ.①科学幻想小说－中国－当代 Ⅳ.① I247.5

中国版本图书馆 CIP 数据核字（2012）第 110102 号

中国科幻基石丛书

类 人

著　　者	王晋康	
主　　编	姚海军	
责任编辑	宋　齐　田　膂	
特邀编辑	简　雪	
封面设计	张城钢	
版面设计	张城钢	
责任出版	邓一羽	
出版发行	四川出版集团·四川科学技术出版社	

成都市三洞桥路 12 号　邮政编码：610031

成品尺寸	147mm×208mm　1/32	
印　　张	7.875	
字　　数	170 千	
插　　页	2	
印　　刷	四川五洲彩印有限责任公司	
版　　次	2012 年 6 月成都第一版	
印　　次	2012 年 6 月成都第一次印刷	
定　　价	20.00 元	

ISBN 978-7-5364-7432-1

写在"基石"之前

■ 姚海军

"基石"是个平实的词,不够"炫",却能够准确传达我们对构建中的中国科幻繁华巨厦的情感与信心,因此,我们用它来作为这套原创丛书的名字。

最近十年,是科幻创作飞速发展的十年。王晋康、刘慈欣、何宏伟、韩松等一大批科幻作家发表了大量深受读者喜爱、极具开拓与探索价值的科幻佳作。科幻文学的龙头期刊更是从一本传统的《科幻世界》,发展壮大成为涵盖各个读者层的系列刊物。与此同时,科幻文学的市场环境也有了改善,省会级城市的大型书店里终于有了属于科幻的领地。

仍然有人经常问及中国科幻与美国科幻的差距,但现在的答案已与十年前不同。在很多作品上(它们不再是那种毫无文学技巧与色彩、想象力拘谨的幼稚故事),这种比较已经变成了人家的牛排之于我们的土豆牛肉。差距是明显的——更准确地说,应该是"差别"——却已经无法再为它们排个名次。口味问题有了实际意义,这正是我们的科幻走向成熟的标志。

与美国科幻的差距，实际上是市场化程度的差距。美国科幻从期刊到图书到影视再到游戏和玩具，已经形成了一条完整的产业链，动力十足；而我们的图书出版却仍然处于这样一种局面：读者的阅读需求不能满足的同时，出版者却感叹于科幻书那区区几千册的销量。结果，我们基本上只有为热爱而创作的科幻作家，鲜有为版税而创作的科幻作家。这不是有责任心的出版人所乐于看到的现状。

科幻世界作为我国最有影响力的专业科幻出版机构，一直致力于对中国科幻的全方位推动。科幻图书出版是其中的重点之一。中国科幻需要长远眼光，需要一种务实精神，需要引入更市场化的手段，因而我们着眼于远景，而着手之处则在于一块块"基石"。

需要特别说明的是，对于基石，我们并没有什么限定。因为，要建一座大厦需要各种各样的石料。

对于那样一座大厦，我们满怀期待。

自 序

有两种小说的作者只能谦虚地自称为第二作者。

一种是历史小说。因为它的第一作者是历史,是时间。时间冲去了琐碎和平庸,凸现和浓缩了事件、情节和人物。历史小说作家只需有足够广博的历史知识和足够敏锐的目光,挑选出精彩的素材,他的小说就有了百分之六十的成功。

另一种小说是科幻小说。它的作者是上帝(客观上帝),是科学,是科学所揭示的自然的运行机理(它们其实是三位一体的)。科幻作家只需有足够的智力去理解这些机理,有足够敏锐的目光去发觉科学的震撼力,他的成功也就有了百分之六十的把握。所以,科幻作家应该把百分之六十的稿酬献给上帝。

科学发展到今天,已经超出了多数民众的理解力,以至于在某种程度上,它也成了高高在上的宗教。但我们笃信"这个"宗教而不信仰其他的宗教,为什么?因为科学所揭示的是真理,它们放之宇宙而皆准。牛顿的万有引力定律可以用来计算150亿光年外星体的运动,DNA的构成之简洁甚至超过上个世纪最坚定的科学信仰者的期待。充分发展的技术能够变成魔法,而上帝的魔术正逐渐被人类还原成技术。各民族的先民们曾创造出上帝造人或女娲造人的神话,那是人类对自身秘密最原始的探索。仅仅几千年后，人类就已经可以用体细胞核来激发出一个真正的生命！我想，如果真有一个万能的上帝，他也会掩面长叹，自愧不如。

"新人类"系列四部曲中描写了一些未来的技术：《类人》中的纯粹人工制造的生命和电脑群体智慧；《癌人》中的人类体细胞克隆（特殊之处是使用了癌细胞）；《豹人》中的基因嵌接技术及《海人》中的新人类（这已经不是单纯的技术了）。这些技术或进步若稍显遥远一些，也许会被今天的民众看做是呓语。不过，作者可以保证它们绝非无稽之谈。几百年内人造生命就可能实现，分散的电脑智力也会以某种方式整合成一种文明或智慧。那时，人类何以自处？人性会怎样变化？被作家们讴歌了千百年的人类之爱还能否存在？没有人能完全准确地预知。作者在文中表现的，只是个人的一些探索而已。而且，为了与今天的世界相衔接，书中很多描写是过于保守了。

科学使人睿智，使你把握自然运行的脉搏，洞察历史的走向。可惜，很多中国人对科学比较隔膜，不能体味到科学和思维王国的乐趣。我们的主流作家善于向后看，向脚下看。他们对过去和现实的思考很深刻，很可贵。但一个民族若只有这样的目光，则未免显得过于迟钝和短视。但愿这几篇小说能够让读者稍稍抬一下目光。如此，作者就满足了。

王晋康

2012 年 5 月 1 日

类 人

目录 CONTENTS

资料之一：

　　……只要我们对世纪之交的科技进步作一次鸟瞰，就能闻到暴雨前的腥风。科学技术，这个神力无比的飞去来器，不再仅仅用以改造客观世界，它已转过身来变革人类。试管婴儿技术曾在伦理学界引起轩然大波，如今风平浪息，它已成了医疗技术中的标准操作；克隆绵羊多莉激起了更强烈的地震，但余震犹在，克隆人类技术便瓜熟蒂落。科学家对人类的近亲——同为哺乳动物的老鼠——进行了成功的基因嵌接，在下个世纪，肯定将用这项技术去改造人类。至于在人工智能技术基础之上研制的"人机人"，相信在下个世纪必定会出现。

　　这些科学进步足够惊心动魄了，但若比起另一项尚在襁褓中的技术，它们实在微不足道。1997年1月24日，在美国加利福尼亚州阿纳海姆举行的美国科学促进会上，著名的基因科学家克雷格·文特尔说，他现在已完成了对20种最简单生物的基因测序，其中最简单的生命只需要不到300个基因，以目前毫微技术的水平来说，人类完全能用激光钳和扫描隧道显微镜来排列原子，构成最简单的人造生命——想想吧，这是真正的、彻头彻尾的人造生命，它的制造不需借助任何"上帝的技术"，所以，当用"纯物理"方法制造的第一个生命问世后，上帝就可以彻底退休了。

　　　　　　　　　　——摘自科幻作家王晋康在'97国际科幻大会上的发言

1

楔　子

何不疑今天上班时特意提前了半个小时，他驾着氢动力飞碟来到"二号"上空，不过并没有马上降落。他推动操纵杆，小飞碟扶摇直上，一直钻到云层里。脚下是熟悉的家乡风光，西北一片崇山峻岭，西南是波平如镜的丹江水库。一条白带蜿蜒向南，这是汉水。东南有山势较缓的桐柏山，这是千里淮河的源头。几条磁悬浮高速列车轨道和高速公路在东南方的南阳市汇聚，组成一个壮观的"米"字形。

小飞碟浮出云层，云朵像河水一样平稳地向后流去，速度各不相同。稀薄的白云流速最快，那是距飞碟最近的层云；云层越往下，流速则越快。当然，这并不代表真正的云层速度，而是飞碟运动加上云层远近所造成的错觉。松软的云堆绵亘千里，被朝阳涂上艳丽的金红。有的云堆像瀑布，有的像乳房，有的酷似清朝的官帽，从锥形的圆顶上泻下一圈缨络。何不疑忽然想到自己的童年，50年前，他出生在八百里伏牛山中一座相当闭塞的小山村，童年时他是泡在奶奶的神话故事中长大的。那时，他常常仰坐在山坡上，嘴里嚼着一根草茎，痴痴地看着蓝天上的白云，棉花状的，羽毛状的，奇形怪状的。它们在澄碧的天穹上悠悠飘着，无始也无终。彩云中会是什么样子,会不会有悬云寺、小和尚和人参姑娘①?有时他甚至能真切地听到,云层中有小女孩清亮的笑声!

如果他早生 200 年,他可能会永远遐想下去,甚至向奶奶的神话中再添几勺浓汤。不过他是生于 21 世纪,他很快走出了山村,很快就在飞机上看到了真实的云层——于是,神秘感消失了。

消失的可不仅仅是对朝霞彩云的神秘感。如今他是世界上有名的生物学家,他已经能把上帝的"最终的"魔术还原成精巧的技术——非常非常精巧的技术,但毕竟是人类可以掌握的东西。在这里,神秘感也消失了。

他摇摇头,抖落这些思绪。今天的浮想联翩是正常的,因为他的人生很快就要有一个大的转折——他决定提前退休,开始他的新事业,一项全新的、充满未知和风险的事业。从某种意义上说,他的新事业是对前半生的背叛。

飞碟下方就是"二号"——地球上仅有的三个类人工厂中的第二个。它坐落在中国的中原地带,这儿到处是风化严重的丘陵和浅山,土壤贫瘠。不过,在合成食品占据人类食物的主流后,这里已退耕还林,葳蕤浓绿的植被严严实实地遮盖住红色的土壤,到处是小叶杨、柳树、榆树、板栗、柿树、乌桕、构树……眼下正是收获的季节,柿树上挂满了小小的红灯笼,栗子树上藏着浑身尖刺的毛栗子。麻雀、喜鹊和鹌鹑在浓密的枝条中叽喳着。而"二号"工厂恰如半埋在绿茵之中的一颗巨大的灰白色鸟蛋。

一颗漂亮的软壳蛋。超强度的碳纳米细丝结成的防护网把整个工厂严严实实地包裹起来,在秋风吹拂下,卵形的防护网轻轻地波动着。网是双层的,其中充盈着强大的微波场,任何活的生命体都休想通过这道樊篱,哪怕是飞鸟、昆虫乃至细菌和病毒。工厂地下是整体浇筑的混凝土地基,与围墙连成一体,嵌有大量的传感器,足以对任何越界进入的破坏者

①出自中国一则美丽的民间传说:善良的小和尚和人参姑娘为了逃避恶和尚的迫害,把人参汤浇到悬云寺四周,借人参的神力使寺院升到空中。在这个过程中,几位人参姑娘甘愿作了牺牲。

发出第一次警告。在 21 世纪末的大同社会里,这样严密的防卫系统实在罕见。

何不疑把小飞碟降落在鸟蛋外的停机坪。这会儿,"二号"的员工大都已经来了,密密麻麻的小飞碟、单人飞行器和微型飞机就像雨后的蘑菇。何不疑跳出飞碟向大门走去。大门口有两条通道,左边是物品通道,所有从这儿进出的物品都要经过高强度伽马射线的照射,任何隐藏在物品中的生命体都会被杀死,哪怕它们是藏在 50 毫米厚的铅箱内。

另一条是人行通道。进入"二号"的所有人员,即使是联合国秘书长,都要在这里脱去衣服,经过淋浴消毒,再换上"二号"特制的白色工作服。消毒只是表面目的,实际上,淋浴相当于文明的搜身检查,以保证任何人都不能夹带任何物品。淋浴间原来设计为两间,男女分用,但这种"旧时代的礼节"遭到"二号"职员毫不留情的嘲弄。所以,现在的淋浴间是男女共用的。

何不疑经过例行的指纹和瞳纹检查,走进消毒通道。秘书丁佳佳刚刚脱光衣服,把衣服放在标有各人姓名的衣柜中。佳佳向何总问了好,何不疑心不在焉地说:"你好,佳佳,你真是个漂亮的姑娘。"

佳佳扬起眉毛,努力忍住唇边的笑意。虽然人们早已对每天上班前的这个"裸体聚会"习以为常,但在"二号"里,大家形成了心照不宣的共识:这里是工作场所而不是社交场所,这里的所有人都应被看做是中性的。因此,在这里夸奖一位裸体姑娘的美貌不能说是得体的举动。不过丁佳佳知道,何总是一个多少有点古怪的人,因此,对于何总不太得体的寒暄,佳佳一笑了之。何不疑是"二号"的技术权威,是这里的灵魂人物。30 年前,位于美国亚利桑那沙漠的"一号"创建时,何总就是重要的参与者;5 年后,他又到这里创建了"二号"。他的目光深邃,但常常被梦游般的浮云所遮蔽。陷入深思时,最漂亮的姑娘在他眼里也等同于书桌和文件柜。也许这种心不在焉的神态更增添了他的男性魅力。何总 46 岁还未婚,那时他是众多女职员眼中的焦点。不过,佳佳当上何总的秘书时,他已经结婚了,妻子宇白冰 34 岁,身形娇小,笑容温婉,是那种典型的古典美人。她已经有了身孕,预产期听说就在这几天。

佳佳进入热风区时,见何总已脱了衣服,踏上喷水区的自动人行道。强力水流从四周一齐喷来,在他身上打出一团团白雾。何总身体健硕,肩膀宽阔,肌肉突起,只是腹部过早地鼓起来了。

何不疑走过喷水区后睁开眼睛,注意到了佳佳的目光,便解嘲地拍拍圆滚滚的肚子,"没办法。从结婚后它就开始膨胀,三年了,再怎么加强锻炼也止不住它的膨胀。我想一定是我妻子做的饭菜太可口了。"

他们在热风区吹干身体,穿上白色的工作服,走过内门。收发室的刘小姐告诉何总,有他的一个包裹,物品名写的是金华火腿。何不疑笑了,"是我的一个老朋友寄来的,上次聚会时他许下的诺言。他大概忘了我家的地址,只好寄到'二号'来了。这可是真正的金华火腿,不是合成食品。"

刘小姐问:"是否需要我帮你把它放到飞碟上?"

何不疑略略沉吟,"不,给我吧,也许今天中午我就拿它请客。"

他用左手轻松地拎上竹篓,与佳佳一块儿登上主楼。主控制室在大楼的最顶层,四周是椭圆形的落地长窗。从窗口可以俯瞰厂区的全貌,碳纳米管的护网在他们头顶 30 米处均匀地向下撒过来。夜班人员向他们道了早安,电脑霍尔的面孔出现在大屏幕上。

"早安,何先生,昨晚一切正常。"

"早安,霍尔,谢谢你的工作。"

"夫人可好?她的预产期快到了。"

"谢谢你的关心,她很好。我想产期就在这几天吧。"

双方含笑对视,何不疑走过去,用额头碰碰屏幕里的霍尔。这是两人已经习惯的亲昵动作。霍尔是一台人格化的电脑,是一个藏在芯片迷宫里的"活生生的"人。它和何不疑已经是 25 年的老朋友了。它的智力最初是由何不疑创建的,但现在,它已成了控制"二号"运转的灵魂。它不再仅仅是一台机器,它和何不疑之间已经产生了真正的感情交流,真正的友情。有时,何不疑甚至对它心怀歉疚——为了"二号"的安全,霍尔是完全与外界隔绝的,它要孤独地被囚居在"二号",直到地老天荒。对于一台有自主意识的电脑来说,实在是太残酷了。所以,只要有闲暇,何不疑就常来和它聊天。

这会儿何不疑交代道:"客人马上就到。准备工作完成了吗?"

"完了。"

何不疑向电脑内插入一张磁卡,"这是我和工厂总监共同签署的特别行动令,请核对。"

3秒钟的停顿后,霍尔说:"密码核对无误,我将立即执行。"

"执行吧。"

总监杰克逊也到了,他是一名矮胖的英国人,秃脑袋,两道浓眉。他问何不疑:"指令输入了?"

"嗯。"

他看着何不疑,"老何,我昨天与你太太通过话。"

"我知道,内人已转达了。谢谢你的再次挽留,但我去意已决,不会变了。"

杰克逊叹息一声,"那好,回家抱儿子或女儿吧,你太太说,预产期就在这几天。"

何不疑笑着纠正:"肯定是儿子,内人已做过B超。"

杰克逊拍拍他的肩膀,"祝你新生活愉快,不过,要首先预祝今天的演习成功。"他转身回总监室。

佳佳过来告诉何总,他邀请的两位客人已经到门口了。何不疑打开监视屏,见两位客人在门口进行指纹和瞳纹鉴定,然后走进淋浴间消毒。一位是75岁的俄国人斯契潘诺夫,世界级的侦探推理小说作家,即使在21世纪末,"电脑作家"仍不能战胜他。他的作品十分机智,悬念巧妙,一波三折,在全世界享有很高的声誉。斯契潘诺夫是一位世界公民,一生中的大部分时间生活在美国、中国和澳大利亚,但他身上仍保留着浓重的俄国味儿：魁梧身材，方下巴，阔肩膀，浓眉下是一双深沉机敏的眼睛；须发已经全白了，连身上的汗毛和阴毛都是白的，活脱脱一头毛色纯白的北极熊。另一位客人是22岁的中国姑娘董红淑，《大公报》的名记者，长得娇小玲珑，娃娃脸，乳房坚挺，腰部纤细，一头黑亮的披肩发。这会儿她已经擦干身体，正在穿"二号"的工作服。可能是斯契潘诺夫说了什么笑话，董红淑放声大笑，笑得毫无顾忌。

何不疑关了屏幕，简短地说："走，咱们去迎接吧。"

两位客人走出消毒通道，董红淑摇了摇新浴之后蓬松的头发，迫不及待地打量着"二号"这个世界上最神秘的地方。眼前的景物其实并无神秘之处，厂房掩藏在绿树之下，绿色基调中嵌着姹紫嫣红。这儿有中原地带的柳树、杨树，也有南方的木棉、珙桐。绿荫丛中露出的十几幢建筑都不算高大雄伟，但外观异常精致。头顶上，那块半圆的、色泽灰白的建筑穹顶高入云霄，在风中微微波动。

董红淑低声赞叹道："太美了，太美了！"能踏上这片神秘土地，她感到十分庆幸，也十分意外。这是多少记者梦寐以求的荣幸，怎么突然降临到她的头上了呢？21世纪末，世界上已经没有敌对国家，没有战争、军事基地、军事秘密之类的东西，甚至连商业机密也几乎不存在了。因为网络无处不在，在那些信奉"信息自由"的黑客骑士长达100年的不懈进攻下，要想保守住商业秘密，代价已经过于高昂。所以，各个跨国公司索性顺应潮流，打开樊篱，把信息自由变成了一种时髦。

但世上唯有三个地点仍包裹着厚厚的外壳：美国亚利桑那州的"一号"、中国中原地带的"二号"和以色列内格夫沙漠的"三号"——这些地方的全称是"类人劳动力繁育中心"，一般的称呼是"类人工厂"。这些地方的计算机只能联通局域网，同外界的通讯有最严格的屏蔽。新闻界对它们基本是装聋作哑，保持着一种不可思议的默契。这是极罕见的，要知道，新闻记者都是些贪婪的鲨鱼，平时，只要在100里外闻见点血腥味儿，他们就会不顾性命地扑上去。

原因无他,这些繁育中心,或者叫类人工厂,使人类(整个人类)处于十分尴尬的境地:这儿有太多的逻辑悖论和道德伦理悖论。

可是,为什么突然通知他们两个来采访? 也许斯契潘诺夫知道内情?

一个同样身穿白色工作服的头发花白的男人在通道口迎接他们。他谦恭地说:"是董小姐和斯契潘诺夫先生吗? 请跟我来,何总在办公室等你们。"

董红淑一眼就看出这是名类人。现在,已有十分之一的家庭用上了类人仆人,尽管从外貌上来看他们与人类毫无二致(类人长得更健美),但他们身上的"类人味儿"让人对他们的身份确信无疑。董红淑不经意地瞟了斯契潘诺夫一眼,后者也用目光做了回答:对,是类人。

那位男子正半侧着身体在前边领路,他肯定觉察到了两人无声的对话,便微笑着说:"也许你们已经猜到了,我是一个类人,是'二号'的第一批产品。我在这个厂区已经服务 25 年了,从没迈出厂区一步。"

小董多少有点尴尬,毕竟,对他人身份的猜测是不礼貌的,哪怕对于类人。她疑惑地问:"你是'二号'的产品? 听说'二号'只有 25 年历史,而你……"

"我的生理年龄已经 55 岁了。那时,为了尽快培育出成熟的类人,采用快速生长法让我们直接进入到中年。现在已经不这样做了。"那位男子又微笑着加了一句,"这是我最后一次服务了。"

小董不明所以。最后一次? 也许明天他就要离开工厂? 不过,她没有追问下去,那名类人说,何总的办公室已经到了。

何总和秘书在门口迎接他们。何不疑从未在媒体中露过面,但两人一眼就掂出了"'二号'总工程师"的分量。他浑身透着自信,目光炯炯有神,面目清癯,肌肉强健,只是小腹过早地发福了,破坏了身体的匀称。那名头发花白的类人把客人交给秘书后悄然退去。何不疑含笑把客人迎进屋。深秋的阳光透过落地窗洒进来,照着屋内宽敞的办公桌、满墙书柜和紫红色的皮沙发。他扭头交代秘书:"请把门关好,无论什么电话和工作都给我挡住。"他转向客人,"今天上午全部是属于你们二位的。你们想喝点什么?"

这种破格待遇使董红淑受宠若惊,看看斯契潘诺夫,他的目光中也显得有点意外。两人要了咖啡,佳佳送来三杯热咖啡,然后悄然退出,轻轻带上沉重的雕花门。

何不疑在他们对面坐下,端起咖啡呷了一口,好像突然改变了主意,"要不,我领你们参观一下'二号',让你们先有一个感性认识。你们愿意吗?"

"当然愿意!"董红淑急不可耐地说,把何不疑逗笑了。斯契潘诺夫也笑着点点头。

"那好,请喝完咖啡,跟我走吧。"

门口停着一辆敞篷的微型车,没有驾驶员。三人上车,车辆自动开走了。没有噪声和排烟,这是一种绝对无声和洁净的环保车。自动车带他们走了很远,车停了,何不疑起身让女士先下车。他指指周围的丘陵,以及绿色植被下露出的红色土壤,问:"知道'二号'的地理位置吗?"

"知道,在南阳市的西北部。"

"对,是内乡、西峡和淅川三县交界的地方。这儿是世界上已发现的恐龙蛋最密集的地方,前后发掘出数万枚,而在此前,全世界总共才发现了500枚。这儿有如此密集的恐龙蛋,虽然其原因还未得出确论,但我总觉得这是恐龙灭亡前的最后一片乐土,是它们走向死亡的入口。棱齿龙、三角龙、剑龙、暴龙群集在这儿,已经意识到了家族的末日。它们苦苦挣扎着,仰天悲鸣。这是多么悲凉多么荡气回肠的场面!……6000万年后,在这儿建成了生命制造工厂,真是世事沧桑、天道循环啊。"

斯契潘诺夫微笑着指出:"一般人不说'生命制造'这几个字。毋宁说,在正统的理论界中,这样说是犯忌的。"

何不疑一笑,"是吗?在'二号'里反倒没人理会这些禁忌。"

外观不甚高大的厂房原来是半地下式的,从里面看相当高旷。屋内十分安静。工作人员不多,见何总进来,他们都礼貌地点点头,继续自己的工作。三人先走进刻印室,几百台圆柱状的机器一字儿排开,屋内仅听见轻微的咝咝声。何不疑简短地说,这里的关键设备是激光钳,它们正在进行毫微操作,用纯物理的手段把碳、氢、氧、磷等原子排列成人类的 DNA。他介绍得非常平淡,但董红淑分明产生了让人喘不过气的敬畏感。

接下来的工艺流程就十分直观了,每个人都十分熟悉,尤其是女人。何不疑说,这儿是活化室,在这里可以通过模拟人类卵子的环境来激活 DNA;这儿是分裂室,激活的 DNA 在这儿分裂成八胚细胞;最后是孕育室,几千个模拟子宫在轻轻地抽动着,几根粗大的软管汇聚之后分为几千根细管,分别连在每个子宫上,为胎儿输送各种养料。子宫呈半透明状,从外面就能看到婴儿在里边手舞足蹈,脐带在羊水里漂浮着。忽然,就在他们面前,一个子宫内响起了嘹亮的儿啼,董红淑一愣,旋即眉开眼笑地趋前聆听。

"在子宫内就能啼哭?"她回头问何总,"这在人类中是不多见的。据我所知,人类婴儿也有宫啼,但那是不正常的现象,一般是胎儿缺氧造成的。"

何不疑解释道:"这儿的所有类人婴儿出生时都相当于 4 个月大的人类婴儿,大都有宫啼现象。至于为什么在长成后 4 个月才出生,待会儿我再解释。"

远处又有几个婴儿呱呱坠地。不过等他们赶到时,降生的婴儿已经被传送带送到检验部,那儿有电脑检验和人工检验系统。他们走进检验室,电眼正观察着流水线上的婴儿,绿灯频频闪烁着,表示检验通过。之后是人工检验室,30多名自然人女员工戴着专用的放大镜,认真观察着婴儿的指肚,辅以触摸检查。再往后是哺育室,50多名类人女员工穿梭往来。这儿与检验室一样,婴儿的哭声响成一片,不过,啼哭声里听不出悲痛的成分,倒是带着欢闹的味道。

何不疑解释说,检验室和哺育室是工厂里仅有的用得上人工劳动的两个地方。董红淑目眩神迷地看着,赞叹这里的宏伟、肃穆、简洁的美妙和震撼人心的神秘。斯契潘诺夫肯定也被深深地震撼了,不过他还能保持外表的平静。

出了厂区,看见十几个类人聚成一堆,大多是50岁左右的男人,手里都端着高脚酒杯,琥珀色的葡萄酒在杯内闪着光芒。他们平静地交谈着,似乎是一场非正式的聚会。谈话中心的一人忽然从人群中走出来,走向两位客人。客人认出,他就是刚刚为他们引路的那个类人。他含笑道:"你们好,何总好。我在同朋友们告别,马上就要进入轮回了。"

何不疑点点头,同他握手拥抱。董红淑也机械地伸出右手与他相握,触到了对方光滑无指纹的手指。这时,她才恍然醒悟对方说的轮回是怎么一回事——死亡,他说的是死亡! 中年男人回过头,同众人告别,饮尽杯中的酒,把酒杯递给同伴,然后神色自若地走进一间小屋,向众人扬手作别。

厚重的屋门缓缓关闭了。

董红淑简直目瞪口呆。她看看何总,看看立在门口的十几个类人,他们的表情十分肃穆庄严,但总的来说较为平静,绝无半点悲伤。屋门旁的一串指示灯闪了几次,随后变成绿色。十几个类人悄悄离开了。

何不疑平静地说:"走吧,回我的办公室。"

董红淑痴痴傻傻地跟着走了,她忍不住问身边的斯契潘诺夫:"那人真的死了? "

斯契潘诺夫点点头,"当然。他在那里化作原子,很可能要回到这套流程的开端,重作DNA的原料,这就是他说的轮回。"

何不疑唇边含笑,一言不发。董红淑踌躇着,仍忍不住开口道:"他们……"

何不疑明白她的话意,答道:"他们不惧怕死亡,他们的生命直接来自于元素,而不是上帝。所以,过了强壮期的类人就自动选择死亡,从不贪恋生命。"他特意解释道,"这不是'二号'的规定,而是在建厂25年中类人员工自动形成的习俗。我们不会干涉,我们尊重类人的决定。"

董红淑在震惊中沉默了。

他们回到办公室,秘书又送来三杯咖啡,把一只竹篓放到何总的巨大办公桌上。何不疑笑着说,这是一位浙江朋友送来的金华火腿,绝对原汁原味,中午他请客,让大家品尝一下它的味道。"好,开始正题吧,今天你们一定会写出一篇极为轰动的新闻,咱们事先约定,如果二位因这篇报道获得'普利策奖'或'邵飘萍奖',奖金可要分我一半哟。"他开心地笑着,"不过宝盒不能一下子揭开,还是让我先回顾一下历史吧。"

他慢慢呷着咖啡,似乎在酝酿情绪。董红淑几乎急不可待了,侧脸瞄瞄同伴,他倒是气定神闲。她也把情绪稳住了。

"98年前,"何不疑缓缓说道,"即1997年,克隆绵羊的消息曾激起轩然大波,因为,克隆人类的前景已经近在眼前了。时至今日,我们还能从当时的科学文献中感受到那个时代的悸动:恐惧、困惑、迷茫或是急不可耐……当然,以现在的眼光来看,那些世纪末的躁动显得很可笑,很幼稚,因为最终改变世界的并不是克隆技术,而是同年1月24日一篇不起眼的小文章。那篇文章说,人类已经接近于制造生命——不是用杂交、基因嵌接、细胞融合之类生物或半生物的办法,而是用纯物理、纯技术的方法去排列原子,构成最简单的生命。

"当时,这似乎是天方夜谭,至少对99.99%的中国人来说如此。但仅仅过了43年,即2040年,人类就实现了突破。第一个被创造的是最简单的疱疹病毒,这是自然界最简单的生命之一,只有不足300个基因,甚至可以说它是介于生命和非生命之间的过渡物。但无论如何，第一个人造生命已经出现了，它在社会上又一次掀起了轩然大波。不过，恐惧、愤怒和绝望都挡不住自然之神的步伐。在此后 20 年中，各种人造生命让人类应接不暇：大肠杆菌、线虫、水蛭、青蛙、鸟类、老鼠……最后的结果是不可避免的：到了 2068 年，这项技术就攀到了顶峰，第一个人类的 DNA'组装'成功了。它包含着 10 万个基因、23 条染色体。这项技术发展得太快了，以至于走到了语言的前面。直到第一个人造人降生后几个月，人类才就某些词汇制定了规范用语：这种人造人被称为'类人'，其人称称谓也可沿用你、我、他、她这些人类用语，但他们的死亡则只能被称做'销毁'。"

两位客人对这段历史都很熟悉，但回忆起这场令人眼花缭乱的剧变，两人仍不免陷于一种怀旧的历史情绪中。斯契潘诺夫轻叹道："是的，历史发展得太快，反对意见还没来得及汇聚起来，就被历史潮流冲走了。"

"是啊，从历史上看，体外授精、试管婴儿、克隆人、人脑嵌入电脑芯片、人类的基因改造……这些都遭到了顽强的抵制，唯独类人诞生时反而没有激起多少涟漪——反对者已经见惯不怪了，已经无计可施了，已经听之任了。当然，类人的出现确实使人类处于一种尴尬的地位。人类是万物之灵呀，是上帝之子呀，是天授神权呀，人类智慧是宇宙进化的极致呀……忽然，人类有了逼真的——不，是完全不失真的——仿造品！人类现在是腹背受敌，前边是已超过人脑的电脑，后边是用'泥土'（元素）组装出来的人造人！不过，不管人类精英如何担忧、如何反对，类人很快就大批出现了。截至今天，"何不疑停下来，对旁边的电脑低声下了一道命令，少顷，电脑上出现一列数字：124589429，"一亿二千四百五十八万九千四百二十九个类人。这是因为，日益走向'虚拟化生存'的人类极其需要这种有感情、在人格上又'低于'人类的仆人，这种市场需求根本无法遏制。世界政府只来得及制定几条禁令：第一，全世界只允许开办三个类人工厂，其中就包括'二号'。知道吗？"他笑着说，"这儿是我的家乡，我筹建'二号'时，有意选中这儿，选到恐龙蛋聚集的地方，我想这儿最适合做生命轮回之地。"

他接着说："第二条禁令，就是类人不得具有人类的法律地位，不允许有指纹，以便与人类区分；不允许繁衍后代；只能在三个类人工厂里制造新类人。"

女记者已经急不可待了，笑着打断主人的话："何先生，这些历史我们都很清楚。不要说这些了，快揭宝吧，你今天到底给我们准备了什么意外的礼物？"

何不疑笑着，仍不慌不忙地自顾自说下去："类人不允许有指纹，不是指用手术方法去掉指纹，那太容易了，而是去掉 DNA 中所包含的产生指纹的密码。这个工作太困难了！那就像把高熵世界返回到低熵。你们也许知道，人的指纹类型不仅取决于基因，还取决于皮肤下微血管和神经系统的排列，后者在很大程度上属于量子效应的范畴。不过，尽管这项工作十分困难，科学家仍把它完成了，在建造亚利桑那'一号'工厂时就完成了。我是这项技术的发明人之一。"他说，并没有自矜的成分，"能发明出这项技术在很大程度上可谓侥幸。"

斯契潘诺夫不动声色地揭"疮疤"："第二条禁令中，那句'不允许繁衍后代'的原文是'不允许类人具有生育能力'。可惜，这条禁令没能实现。"

何不疑老实承认道："对，你说得对。如果是用手术或药物的方法使类人失去生育能力，那是再容易不过了，但是，若是修改基因中的生育密码——做不到。科学家经过多次尝试后发现，凡是对此有效的技术，势必影响 DNA 的生命力。看来，繁衍后代的欲望是生命的第一本能，抽去这个本能，也就消灭了生命本身。所以，这条禁令没能在类人制造技术中得到落实，但它的替代物——不允许类人自主繁衍的法律——倒是得到了完全的贯彻。而且，尽管具有繁衍能力，但类人们普遍没有繁衍的欲望。他们都是性冷淡者，这主要是由于社会心理的作用。

"至于消除指纹技术，"何不疑说，"那是绝对可靠的，迄今生产的一亿两千万类人中，没有出现一次例外。现在警方已把有无指纹当成识别人类与类人的唯一标准。你们知道，自然人中也有极少数没有指纹的特殊例子，全世界不过几十例吧。世界政府为他们颁发了严格的'无指纹证书'，这些不幸的无指纹人不得不极其小心地保护着这些证书，否则他们在人类社会中将寸步难行……说远了，还是回头说'二号'吧。虽然这项从基因中'擦去'指纹密码的技术极为可靠，但'二号'内仍有严密的监督系统。你们刚才已经看到，每一个出生的婴儿都要接受严格的检查，一旦发现指纹，立即自动报警，整个'二号'会在两秒钟内进入一级警戒。我刚才说过，这儿的胎儿都要孕育14个月，所以，他们出生时身体发育相当于4个月大的人类婴儿——所谓14个月只是一种比喻的说法，实际上，这儿的生命成长是快速进行的，从制造出DNA到婴儿出生，只有3个小时的时间。至于为什么让类人婴儿在14个月大才出生和出厂，那是因为正常人的指纹不是生来就有的，要在13个月后才能长出来，才能被检验。"他突兀地宣布，"这就是我邀请二位的目的。"

他的转折太突然，董红淑愣住了，猜不到他的话意。斯契潘诺夫多少猜到了一点，但也不敢肯定。两人紧紧盯着何不疑。

何不疑苍凉地说："我一直在做着一件违逆自己心愿的工作。从某个角度看，所有类人都是我的亲生孩子，我十分喜爱他们，但又不得不冷酷无情地防止他们混入人类，因为那将使人类社会走向大崩溃。我准备提前退休了，退休前想对'二号'的安全性作一次实战检验。请听好，"他郑重地说，"我已经对主电脑霍尔下达了指令，修改了制造程序，使生产线中能产生带指纹的婴儿。世界上能修改这一程序的，不会超过三个人吧。"他说，仍然没有丝毫自矜的成分，"请注意，'二号'内只有总监和我知道此事，对其他人完全没有事先预告。按时间计算，"他抬腕看看手表，"再过25分钟，第一个有指纹的类人婴儿就会出生，随之应该自动报警，全部生产程序中止，大门锁闭，全区处于一级戒备状态。"他加重语气说，"我再重复一遍，绝对没有事先预告，我以人格担保。总监正在隔壁瞪着眼监视呢。

一会儿看到的将是一次完全真实的实况转播,而你们是有幸观察现场效果的仅有的外人。如果25分钟后没有警铃声,那我就要丢人了。怎么样,二位还有问题吗?"

两位客人绝对没有想到,给他们准备的是如此刺激的实战演习,两人都紧张得喘不过气。董红淑又是点头又是摇头,"是的是的……不,我们没有问题了。"

"那好,请静下心来品尝咖啡,等着这一刻吧。"何不疑气定神闲地坐在他们前面,又唤佳佳送来三杯热咖啡。佳佳应声进来,她的笑容还是那样优雅,她一定还被蒙在鼓里。

佳佳带上门出去了,屋里一片瘆人的寂静。只有墙上的电子钟嗒嗒地响着,轻微的响声似乎慢慢放大,在每个人的耳鼓里变成雷鸣般的声响。两个男人无疑也紧张,但他们尚能不形于色,董红淑则几乎无法自制。小董忽然注意到两人端杯的手都在微微颤抖,她想,原来你们也一样紧张呀。

1分钟,2分钟,10分钟,25分钟……秒针的声音像是一记记鞭响,这时连何不疑的额头也沁出细汗。当时钟走了25分8秒时,忽然响起了一阵铺天盖地的警铃声!虽然早有准备,但董红淑还是像遭到炮烙一样从沙发上蹦起来。

屋门被撞开,笑容优雅的佳佳仿佛变成了一头遭遇枪击的小母兽,尖声喊着:"一级戒备!何总!"门外的高音喇叭声清晰地传来:"生产线发现故障,一级戒备!严禁人员走动,警卫严密警戒!"

何不疑舒心地笑了。这时,一个秃顶的白人男子从屋外进来,与何不疑相视而笑,两人立即对着麦克风宣布:"我是总监杰克逊,我是总工程师何不疑。请安静,刚才是我们布置的安全检查演习。重复一遍,刚才是我们布置的安全检查演习。请恢复正常生产。谢谢。"

何不疑向电脑霍尔下达命令:"霍尔,演习结束,请退出刚才的程序,开始正常生产。另外,把刚才的带指纹婴儿立即送到总监室。"

总监微笑着同何不疑握手，"祝贺你的安全程序通过了实战检验。两位客人请坐，今天这个实战演习如何？千载一遇呀。佳佳，我从来没有听过你这么高的嗓门，我的天，至少 100 分贝！"

佳佳知道了是一场虚惊，含羞带笑地退出去了。总监看到了办公桌上的大竹篓，"老何，这是什么特产？"

"是朋友送的金华火腿。不过你甭想染指，那是内人最喜欢吃的。"

门外响起脚步声，四名剽悍的警卫抱着一个白色的襁褓走进来，向总监和何总行了军礼。何不疑接过襁褓，在接收单上签了字，警卫像机器人般迈着整齐的步子走出去了。

何不疑对两位客人说："准备拍照吧。这是最难得的拍摄机会。"他和杰克逊领客人来到里间，这里有一架激光全息相机，已经做好了准备，两个镜头射出红色的激光束。何不疑打开襁褓，把婴儿放到拍照用的平台上。

一个赤身裸体的婴儿，粉红色的皮肤吹弹可破，睁着眼，正向这个世界送去第一个微笑。他会笑会睁眼并不奇怪，他的发育已经相当于四个月的人类婴儿了。脸上的皱纹已经舒展开来，很胖，小屁股肉乎乎，胳膊腿儿圆滚滚。这是个男孩，胯下小鸡鸡翘着。大概是冰凉的平台刺激了他，他的小手小脚使劲踢蹬着，咧开嘴巴哭了两声。不过他的哭声并不悲痛，而那双明亮有神的眸子一直急切地打量着四周，想在来到人世的第一瞥中看到更多的内容。

苍凉沉郁的生命交响乐在董红淑心中缓缓升起，黄钟大吕震击着她的心房，泪水不觉盈满了眼眶。她羞怯地侧过脸，掩饰了自己的激动。

这当然不是她见到的第一个类人。不过，当一个呱呱坠地、混沌未开的婴儿全裸着被放上祭盘时，视觉的冲击感仍是太强烈了。看到这个可爱的、精美绝伦的小精灵，怎么可能相信他是用"完全人工"的方式生产出来的呢？他不是来自于上帝、安拉或女娲的创造，不是自然之子，他的基因是用激光钳砌筑而成的，他是由工艺或技术产生的普普通通的"产品"。

上帝的法术在这儿已经被还原成毫无神秘感的技术。这个技术制造出的小生灵像正常的人类婴儿一样,在女人心房中激起了强烈的母爱。

斯契潘诺夫似乎没有她这些感受,他正在紧张地抓拍。激光全息相机也开始工作了,两束柔和的红色激光照在目标上,产生了干涉,把干涉条纹记录在乳胶底片上。平台旋转着,改变着倾角,以便得到各个角度的详图。最后,何不疑又用数字相机对婴儿的手指肚和脚趾肚拍了特写,这个镜头被同步反映到屏幕上:经过放大的手指显得更为娇嫩和精致,皮肉近乎透明,浅浅的指纹似有若无。作为"二号"的总工,何不疑已在指纹世界中浸淫了半生,他认真辨认着指纹中的螺形,观察着其中的起点、终点、分支点、结合点、小桥、介在线、分离线、交错线、小眼、小钩。

他说:"看见了吧,很巧,这个婴儿的十个指纹都是斗形,这是比较少见的。按照中国的传说,这种孩子长大了最会过日子。他也许会成为一个好管家或守财奴,哈哈。"

董红淑也拍了几张照片。何不疑把婴儿重新放回包布,但没有包扎,他和杰克逊退后一步,默默地打量着婴儿,目光中别有深意。很长时间,屋里是绝对的静默,只有婴儿无声地舞动着手足,就像是在上映一场无声电影。

何不疑打破了沉默:"不管怎样,还是给他起个名字吧。"

杰克逊点点头。

"起个什么名字?"

"你决定吧。"

何不疑略一思索,"叫他'十斗儿'吧。董小姐,斯契潘诺夫先生,你们在报道中就请使用这个名字。"

然后屋内又陷于沉默。不谙世事的董红淑疑惑地看着屋内的人,气氛为什么这样沉闷?所有人的动作此刻都放慢了节奏,就像是高速摄影下的慢动作。董红淑在心中揣测,何不疑的试验圆满结束了,他几十年的技术生涯有了一个圆满的句号。下边他要干什么?他要说什么话?为什么两个人都神态肃穆？

蓦然，一个可怕的念头闯进她的思维。她还没来得及做出什么反应，何不疑已经以行动证实了她的猜测。

他喟然叹道："老杰，开始下一步？"

"嗯，开始吧。"

"真不忍心啊，这是世界上唯一有指纹的类人，既是空前的，很可能也是绝后的。"

"是啊。"

何不疑走开去，等他返回时，手上已拿了一支注射器。他把婴儿的屁股露出来，准备注射。

董红淑再也忍不住了，尖声喊："住手！你们想干什么？"

声音的尖厉使何不疑和杰克逊都吃了一惊。何看看她，温和地说："我要对他进行死亡注射。我想你不该为此感到惊奇的，你知道，法律对于类人拥有指纹订立了多么严格的条款。从生产类人至今，没有一个有自然指纹的类人。有极个别类人曾伪造过指纹，一经发现，全都就地销毁。对于这个违反规定的产品，当然也只能销毁了。"

董红淑一时哑口，没错，何不疑说的正是社会的常识。人类和类人一个来自自然，一个来自人工。从物质构成上说，两者完全一样。若不是指纹的区别，人类社会早就被类人冲击崩溃了，因为人类的生育要遵从大自然的种种限制，而类人的生产能力却是无限的。人类当然不甘心如此。即使抛开人类沙文主义的观点，至少有一点是毋庸置疑：人类是原作，而类人是赝品。怎么可能容许大量的赝品去代替上帝的原作呢？

指纹区别是唯一的堤防，这道堤防是用浮沙建造的，极不牢固。正因如此，人类才以百倍的警觉守护着它——但这都只是理性的认识。而此刻，感性的画面是：一个可爱的、精美绝伦的、赤身裸体的婴儿马上就要遭到残酷的杀害。在这一瞬间，董红淑突然对何不疑滋生出了极度的愤恨。是他邀请自己来到"二号"，把一个残酷的场景突然推到自己面前，丝毫没有征求自己是否有观看的愿望，没有考虑自己是否有足够的心理承受能力——如果没有这些，董红淑也许会糊里糊涂地接受社会的说教，对类人的苦难熟视无睹。但此刻，她不能佯装糊涂了。

她愤怒地盯着何不疑和杰克逊，甚至迁怒于自己的同伴斯契潘诺夫，因为后者的表现太冷静、太冷血了，他的蓝色眸子静如止水。何不疑和杰克逊显然对她的这种反应没有精神准备，何不疑垂下针头，准备对她进行劝慰。但董红淑不愿听他的辩解，她在紧张地思考怎样才能制止这场谋杀。她不能以一己之力对抗法律，对抗社会，那么，她该怎样迂回作战？她突然想到了一个绝对有力的理由：

"且慢！何先生，你说过，从身体结构、基因结构上说，人类和类人是完全一样的，区别仅仅在于后者没有自然指纹。所以，有无指纹是唯一在法律上有效的证据，对吗？"

"没错。"

"那么，你们怎么敢杀害这个具有自然指纹的婴儿？不管是什么原因，不管是不是你们故意制造的工艺差错所致，反正他已经具有了自然指纹，从法律上说，他已经和自然人有了同等的社会地位。何先生，请你立即终止谋杀行为，否则，我会以谋杀罪起诉你和杰克逊先生！"

董红淑懊恼地发现，她的"绝对有力的威胁"对于两人没有丝毫的震慑作用，他们的眼底甚至露出了谐谑的微笑。

何不疑摇摇头，坦率地说："董小姐，你对法律的了解太幼稚啦。世界政府有成千上万的法律专家，你想他们会留出这么大的法律漏洞吗？请你听我解释。你们乘飞机来到'二号'时，看到'二号'的外景了吗？"

他问了这么一个毫不相干的问题，董红淑恼怒地拒绝回答。斯契潘诺夫说："看到了，像一颗灰白色的鸟蛋。"

"对，像一颗软壳鸟蛋，或者说像一个子宫，一个放大的子宫。董小姐肯定知道，在 21 世纪的法律里，堕胎是合法的，那些曾激烈反对的基督教国家也不得不承认了堕胎的合法性。堕胎的合法性就意味着，子宫里的胎儿还不具备人的法律地位,哪怕已经怀胎十月,杀了它也不算犯罪。不过,只要一经过产门,它就变成了他或她,就具有了人的法律地位,就受法律的保护。为什么在经过产门前后,仅仅瞬间,胎儿和婴儿就享受完全不同的待遇? 这公平吗? 很公平,这是量变导致的质变。小董,如果这个有指纹的婴儿出现在'二号'大门之外,那人类就对他无可奈何了,即使知道他是类人婴儿,也只好以人类对待了。但你可能不知道法律上的一个附加条款:凡在'一号'、'二号'和'三号'生命中心内部的婴儿,可以认为它们还没有离开子宫,也不受法律的保护。这就是'二号'门卫森严的原因,任何未经检验的婴儿绝不可能被带出生命中心。顺便告诉你,任何外界的人类婴儿也绝不容许进入生命中心,因为他们进来后,就会同类人婴儿混在一起,真假莫辨,只好以类人来对待了。所以,'二号'有这么一条严格的规定:女职员怀孕 3 个月后就要停职,不得进入'二号',以免在'二号'流产。"

何不疑看到董红淑依然愤恨难消,就把注射器交给杰克逊,"老杰你来注射吧。小董,并不是我生性残忍,并不是我愿意干这样的事情。作为类人生产技术的开拓者之一,我对自己的产品有更深的感情,即使说是父子之情也不为过。但我们得为人类负责吧。"

他有意遮挡住小董的视线,那边,杰克逊已经熟练地注射完毕,拔出针头。这个"十斗儿"真是个大气的孩子,针头扎进皮肤时,他的嘴巴一咧,似乎想哭泣,但针头随即拔出,他的面容也恢复了正常。不过,药液很快发生作用,他的眼神逐渐迷离,慢慢闭上,永远地闭上了。他的面容非常安详,非常平静,似乎还带着微微的笑意。

几个男人都不说话,目不转睛地盯着遥测仪表。心电曲线很快变缓,拉成一条直线,体温示数也缓慢下降。在这段时间里,屋里笼罩着沉闷和静默。随后,何不疑又用听诊器复查了孩子的心跳,用手摸摸额头的温度,他点点头表示一切无误,又让杰克逊重新复查一遍。

两人确认类人婴儿已经死亡,何不疑用包布把孩子重新包扎起来。

他做得极慢,神态肃穆,似乎以此表示忏悔,以一种事实上的葬礼为死者送去一些安慰。随后,他抱着死婴与大家一起来到正间,把襁褓放到靠墙的一个杂物柜上,按响电铃。两分钟后,刚才来过的四名警卫又列队进来,何不疑把襁褓递给杰克逊,后者又打开襁褓做了最后一次检查,递给为首的警卫,"立即销毁,去吧。"

为首的警卫签字接收,然后四名警卫如机器般整齐地列队离开。

董红淑的脸色阴得能拧出水,心中充满了无能为力的怨怒。她知道自己没能力制止这件事,她甚至从理智上承认它是正当的——这牵涉人类(原作)的尊严啊。但不管怎么说,她的心中仍倍感痛楚。一团极柔韧的东西堵在胸口,使她难以顺畅地呼吸。

何不疑和杰克逊正肃穆地目送警卫离去。董红淑想,事实上,他们没什么好责怪的,他们就像是执行堕胎手术的医生,只是在履行自己不得不履行的职责而已。斯契潘诺夫呢,这老家伙是个真正冷血的侦探小说作家,他毫无表情,目光深不可测。没准儿,他正在以此为梗概,为下一篇惊世之作打腹稿呢。

小董觉得,她这会儿最恨的就是这个冷血的老家伙。

斯契潘诺夫是个典型的俄国佬,酷爱伏特加和女人,不过,他的思维绝没有在酒色中泡酥。他的每一篇作品都是惊世之作,一面世都会进入世界畅销书的前三名。近年来,电脑枪手已使不少作家失业,但丝毫不能撼动斯契潘诺夫的地位。由于他的声望,他与各国警方都保持着良好的关系,并且一直进行着一种对双方都有利的合作——对于一些难案、疑案,警方会在侦破的早期或中期就请斯氏介入。警方提供绝对原汁原味的完整资料,以及对案情的各种同步分析,然后,斯氏的小说创作也同步进行。他的小说完稿常常早于警方结案,而且,更为难得的是,他对案情的分析和预测常常是正确的,正确率几乎达到50%!因此,他的分析为警方破案提供了很大帮助。警方对斯氏佩服得五体投地,他们最经常的抱怨竟然是："这老家伙的影响力太强大了,一旦他的分析出了差错,警方常常被他引进沼泽中,难以自拔。"

这次,从一接到何不疑的邀请,斯契潘诺夫的"第三只眼"就微微睁开了。这已成了他的本能。何不疑,"二号"基地的神秘老总,为什么邀请他和董小姐同去? 董小姐被邀是比较正常的,她是一位名记者,何不疑大概有什么消息要通过她的口告诉世人。但何不疑邀请超一流的侦探小说作家,是为了什么?

很可能什么都不为。可能何不疑是他的一个崇拜者,可能是何不疑要借助于他的声望——想到这儿,他的第三只眼睛又微微睁大了一点。若果真如此,何不疑又是为了什么目的要借助于自己的声望? 可能他想让自己在现场做一个强有力的内行证人?

因此,斯契潘诺夫进入"二号"之后,始终半睁着第三只眼。盛名之下活着也很累呀,如果这里有什么猫腻,而他糊里糊涂为某些人作了旁证,那他就要大跌面子了。如果只是他多疑呢,反正也损失不了什么。

斯契潘诺夫就是抱着这种心态与何不疑寒暄、参观、目睹那个类人进入轮回、听何不疑说他打算进行"实战检验"——到这时,斯契潘诺夫的第三只眼突然睁开了。从表面上看,何不疑的安排完全正常:他是一个极有职业道德的总工程师,想在退休之前最后检查一次安全程序,同时使它具有尽可能浓的戏剧味儿,让自己的毕生工作在高潮中落幕。一切正常。但斯契潘诺夫的直觉却在一旁轻轻摇头:嗨,且慢,老家伙,这里的戏剧味儿是不是太重了一些?

斯契潘诺夫惯于作逆向思维,他想到了另一种可能。这种想法十分荒诞,十分纡曲,但它至少并非绝无可能。那就是:也许对"二号"的真正挑战者正是何不疑本人? 他想在退休之前的最后一天做一件震惊世界的事情,把一个有自然指纹的类人盗出"二号",而斯契潘诺夫只是他所用的一个掩人耳目的道具?

并非完全不可能啊。如果何不疑确实打算这么做,他可能有两点动机：第一，类人制造是他毕生的事业，他对自己的产品有最深的感情；第二，他是一个智力上的强者，这种人常常会向社会提出挑战。

当然，这种可能纯属臆测，被证实的可能性不大，但斯契潘诺夫宁可拿它做思考的基点。至少他可以做一次自娱性质的智力体操，事后他也可以拿这种虚拟的构思写一部作品。于是，斯契潘诺夫以平静的旁观者心态，对事件的进程进行着缜密的、近距离的、全方位的观察。

从四名警卫抱着襁褓一进屋，斯契潘诺夫就时刻使自己处于最有利的观察位置。何不疑解开襁褓，对婴儿拍照，杰克逊进行死亡注射，何不疑重新包裹，交还给警卫，这个过程始终处于他的视野之中。

似乎没有什么可疑之处。

他设身处地地站在何不疑的位置上考虑，如果他妄图把类人婴儿带出"二号"，他该怎么做？最好的办法是掉包，把一个假死的婴儿（心跳停止、体温降低都能通过医学手段做到）同假冒者掉包，然后再伺机把假死的婴儿带出"二号"。

婴儿自始至终都在他的视野之中，不过斯契潘诺夫并未盲目乐观，他知道训练有素的魔术师要想骗过观众和摄像机是多么容易的事情。

但何不疑的所有动作都那么自然，那么正常——也许只有一点勉强算得上可疑：在把死婴重新包裹后，他把死婴先放到一个杂物柜上，其高度大致与人的胸部齐平，然后按电铃唤警卫，这个"往杂物柜上放"的动作有些不大必要。而且，在他重回杂物柜前取下襁褓时，其后背曾极短暂地遮挡住斯契潘诺夫和大伙儿的视线。很短暂，只有 0.5 秒，动作衔接得也很自然，但一个手法纯熟的魔术师在这个瞬间足以把"活儿"做完。

好，现在假设他已完成了掉包，那个真婴儿已通过杂物柜之后的某个机关被掩藏了起来。接下来，何不疑要怎么做？

董小姐正愤怒地盯着自己，她一定是气愤自己的冷血，对一个类人婴儿被杀无动于衷。斯契潘诺夫多少有点抱歉。高强度的推理思考干扰了他的情感反应。对不起，母爱充沛的董小姐，我不能做你的同盟军。亲爱的何老弟,请你继续表演吧,我在这儿准备为你鼓掌呢。

不过,在他推理时,心中一直还有一个声音在说:很可能这些"疑点"纯属他的臆想,何不疑此刻扮演的很可能正是他的本来角色。谁知道呢,且看剧情的进一步发展吧。

警卫在走廊拐角处消失了。何不疑和杰克逊安静地等待着。5分钟后,室内某个暗藏的麦克风响了:

"杰克逊先生,何先生,次品工件已经销毁。"

杰克逊上前拥抱何不疑,"祝贺你,'二号'的安全系统通过了最严格的实战检验。"

"我也很高兴。我的最后一幕演出得了满分。再见,老伙计,我要走了,永远同'二号'告别了。"

杰克逊摇摇头,"真的,你退休得太早了,可惜我没能劝动你。"他多次劝老何收回这个决定,刚刚50岁,正是科学家的巅峰期呀,但何不疑不为所动。杰克逊想,也许高智商的人爱行意外之举? 至少他知道李叔同——中国近代史上一位著名的文学家、音乐家、戏剧家和画家——就在盛年时突然剃度为僧,法名弘一。他遁居深山,青灯古卷,终生不悔。

何不疑笑笑,"我已经打定主意了,想开始一种新的生活。"

秘书丁佳佳也进来了,眼眶红红地同何总拥抱。

何转身对客人说:"请吧,我们一同离开'二号'。关于今天的事,你们尽可自由地报道,不会有人限制你们。董小姐,"他半开玩笑地说,"你也尽可在文章里骂我,说我是一个残忍嗜杀的恶魔。不过,我确实是不得已而为之。这样吧,离开'二号'后,中午我请客,二位如有什么问题,我可以作延伸服务——不过不能以'二号'老总的身份了。"

虽然怨怒未平,但董红淑也不好过于偏执。毕竟何不疑是在人类道德的框架中行事,他只不过是一个执行堕胎手术的医生罢了。她勉强挤出一个微笑,"谢谢,但我不能再耽误你的时间……"

斯契潘诺夫打断了她:"不,董小姐,拒绝何先生的盛情是不礼貌的,而且这样的采访机会以后永远碰不到了。何先生,谢谢你的邀请。"

何不疑最后留恋地望望四周,"再见了,我在这儿的生活落幕了。从现在起,我要开始新的生活。"他面向电脑,用额头碰碰霍尔的合成面孔,"霍尔老朋友,再见——很可能是永别了。"

霍尔显出恋恋不舍的表情,浑厚的男中音中饱含怅然:"再见,祝你的新生活愉快。替我向夫人和未来的孩子问好。"

"谢谢。佳佳,来,让我们吻别。"

佳佳处于浓重的别情之中,她忍着泪说:"到大门口吻别吧,我和杰克逊先生送你到大门口。"

"好,走吧——哦,佳佳,替我拎上那篓火腿,一会儿我请两位客人品尝。"

斯契潘诺夫仍在冷静地旁观着。何不疑说他的生活落幕了,但他今天的演出不一定结束呢。然后,何不疑提到了他的火腿篓,斯契潘诺夫的神经像针扎一样忽然惊醒了。

佳佳拎起办公桌上形状古朴拙厚的竹篓——在人造食品大行其道的今天,凡是真正的自然食品大都采用这样自然的包装——它的个头不大,但如果采用某种措施,装下一个婴儿并非不可能。斯契潘诺夫的第三只眼全部睁开了。截至此前,他的思维一直保持着两条平行线,即何不疑可能是清白的,也可能有猫腻,两种可能没有轻重之分。但自从"竹篓"一进入视线,情况马上变了。因为,竹篓是个过于突兀的道具,它恰恰于今天出现不大可能是巧合。

一只竹篓,一个正好适合装下婴儿的道具。

不过,他还不知道何不疑准备怎么使用这个道具。在众目睽睽之下,不大可能把掉包的婴儿装进竹篓,但是——且看下边的发展吧。佳佳已走向门口,何不疑笑着做了个手势,请大家稍等,他走进卫生间,关上房门。

又是一个值得注意的细节。虽然何去小解不能说是不正常，但这是他第一次走出大家的视野，在那扇房门之后，他能干的事情可是太多了。不过，那只竹篓倒是一直在佳佳的手里拎着。这位看来心无城府的女秘书会不会是何的魔术助手？斯契潘诺夫不敢稍有懈怠，一直拿目光罩住竹篓。短短两分钟后，何不疑走出卫生间，同大家一起沿着人行道向大门走去。

一路上何不疑说话很少，十分留恋地看着四周，他向两位客人解释说："这是我最后一次观看'二号'了。'二号'的安全措施十分严格，非现职的工作人员是不可能进入的。"

斯契潘诺夫想，这也意味着，他如果真有所图的话，一定会在今天把婴儿带出"二号"。

佳佳一直拎着竹篓紧紧傍着何总，眼眶一直红红的。这个忠实的秘书对自己的上级十分依恋。杰克逊与何不疑并排而行，低声说着什么。董红淑一个人闷头走在后面，她的情绪还没有完全恢复。斯契潘诺夫则紧紧傍在丁佳佳的右侧，时刻把那只竹篓罩在视野中。

他们来到了大门口，杰克逊先与何不疑拥别。斯契潘诺夫注意到何不疑一直没有接过竹篓，佳佳直接把竹篓放到物品通道的传送带上。在这儿，所有物品都要经过高强度伽马射线的照射，即使放在铅箱里的病菌也会被杀死。那么，何不疑到底想用这只竹篓干什么呢？

佳佳过来，同何不疑长时间地拥抱，吻别，眼眶中盈着泪水，"再见，何总再见。迁入新居后请告诉我们地址，我们去看望你。"

何不疑委婉地拒绝了，"我们要到深山中隐居，那儿交通很不方便，以后再说吧。佳佳再见，老杰再见，还有——'二号'再见。"

何不疑和两位客人脱光衣服进入人行通道，水流在三具裸体上打出一片白雾，也在斯契潘诺夫的脑海中打出一片迷雾。三个人穿上衣服，走出通道，经过伽马射线照射的竹篓摆在传送带上。何不疑走过去想把它拎下来,斯契潘诺夫比他早上前一步,"让我来吧。"

何不疑没有客套,"多谢。就在门口的红云酒店请你们吧,喽,酒店在那儿。"

红云酒店在百米开外,从外面看十分冷清。"二号"虽说是个大单位,但由于严格的保密限制,在它附近没有形成成规模的商业区,"红云"是这儿唯一的酒店,门面也不豪华。三人信步走去,行走中,斯契潘诺夫暗地估量着手中的分量。竹篓不重,大致相当于一个婴儿的重量吧。竹篓里到底装的什么东西?无论如何,他要想办法查明竹篓中的内容。

酒店门口是一张L形的吧台,收银员正和一位服务小姐隔着柜台闲聊。这会儿不到午饭时间,所有桌子都是空的。那位穿短裙的小姐走过来,为他们斟了茶水,送来菜单。斯契潘诺夫把竹篓放在身边,仍旧时刻拿目光罩住它。

何不疑翻开菜单,"董小姐,请你点吧。"董红淑摆摆手。"斯契潘诺夫先生?算啦,大概你也看不懂中国的菜谱,还是我来吧。"他点了腰果虾仁、素羊肚、西芹百合等,"哦,对了,麻烦厨师把这竹篓里的金华火腿拼出一个盘子。我答应过让二位品尝的。"

斯契潘诺夫随即站起来,拎上竹篓,"我把竹篓送去吧,我还没见过著名的金华火腿是什么样子呢。"

他估计何不疑可能要拒绝,但没有。何不疑平静地笑笑,像是对外国人的好奇心表示理解。他做了个手势:请吧。斯契潘诺夫在侍者的引导下来到厨房,侍者向一位头戴白帽的厨师作了交代。厨师含笑接过竹篓,解开上面的封盖,从中掏出一个很大的铝箔真空包装袋。斯契潘诺夫接过竹篓检查了一下,里面已经空了。厨师用厨刀割开真空包装,露出里面的——金华火腿。

确确实实是一只火腿。厨师用锋利的厨刀一片一片切着,肉皮是漂亮的金黄色,内部呈粉红色,肉质细腻。等他切够一盘的用量,又把剩余的火腿塞到真空袋中,递到斯契潘诺夫的手里。至此,斯契潘诺夫知道自己是失算了。他仔细回想了何不疑走出大门的全过程,不得不得出结论:何不疑绝对不可能躲过众人的眼睛,把一个 3000 克的婴儿用竹篓夹带出"二号"。

也许他完全是多疑。

他拎着竹篓回到饭桌上,何不疑正和小董低声谈话,谈得很投入。何正在说:"小董,我理解你的敏感,甚至我很赞赏你的愤怒。我们这些人闻惯了血腥味,已经见多不怪了。"他自嘲地说,"但我们是不得已而为之呀。类人的生产是一个危险的游戏,只要稍有松懈,类人就会代替人类占领地球的每一个角落,这对于人类来说确实极不公平。至于你耿耿于怀的死亡注射,说到底,是一个生物伦理学的问题,这种问题是没有确定答案的。斯契潘诺夫先生,"他对刚入座的斯契潘诺夫说,"你对今天的参观有什么感想?"

斯契潘诺夫微微一笑,"我正在以一个侦探作家的智力,对你的安全系统发起攻击呢。我考虑写一部小说,梗概是这样的:某个带自然指纹的类人婴儿,被一个神通广大的人物从'二号'里带了出来,引发了一场世界性的政治地震。"

"哈哈,看过刚才那场实战演习,你还不死心吗? '二号'的安全系统是万无一失的。"

斯契潘诺夫温和地说:"从来没有万无一失的复杂系统。连数学——世界上最严密的系统——还存在着漏洞呢,诸如哥德尔不完备定理、罗素悖论等。"

"那好,希望老斯你发挥才智,在'二号'安全系统上找出一个缺口,世界政府肯定会给你颁发奖章。"何不疑问小董,"还有什么问题吗? 不要错过这个机会,我退休之后将回到家乡山中隐居,以后我们很难再见面了。"

"我没有问题了,谢谢。"

菜肴送来了,何不疑请大家用餐,尤其要尝尝远道而来的金华火腿。董红淑的心情基本上已趋于平静,尽管想起何的死亡注射,心中仍不舒服。三人边吃边闲聊，忽然，何不疑的手机响了，他说："抱歉。"接通电话，他的脸色随着通话越来越欣喜，"好，我马上回去！"

他挂断电话，说："请祝贺我吧，我太太生了一个男孩！50岁才做爸爸，而且我们采用的是自然生育方式！对不起，请你们慢慢用餐，我要先告退了。"他迅速填了一张支票给侍者，站起来同二人告别。

两人道了喜，把满面喜色的新爸爸送到酒吧门口。何不疑拿出飞碟遥控器按了一下，他的飞碟从停车处飞过来，在门口降落。何不疑匆匆登机，向两人挥手。小飞碟轻灵地飞起。

董红淑忽然喊："何先生，你的火腿！"

何不疑在风声中大声说："先放吧台上，我明天再来取！"飞碟倏然升空，消失在白云中。

两人返回酒吧，把午餐用完。斯契潘诺夫盯着竹篓自嘲地说："刚才我还以为竹篓里夹带着那个类人婴儿呢。"

董红淑不理解他的深层想法，对这句话付之一笑，"他干吗夹带一个死婴？即使再冷血，他也不会拿类人死婴当晚餐呀。"虽然心情已经平静，但她的话中仍流露出对何的不满。

斯契潘诺夫也哈哈一笑，把这个话题抛开。小姐送来了终餐前的果盘。他问小董："今天的参观怎么样？"

"我会写一篇详尽的报道，一篇冷静客观的报道。"她想，我会让读者看到一个真实的何不疑。

"你会成功的。你有真感情，我看过你的一些文章，冷静加激情，这就是你的风格。"斯契潘诺夫简短地评论道，结束了午饭。

两人返回南阳，董红淑乘当晚的火车返回北京，斯契潘诺夫则在白河宾馆入住。当他在淋浴器的水帘下沐浴时，思绪还留在"二号"基地。他以侦探作家的睿智和经验，一遍又一遍地梳理着何不疑的所作所为，却找不到什么蛛丝马迹。但要他完全放弃猜疑，他又不甘心。

白河宾馆是四星级,楼顶的激光束在夜空中旋转。斯契潘诺夫洗浴完毕,穿上睡衣,打开"请勿打扰"的标志灯,枕着双臂躺在床上。他的直觉告诉他,今天的参观过程中肯定有些反常的东西,而他的直觉基本没欺骗过他。是什么? 经过再一次的梳理,他觉得反常之处在于以下四件事的"巧合":

何不疑退休——对安全系统的临别检查——金华火腿——夫人分娩。

分开来看,每一件事都是正常的,但它们同时在这个时刻出现,就显得不正常了,过于集中了,过于巧合了。斯契潘诺夫觉得这四件事有内在联系,它们都围绕着一个共同的中心——那个类人婴儿。

夜深了,斯契潘诺夫仍不想入睡,他喝了两杯浓咖啡提神,继续着艰难的思索和推理。他像拼七巧板一样,试着把今天的见闻按不同方式拼合。

但拼来拼去,拼不出什么结果。

脑袋开始犯困了。他走到窗前做了个深呼吸,活动活动筋骨。夜空高旷,繁星闪烁,一钩残月旁飘浮着淡云。一颗流星倏然飞来,在天空中画了一道明亮的弧线。斯契潘诺夫忽然心中一亮,有了一个新想法。这个想法虽然也属于异想天开,但斯契潘诺夫敢说它绝不会再错了。它就像是九宫格中央的那个数字,只要把它选对,周围的数字就很容易拼出来了。

何不疑的确捣了鬼,他把婴儿掉了包,又以极巧妙的办法在众目睽睽之下把它夹带出了"二号"。他有关此事的一切行为,从策划实战演习、对客人的选择、恰在今天寄来的火腿竹篓、在酒店请客,都是经过精密策划的,在平凡的外表下隐藏着极为机智的计谋。极有可能连何夫人的分娩也是假的,而夫妇两人此刻抱着的,正是那拥有十个斗状指纹的类人婴儿。

至于何不疑把婴儿夹带出"二号"的方法,实在太简单了,既简单又巧妙。斯契潘诺夫对他佩服得五体投地,佩服他的智力,也佩服他的勇气。作为"二号"的老总,他竟敢背叛"二号",背叛整个人类,这一切都源于他对自己"儿子"的深爱。

可怜那位激情的董小姐还被蒙在鼓里呢。

我该怎么办?斯契潘诺夫认真考虑着。这则消息一捅出去,势必在全世界引起一场八级地震,这对斯契潘诺夫无疑是一个不小的诱惑。只是……如果自己的思维更敏捷一点,能当场抓住何不疑,斯契潘诺夫肯定会把它公之于众的。但何不疑至少在当时蒙住了他。作为一个内行,斯契潘诺夫佩服他。

经过痛苦的权衡,他决定不去揭穿真相,让这个惊人的消息烂在肚里。至于这个唯一从"二号"逃出来的带自然指纹的类人,会不会在人类的防御线上捅出一个大洞——斯契潘诺夫不大在意。他在这个问题上的政治态度是中性的,既不为类人鸣冤叫屈,也不仇视他们。世上的很多事情最终还得靠上帝(不管是肉身上帝还是客观上帝)来裁决,而不是依靠人的抉择。

他只是做了一件事,把他的分析记在一本日记本上——不是电子记事簿,而是老式的纸质日记本。他的手提箱里正好有一本带锁的日记本,原是给孙女儿准备的礼物,现在他改变了主意:也许,等那个类人婴儿长大成人,在他的结婚典礼上,我会用这本日记作为我的贺礼。

天光放亮时,他放下钢笔,合上笔记本,也把历史的这一页轻轻合上了。他为自己倒了一杯酒,心想,何不疑夫妇此刻大概正在抱着"十斗儿"欢庆胜利吧,于是,他朝不可见的对手举举杯,一饮而尽,低声嘟囔了一句:

"祝贺你,可敬的何不疑先生。你赢了,我也不算输。"

资料之二：

新华社 2085 年 7 月 7 日电：

酝酿多年的《中国人姓名法》终于在今天获全国人大通过，它的要点如下：

1. 姓名的组成至少为四字，头两字为父母姓氏（若父母一方为复姓，则取姓氏首字），父先母后与母先父后均可。后两字为名。

2. 所有同音异字的姓氏合为一个姓，如张、章合为张。

3. 自姓氏法颁布之日起出生的婴儿，取名时须经计算机检索，确保在全国范围内、在 100 年内不得有重名（不支持同音异字名）。

4. 当所有可用的汉字组合用完后，姓氏的组成升级为五字。

5. 原使用多音节姓氏（四个音节及四个音节以上）的民族，其命名法仍可沿用，但须经过计算机检索。

6. 民政部设立姓氏司，统一管理中国公民的命名。

《光明日报》专刊文章：

难产多年的《中国人姓名法》终于呱呱坠地了。半个世纪以来，支持者和反对者进行了无数次的争论。支持者说姓名法势在必行，因为中国人的重名现象（包括同音异字名）已经给计算机管理设置了巨大的障碍，留下了许多隐患。反对者说这种计算机化的命名法抹杀了人性，抹去了与汉字息息相关的许多文化积淀——想想吧，再不会有西施、貂蝉这样能勾起无穷遐想的名字了！为了迁就计算机，8000 个汉字被缩并成 416 种读音，考虑到四种声调，每种读音最多只有四个字可以作为姓名使用字。"西施"将变成"西诗"，"貂蝉"变成"刁禅"，甚至将变成 xi shi、diao chan，因为计算机只对字母感兴趣！

姓氏是从远古流淌而来的血脉之河，它记录着人类从野蛮步入文明

33

的艰难跋涉。凡是没有在历史的长河中湮灭而留下姓氏的族人,从某种意义上说,都是历史的胜利者。不过,今天为了迁就计算机,已有近百种同音姓氏一朝消亡了。有时我们真弄不懂,到底是人类强大还是计算机强大。

1. 仇　恨

　　齐洪德刚和任王雅君并排坐在窗前,身后是齐洪德刚的居室。那是一间单身汉的简单居室,但经过女性之水的滋润。屋里被收拾得井井有条,一尘不染。茶几上的文竹、墙角的天竺葵都刚刚浇过水,枝叶青翠欲滴。书桌上是一台2124年款式的新电脑,傍着一盏米黄色的台灯,墙边立着铝合金的音像资料柜,里面塞满了移动硬盘。两人亲密地依偎着,两只手紧紧相扣。

　　窗外则是一间宽敞的病房,天花板很高,墙壁是令人舒心的淡蓝色。半壁是一排不锈钢扣板,内中藏着各种线路和管道。墙角有一个监测台,面板上显示着遥测的血压、体温及心搏参数。屋内只有一张病床,一个面容娇嫩的女病人面朝这边坐在床上。一名护士进来了,柔声向病人问了安,到监测台前打出监测参数,然后轻轻带上房门离开了。她的行走十分轻盈,就像是在水面上滑行。

　　齐洪德刚隔窗夸张地喊:"妈耶,我真不敢认你了! 现在你比雅君还要年轻呢! "

　　面容娇嫩的女病人嫣然一笑,伸手摸摸自己的面颊,"是吗? 真的,换肤手术十分有效,也没有什么痛苦,他们使用的是最先进的'皮肤细胞自

35

动生成法'。价钱也不高,只有 20 万元。"她的面容像少女一样娇艳,但语气又显然带着老人的沧桑,声音略显嘶哑和疲惫,"这个手术——你爸爸还不知道呢,我很想知道他看我第一眼时的感觉。"德刚妈绽出微笑,转了话题,"这就是雅君吧,25 岁,职业是发型设计师,身高 1.65 米,指纹是七箕三斗,孤儿,10 年前父母同时死于一场空难。你看,我对她早就了解了,我不明白你为什么一直瞒我。"

她的不满溢于言表。齐洪德刚有点儿尴尬,扭头看看未婚妻,雅君忙接口道:"伯母,我们没有瞒你,那时我们只是同居,不知道能否走到缔结婚约这一步。我们是昨天才商定结婚的,今天就赶紧通知您。"

"什么时候结婚?"

"马上就去登记。伯母,我和德刚深深地相恋,我们一定会白头到老的。"

"好,我很高兴,你是否要改称呼啦?"女人笑着问儿媳。

雅君温婉地笑着,马上改了口:"是,妈妈。"

"我马上通知你爸爸赶来,让他知道这个喜讯。雅君,你打算怀孕吗?"女人直率地问。雅君和德刚眼中都掠过一丝惶恐,应答略有停顿。"雅君,不要埋怨我多管闲事。这件事我已同德刚谈过多次,但他回避着不给我明确的答复。在这个问题上我很传统,我看不惯时下的年轻人,为了保持体形,为了不受痛苦,一窝蜂地采用体外生育法。这个时髦你们不要去赶。只有采用自然生育法怀胎十月,体会到胎动、临产的阵痛、初乳……只有真正经历这个过程,母子之间才能建立起深厚的血脉之情。"她缓和了语气,开玩笑地说,"你们可能在心里不服气:当妈的不也在赶时髦吗?当妈的做了换肤手术,整治得像个小妖精。不过孩子们,你们还是认真考虑考虑我的意见。那是切身之谈。老实说,如果不是自然生育,我和德刚不一定会这样亲近。"

她儿子是一个身高 1.90 米的大汉,肩膀宽阔,浓眉大眼,在妈妈面前十分顺从。不过,他显然有难言之隐,低下头不说话。雅君推推他,"德刚,你去把我给妈买的礼物拿来。"

支走了未婚夫,雅君低声急急地说:"妈,不要埋怨他,原因在我这儿。10 年前的那场空难损伤了我的生殖系统,医生说我很有可能会丧失生育能力。正是因为这一点,德刚一直对你隐瞒我们的关系。他知道你的期盼,怕你失望。我们肯定要孩子,但也许只能采用体外生育法了。妈,昨天我和德刚还在商量是不是要告诉你真相,后来决定还是实言相告。妈,对不起你了。"

妈妈皱着眉头打量着她,雅君个子较高,体态丰满,是一个性感型的姑娘。不过,仍可看到她的内心深处有一种只可意会的怆然,也许这是 10 年前那场灾难留给她的阴影。随即,德刚妈的眉峰舒展开来,"没什么,这是特殊原因,我会谅解的。你们打算什么时候要孩子?"

"一年之内吧。"

"行啊。如果采用体外生育法,我建议你仍采用自然哺乳——未怀孕的女人仍可用医学手段引出乳汁,我想你肯定知道吧——那样多少是个补偿。真的,当你步入老年时,回味起被婴儿含住乳头、为他轻声哼唱催眠曲的情景,那将会感到很幸福。"

"妈,我会记住你的话。"

德刚返回到窗台,看看雅君的目光,知道两个女人已经把话说透。他没再多说什么,只是把一件小礼物递给妈妈。那是一面嵌金的小圆镜。他介绍说这面镜子内含录像系统,当你梳妆满意后只要按一下左边的按钮,就能把此刻的面容留影,传入电脑中。德刚妈看了看,笑着说:"真是件好礼物,赶紧给我寄来吧。再见了孩子们。"德刚按动一个开关,窗后的虚拟景色刷地消失了——实际上,德刚的妈妈此刻在 300 公里外的郑州。

已经是晚上 7 点,屋内没开灯。两人默默搂抱着,一言不发,屋里笼罩着浓重的暮色和浓重的愁绪,不像是新婚前的气氛。现在是早春天气,窗外——真正的窗外,不是刚才的虚拟场景——疏星淡月,迎春花丛藏在窗下的阴影里。再远处是街心花园,一对情侣不顾早春的寒意,正立在花阴中拥抱亲吻。

德刚搂过女友的头，靠在自己的胸膛上，轻轻吻着她的柔发，犹豫地说："雅君……"

雅君忙捂住他的嘴。她挣开男人的拥抱，关上窗帘，打开屋里所有的彩灯，又打开数字音响，问："要什么曲子？中国的，西方的，还是印度的？"德刚说："要一曲中国的吧，要《烛影摇红》。"于是，悠扬邈远的古筝声响了起来，音质极为清晰，能听出拨弦瞬间的嘶哑。雅君把未婚夫拉到客厅中央，慢慢为他脱去衣服、袜子和鞋子；赤裸的德刚又为雅君慢慢剥去所有的包裹。两人裸体相拥，走向浴室。

浴室的热水已经放好，屋内弥漫着白色水汽，清澈的水面上浮着深紫色的玫瑰花瓣。雅君拉着男人步入浴池，水溢出来，一些花瓣也随水流越过池壁，落到地上，在马赛克地面上缓缓漂浮。雅君突然抖掉所有沉重的愁绪，发狂地吻着男人的嘴唇、眼睛，咬着男人的肩膀和胸膛。

"德刚，你要我吧，这会儿就要我。"

德刚吻吻雅君的眼睛，轻声问："你不怕了？你已经战胜了恐惧？"

"我不怕了，不怕了，你来吧。"

德刚很感动，他知道她的恐惧并没有消失，但雅君用勇气把它掩盖了。他们已经同居两年，雅君居然还是处女，这是因为她对性生活有根深蒂固的恐惧。德刚不愿委屈她，总是努力压制住自己的欲火。这样的时刻真难熬啊。雅君十分内疚，常为此偷偷垂泪——但她无法克服自己的恐惧。

德刚把她抱到床上，感觉到她仍在轻轻战栗。但无论如何，这一关总得过啊。他柔声说："雅君你该清楚，你的身体和别的女人完全一样，你那些恐惧只是社会偏见留给你的创伤。雅君，男女交合应该是天下最美妙的事，你应该享受它而不是害怕它。"雅君紧紧搂住男人，深吸一口气，说："来吧，来吧！"德刚雄壮地用力，然后——一切都过去了。

片刻的疼痛后是美妙的感觉。德刚的心情放松了，问："雅君，怎么样？"雅君欣喜地点点头。德刚想，可怜的雅君啊，她的身世在心灵里留下了一道深深的伤疤，今天这伤疤总算平复了。

接下来是连续几个小时的癫狂做爱。最后，两人筋疲力尽了，紧紧拥抱着沉沉睡去。

临睡时，雅君半是清醒半是呓语地说："德刚，我不会后悔。有了今晚，我不会后悔啦。"

"我们不光有今晚，还有半生呢。"

"德刚，我会怀孕吗？"

"当然，你没有理由不会怀孕。"

"可是，我是类人啊。"

"类人的身体结构与真正的女人完全一样，我已经说过多少次了。记着，你一定得扔掉这块心病。"德刚坚决地劝说着，他们渐渐入睡了。

雅君是 B 型人，或被称做"类人"。她不是耶和华、宙斯、朱庇特、奥丁、佛祖、女娲或任何一位神灵的创造之物，不是大自然的造化之功，而是位于伏牛山脉的"二号"基地生产的一个工件。她的十根手指和十根脚趾上都有完全可以乱真的指纹，不过，那不是基因和量子效用共同合作的结果，而是电脑微刻机的杰作。

25 年前，雅君在"二号"基地的生产线上诞生，像所有类人一样，她离开"二号"后一直生活在类人养育院中。那是一个封闭的饲养场，拥有蜂巢一样拥挤的床位、单调的饭食、刻板的生活，以及每天诵读《类人戒律》的声音（养育院中每时每刻都用低音喇叭播送着这些戒律，就像是梦中赶也赶不走的声音）。没有人怨艾，因为这就是类人的生活——他们是类人啊，怎么可以奢望能拥有人类那样多彩的生活呢。

雅君 7 岁时，被一对富有的老年夫妇买走当女仆。不过幸运的是，她没有过一天女仆的生活。老年夫妇用体外生育法生产的女儿刚刚夭折，他们很伤心，不想再生育，便买了一个漂亮的类人女婴作替身。在雅君身上,他们倾注了全部的父母之爱,为她提供了优裕的生活条件,甚至为了雅君成人后不致有自卑心理,在她 10 岁时还按照死去女儿的指纹资料为她雕刻了指纹。当然,这是很冒险的,因为按照全世界通用的法律:凡有不良倾向的 B 型人都应就地销毁,但两个老人把雅君很妥善地保护在了自己的羽翼下。

然而,雅君从未忘记自己只是个卑微的 B 型人。她忘不了 10 岁前,自己的手指指肚一直是光滑无纹的,邻居女孩发现后鄙夷地说:"你是类人! B 型人!"后来父母为她雕刻指纹,带她远远搬了家,这种自卑感才被埋藏起来——只是被埋藏起来,绝没有消失。

10 年前,老父母和她乘坐波音飞机从国外回来时,飞机失事了。雅君从死亡中挣扎出来时,父母已变成了两杯骨灰。在紧张的抢险时刻,医院的检查可能草率了一些,没有发现雅君的真正身份。这段经历唤醒了她的欲望,唤醒了她的反抗意识。出院后,她以自然人的身份定居在南阳,开了一家美容美发店,生意经营得很成功。

两年前,齐洪德刚走进美发店,两人相遇了,立刻碰撞出了火花。一个是一米九的剽悍男人,一个是柔嫩玲珑的小女人。女人从男人身上看到了健壮、坚强、宽厚和可靠,男人为女人生出无限的怜爱和柔情。这是雄性和雌性的撞击,阳与阴的撞击,两人出身的不同并没影响到撞击的烈度。但同时雅君总怀着无法排解的恐惧:类人是不能(不允许)生育的,类人都是性冷淡者,她担心自己和德刚的爱情会以悲剧告终。

在经过一年疯狂的相爱后,雅君向男人袒露了自己的秘密,于是,德刚立即成了她死心塌地的同谋。他们不仅要相爱,还要堂堂正正地结婚,要生孩子。这是很危险的。社会对 B 型人的法律很严格,而其中最严格的则是结婚和生育。这些年来,不少 B 型人与主人之间已经滋生了情感,不少家庭把 B 型人当成义子女来抚养,当然,也少不了有男女私情。社会和法律已经学会了对此睁一只眼闭一只眼——只要不繁衍后代——这是不容突破的底线。

明天就要去登记了,那儿有非常严格的指纹检查,他们能否通过? 齐洪德刚是名很有造诣的电脑工程师,一年来,他全身心扑到指纹研究上,对雅君的指纹做了精心修整。现在,她的指纹已足以瞒过电脑鉴别系统了。

但明天的命运到底如何,没人敢预料。雅君唯一肯定的是:不管结果如何,不管自己是否会因"不良倾向"而被销毁,她都绝不后悔。

民政厅的登记大厅很漂亮,两人一进门,立刻有一名少女过来献上一束勿忘我。雅君道了谢,把面庞埋在花束里。这些年,除了非洲和中美洲少数国家,所有国家的人口都呈负增长,正式结婚的人数也直线下降。伤透脑筋的世界政府为此设置了优厚的待遇,凡登记结婚并允诺生育的夫妇都将得到一大笔无息贷款,但这些优待收效甚微。

两人相偎着坐在登记桌前。民政员是一个中年男人,留着两撇可笑的小胡子。他堆着职业性的微笑,用目光轻轻扫过这对年轻夫妇。看来这是幸福的一对,两人的目光中都深情款款,这种深情是无法装出来的。当然,两人多少有点紧张,这也难怪,毕竟这是他们人生中一个重要驿站。职员按程序发问:男方姓名、年龄、职业、身份证号、信用卡号、医疗卡号;女方姓名、年龄、职业、身份证号、信用卡号、医疗卡号。一个 B 型人姑娘同时做着录入,她的十指(当然是没有指纹的十指)在键盘上轻快地跳动。随着资料的输入,两人的档案资料也同步调出,互相做着校核。

齐洪德刚对此倒不担心。这个剽悍的男人实际心细如发,而且是有名的电脑高手。一年来,他以黑客手法进入各个社会网站,把雅君所有的资料都认真修改过了。所以,电脑中调出的档案是绝无问题的。

中年职员把程序工作做完,笑着说:"档案核对无误。在我打印结婚证前,请二位进行最后一道例行手续:指纹鉴定。二位请。"

姑娘领两人走到电脑前,把两人的十根指头都涂上白色的粉末,然后请他们把指肚对准识读器。雅君看上去很平静,但德刚知道这种镇静是强撑出来的。他笑着说:"需要很长时间吗? 也许,我们先出去吃顿饭再来。"

中年职员笑道:"不会超过 5 分钟吧,识读器同警方的中央管理系统是相连的,结果很快就会送过来。"

德刚开着玩笑,"那么,万一识读器判定我不是我,我该怎么办? 我到哪儿去把那个真我找回来?"

中年职员没有回应他的玩笑。识读器嗡嗡地响着,红灯闪烁,迅即变成绿灯。职员宣布:"鉴定无误,齐洪先生,齐洪夫人,请稍等,我马上为你们填写结婚证书,警方也会送来指纹鉴定证明。"

两人相视而笑,真正放下心来,德刚随便闲聊着:"指纹鉴定结果马上就会送来吗? 我已经急不可耐了,我们还没有挑选结婚戒指呢。"

中年职员不知道两人的真实心情,只是赔笑道:"很快,很快,最多 10 分钟吧。"

南阳特区警察局大楼位于城北,是一栋 40 层的漂亮建筑。门口装饰着晚霞红的大理石贴面,显得金碧辉煌;楼顶有卫星天线和一条不停转动的抛物形天线,后者是同太空警署联系的专用设备。院子里有静物雕塑,主题雕像是一座瞑目沉思的裸体少女,神态安闲恬静。在她身后不远是警车的紧急出口,只要一声命令,5 秒内就会有一辆警车呼啸着冲出来。

在秦汉时,南阳是国内著名的都市,与长安和洛阳齐名,也是有名的水旱码头,东汉时更是光武帝刘秀的帝乡。不过,自从三国曹丕屠城后,南阳就再也没能复现秦汉时的辉煌。但今天的南阳特区警察局却远远高于南阳市的级别:由于类人工厂的极端重要性,南阳警察局与美国的卡梅伦警察局、以色列的比尔谢巴警察局均直属于世界政府领导,配备了强大的警力,局长是四杠两花的二级警监。

警官宇何剑鸣今天照例提前 40 分钟上班,警卫向他敬礼,笑着说,今天你又是第一名。剑鸣是 B 系统刑侦队队长,身高 1.78 米,肩宽腰细,英气逼人,风度潇洒,在公共场合常常是姑娘们注目的焦点。他打开电梯门,身后有人喊他等一等,是他的女同事陈胡明明。两人一块儿走进电梯间,电梯向 26 层上升。

明明似笑非笑地问:"昨晚上哪儿了,又跑如仪那儿去了?我打电话到你家,没人接。"

剑鸣心想,这女人的心理啊!陈胡明明是名泼辣的警官,性格爽直,偏偏对剑鸣一腔柔情。她明知剑鸣和如仪已是如胶似漆,也并不想插在其中做第三者,但这并不妨碍她每天关注着剑鸣的行踪,时而不冷不酸地敲打几句。她每天也是提前 40 分钟上班,这多半是冲着剑鸣来的,她很珍惜这点和剑鸣独处的时间。

剑鸣故意皱着眉头问:"昨天你没打喷嚏?我和如仪一个晚上都在谈论你。"

"哼,你们谈论我?"

"是啊,说你又漂亮,又温柔,又爽直,又能干。如仪很感动,说剑鸣啊你身边放着这么好的女人不找,却找了我这个浑丫头,我好感动哟。"

虽然知道是玩笑,明明仍很喜欢听,她嗔怒道:"去你的。"

一到办公室,剑鸣马上打开电脑,浏览一遍警方的内部通报,这是他的习惯。B 系统对类人进行着动态管理,他们的身体状况、行踪甚至情绪表现都随时被录入电脑,汇总到这儿。B 系统最关心的是类人中的不良倾向,强大的电脑系统会对类人中的可疑倾向发出警报。当然,电脑不是万能的,比如说,他上次经手的一起类人凶杀案,电脑就没有事前发出警报。

明明趴在剑鸣的身后一块儿看通报,她的发丝轻轻拂着剑鸣的后颈。队员们陆续来了,袁顾同庆大声说:"看看,明明又在关心队长咧!明明,你不怕如仪吃醋?"

明明冲他走过去,"呸,没一句人话,让我也关心关心你。"

同庆忙笑着躲开,"姑奶奶,饶了我吧。"

笑闹中,大伙儿打扫了卫生。剑鸣让各人汇报昨天的工作。昨天没

43

什么大事,只有一位类人女仆与主人私通怀孕,被及时发现。这种事是很敏感的,明明和同庆已监督那位女仆悄悄作了流产。剑鸣说,今天没什么情况,照旧原地待命吧。这时电话响了,是局长的电话,让他上去一趟。

剑鸣赶到顶楼,和 A 系统刑侦队的鲁段吉军同时赶到局长门口,吉军似笑非笑地说:"喂,B 系统的精英请先进,我不敢挡你的道。"

A、B 系统的矛盾是人尽皆知的,A 系统负责自然人的治安,B 系统则负责涉及 B 型人(类人)的治安。这些年,类人数目急剧膨胀,其中也多多少少有了一些不安分的苗头。所以,全世界的警方都把关注重点放在 B 系统,为其配置先进设备,配置高学历人员(剑鸣就是硕士学位)。这么一来,A 系统的人员难免心里不是滋味。鲁段吉军是局里的老资格警官,56 岁,已经快退休了。他的经验很丰富,但对涉及新科技的一些东西就有些跟不上步伐了,难怪他总是有些失落感。

剑鸣知道如何对付他,故意粗鲁地说:"扯淡,有老前辈在此,晚辈怎敢僭越?快进!"

他笑呵呵地推着鲁段吉军进了门。

局长高郭东昌伏在巨型办公桌前,拿光光的大脑袋对着门口。大家都称他为"高局长"——在警察系统内,仍以单姓称呼是一种习俗,可能是为了节约时间吧——这位高局长长得像只矮冬瓜,腰围比腿长要长。不过,这位圆滚滚的局长十分精明能干,剑鸣是他手下的爱将之一。两人进屋时他正在接电话,嘴里嗯嗯着,摆摆手示意二人先坐下。他对电话那头说:"好的,好的。我们马上开始调查,负责这个案子的警官已经坐在我对面了。再见。"

他放下电话,立即切入正题:"老鲁,有一个案子。中国科学院智力研究所有一位副研究员司马林达,是南阳人,听说过吗?"两人都没听说过。"他在圈外不太有名,咱们都没听说过,不过在圈内相当有分量。刚才是科学院一位副院长亲来的电话。司马林达的工作地虽在北京,但南阳鸭河口水库库区有他的别墅,所以常往来于两地。今天早上有人发现他服用了过量安眠药,死在他的别墅内。老鲁你赶紧接手调查,确定是自杀还是他杀,不然南阳对北京没办法交代。"他抬头看看剑鸣,"这个案子不牵涉类人,当然是 A 系统的事儿,不过我有个预感,也许 B 系统也得插手。"

鲁段吉军哼了一声,剑鸣乖巧地说:"B 系统随时候命,不过我看这么个小案子老鲁手到擒来。"

"剑鸣你汇报一下,"高局长看看案宗,"'云龙'号太空球,编号 KW0037 上发现的凶杀案。"

剑鸣简练地说:"已调查清楚,并不像报纸上叫嚣的,是什么类人仆人制造的凶杀案。实际是太空球主人、亿万富翁林葛先生精神失常,开枪自杀,类人仆人想阻止他,也受了重伤。那位富翁是太空球第一批居民,已单独幽居 34 年。典型的太空幽闭症。"

高局长叹息道:"看来真得把太空球所有居民都赶到地球上,调整调整情绪。偏偏那些居民都固执得很。地球上类人的事已经够麻烦了,太空球里还一个劲儿添乱。那个受伤的类人仆人呢?"

"按他本人意愿,已经进入轮回。昨天下午进的。"剑鸣又补充一句,"他应该算是位英雄吧,我因此曾劝阻他,但他执意要进入轮回。"

高局长对这个类人的生死显然并不在意,"行,你们去吧,关于司马林达的情况及时向我汇报。"

宇何剑鸣返回办公室,正好网络上传来了民政厅的电子函件,一对新婚夫妇需警方作指纹鉴定,然后电脑上打出了两人的 20 个指印放大图。剑鸣是局里的指纹鉴定专家,对此驾轻就熟。他调出新郎齐洪德刚婴儿时的指纹图,用目测法迅速对比着。在他这儿不使用电脑鉴定,因为民政厅早已进行过同样的工作。但有时候,尽善尽美的电脑指纹鉴别系统(从美国罗克韦尔自动化指纹识别系统发展而来,已有 200 多年的历史了)似乎并不是万无一失的,最后一关还得靠人的经验甚至直觉。

齐洪德刚的指纹顺利通过了鉴定。他又调出新娘任王雅君的资料,仔细浏览着指纹的内部纹线、根基纹线和外围纹线，观察着每个弓形、箕形、螺形、环形、曲形、棒形纹线，观察着其中的起点、终点、分支点、结合点、小桥、介在线、分离线、交错线、小眼、小钩。指纹显现是用万用白粉法和激光显现法，十分清晰，十指中斗形纹居多，有六个；有两个箕形纹，均为正箕；有两个弓形纹，为变通弓形。她的指纹没什么问题，与婴儿期的指纹很吻合，从细节看没问题，但是……剑鸣心中隐隐有些不安，因为他多多少少觉得，她的指纹……太经典，太符合指纹学上的种种界定。人的指纹形成实际上是一种复杂的自组织过程，不仅和人的基因有关，也和皮肤下的血管和神经网络有关，它在 3~4 月的婴儿期时开始形成，6 个月全部完成，此后终身不变，但在形成过程中，它是相当不确定的，再完善的指纹学也不能滴水不漏地概括所有特征。

而眼前的这套指纹似乎太"中规中矩"了一点儿。

剑鸣对自己的怀疑并没有太大的把握，但怀疑的分量已足以促使他做一次更细致的调查。他调出了任王雅君的所有资料：出生记录、医疗记录、教育记录、社会保险记录、行为记录等，认真核对着。这些资料没什么问题，全部合榫合卯。剑鸣觉得可以通过了。这时，他调出任王雅君小学的一张合影，忽然心有所动。照片上，三十几名男生女生笑得像春天的花朵，在第二排的最左边也找到了雅君。

仔细端详着照片，心中隐隐的怀疑开始逐渐加重。这张照片的所有孩子都处于一种共同的氛围中，这种氛围是只可意会不可言传的，但只要仔细揣摩就能感觉到。唯有任王雅君不大协调，她也笑着，但她的视觉方向似乎有所偏离，另外，她在最左边，显得有些突出，有点孤悬的意味。而这些，很可能是因为——这个头像是电脑高手外加的。

宇何剑鸣唤来了明明，让她尽快查出任王雅君同学的资料，一定要从中查到这张照片。明明一声不响地开始了查询，她键入一条搜索命令，查找在 2100 年左右于本市卧龙小学上过学的人员。20 分钟后，她查到了一个男人，他的资料库中也有一张小学的合影，所有孩子的面容和位置都与前一张相同,只有第二排最左边少了一个人。

任王雅君,这个娇小玲珑的女人是冒牌的,这点已经不用怀疑了。

这是宇何剑鸣在警察生涯中第一次发现类人公然冒充人类。任王雅君本人或她背后肯定有一位电脑高手,甚至能闯过警察系统的防火墙修改资料。当然造假是不可能不露出一点破绽的,再高明的内行也做不到这一点。

队员们都伏在两人身后看着这张照片,袁顾同庆说:"队长,拍你一个马屁,你咋就能从任王雅君的指纹中看出破绽?依我看合榫合卯。"

"直觉。"剑鸣回答,不带自矜的成分,"我只是觉得她的指纹太死板,只是一种感觉。走吧,明明,咱俩去民政厅。"

宇何剑鸣立即通知民政厅:他马上就赶去送指纹鉴定资料,请他们"殷勤"招待。

民政厅的中年职员立即明白了,说:"好的好的,我们会殷勤招待的。你们尽快来呀。"

剑鸣和明明捧着一束鲜花赶到民政厅。明明在门口停下,不动声色地进行戒备。中年职员看到剑鸣,马上露出如释重负的样子。

剑鸣笑着说:"新婚夫妇在哪儿?请原谅,我来晚了,被私事耽误了。"

新婚夫妇仍在登记厅,正和女职员闲聊。他们言笑晏晏,但剑鸣一眼就看出,黑色的恐惧正盘踞在两人的头顶。也许指纹鉴定迟迟不送来,他们已看出端倪了。剑鸣笑着解释:"来晚了,被我未婚妻硬拉着到医院探望她的妈妈,未婚妻的命令我哪敢违抗啊。"他把鲜花交给男人,说,"以这束花来表示我的歉意吧。"

齐洪德刚接过花束,笑着说:"未婚妻的命令当然得听,我十分理解,不必表示歉意。"

剑鸣同二人握了手,意犹未尽地掏出一张相片,"看,这就是我的未婚妻和未来的岳母,我的未婚妻和你妻子一样漂亮,对不对?"

德刚瞥一眼照片，说："比我妻子还漂亮。"

剑鸣把照片递给任王雅君，"请女士评价一下如何？"

雅君接过照片，称赞着："真漂亮，我哪儿比得上啊。"

剑鸣指点着，"你看她和她妈妈是不是很像？"

雅君看看，两人没一点相像之处，她应付地说："是吗？"

剑鸣的脸色慢慢变了，他怜悯地说："对不起，你不是自然人任王雅君。"男人女人的脸色刷地变白了，"你不是。如果如你所说，你毕业于本市卧龙小学，那你就该认识照片上这位老夫人。她不是我未婚妻的妈妈，而是你的班主任葛吕清云老师。据我的调查，你的真实姓名是 RB 雅君，25 年前出生于'二号'基地，为任李天池夫妇所收养。这对夫妇的女儿因病早逝，但他们没按规定注销户口，却购买了一个类人女孩代替。10 岁那年，他们按照亲生女儿的指纹资料，用激光微刻机为你雕刻了假指纹；去年，齐洪德刚先生又对指纹进行了修改，并补造了各种必要的履历，我说得没错吧？"

齐洪德刚脸色铁青，牙关紧咬，绷紧了全身的肌肉。但任王雅君悲伤地摇摇头，按住他的手。她十分了解两人的处境。女警察在门口眈眈相向，右手按在腰间，那儿肯定藏着武器。尽管未婚夫强壮勇敢，但绝不是法律的对手，他不能和整个世界作对。这个世界上有许多人道主义者和兽道主义者，他们把仁爱之心普撒到富人、穷人、男人、女人、孩子身上，甚至普撒到鲸鱼、海豚、狗、信天翁身上，但对待类人的态度是空前一致的：不允许类人自主繁衍，以免威胁到地球的主人——人类的存在。

她柔声劝未婚夫："德刚，不要反抗，这种结局我们早已料到。德刚，我一点也不后悔。有了你的爱，有了那一夜，我这一生已经无憾无悔了。"

两人紧紧拥抱在一起，泪水交融在一起，这种无声的痛哭使旁观者心碎。拥抱持续了 10 分钟、20 分钟，剑鸣只好催促道："请 RB 雅君跟我们走吧。"

陈胡明明走过来，从德刚的怀中拉出了雅君，不过，她没有给 RB 雅君戴手铐。雅君摸摸德刚的脸颊，扭过头平静地说："可以了，走吧。"

她随明明走出大门。等剑鸣也要跨出大门时，齐洪德刚喊住了他。德刚的面孔扭曲着，眼睛下面的肌肉在勃勃跳动，说话声音不高，但包含着令人毛骨悚然的森冷："警官先生，我一定会记住你给我的'恩惠'。"

剑鸣苦笑着摇摇头，"我只是尽警察的职责，我对你和那位雅君并没有丝毫恶意。"

齐洪德刚再次重复道："我不会忘记的，请你记住这一点。"

剑鸣摇摇头走了。陈胡明明已把疑犯押上警车，剑鸣坐上驾驶位，警车开走了。德刚立即跳上自己的车，追随而去。民政员一直目送他们走远，叹息着回去，把两张打印好的结婚证塞到碎纸机里。

资料之三：

《B 型人法》,2070 年世界各国议会联席会议通过。要点如下：

B 型人不属于自然生命。

B 型人不具备自然人的法律地位。

B 型人不得与自然人类婚配,不得有生育行为。

B 型人不得隐瞒自己的身份,其姓名应以 RB（ROBOT）为前缀。

B 型人不得建立任何类型的社会组织。

2. 司马林达之死

　　鲁段吉军和搭档小丁、法医陈大夫在上午9点赶到死者司马林达的别墅。别墅位于南阳城北30公里的鸭河口水库库区,一座孤楼面对着千顷碧波。别墅没有围墙,四周种着带刺的植物权作围墙。墙内种有石榴、枣树和香椿。正是早春时分,石榴树和香椿树都绽出了嫩绿的芽苞,墙角的嫩草中星星点点夹杂着几朵黄色野花。这是典型的农家院落,只是楼前停放着一架漂亮的双座扑翼机,显示了主人的身份。扑翼机是银灰色的,外形像一只矫健的信鸽,柔韧的双翼此刻正紧抱着机体。小丁对它极感兴趣,转来转去地看,啧啧称赞着。小楼分为上下两层,外观粗糙,但进到房间内不禁眼前一亮。屋内装修不算豪华,但洗练、雅致,品位很高。微微泛蓝的白墙衬托着淡青色的窗帘,客厅正中悬挂着大型液晶壁挂屏幕,居室中还摆放着几株青翠的铁树和芭蕉。

　　屋内只有鸭河库区警察分局的老杜在守卫,没有围观者。这使吉军和陈法医先松了一口气,因为这意味着现场没被破坏。老警察介绍说,这位司马林达是一年前在这儿买的民房,按自己的想法做了室内装修。此后他每隔两个月就要来这儿住几天。他与周围的百姓基本没有来往,不过,他住在这儿的期间订了鲜牛奶,今天早上正是送牛奶的人发现了他的尸体。又说,送奶员报案后,警察分局立即封锁了消息,再加上这儿地理位置偏远,所以乡邻们没被惊动。

死者斜倚在书房的一张电脑转椅上,神色安详。面前的电脑没有关机,处于屏幕保护状态。一排表示时间的数字在屏幕上轻盈地跳来跳去,不知疲倦,每次与屏幕边缘相撞,便按照反射定律反弹开来。

陈法医立即投入工作,先是猛劲地嗅闻,他是在辨认尸臭。吉军干了一辈子警察,单是尸检便经历了无数遭,所以他一边熟练地给陈大夫打下手,一边独立做着判断——他至少可以算是半个内行吧。

司马林达很年轻,刚三十岁出头,眉目清秀,面容很平静,看不到任何痛苦。不过,这种"无表情"面容是肌肉松弛所造成的。因为咬肌的松弛,下颌略微下垂,使他的年龄看起来稍大一点。他的尸体已发生了尸僵反应,臀部变得扁平,有明显的暗紫红色尸斑。尸斑看来属于坠积期,尚未向血管外扩散。皮肤已变干、变硬。尸体已变冷。没有搏斗痕迹。

依这些情况判断,他肯定属于自杀,是典型的过量安眠药中毒。

陈大夫忙了很久,得出了与吉军相同的结论。他在死者胃中发现了一些尚未溶解的白色粉末,肯定是巴比妥类药物,很可能是其中的苯巴比妥,这是常见的催眠药,致死量为9克。根据尸温和尸斑判断,死亡发生在凌晨3点半至4点半之间。

吉军用碘熏-银板转印法收集了死者的指纹,又在室内的茶杯、键盘、门把手等处取了指纹。经初步比对,除了门把手上有外人的指纹外(后来查明是送奶员的指纹),屋内只有主人的指纹,看来主人在这儿过的是彻底的隐居生活,没有来客。这使案情显得十分单纯,基本上可以判定死者死于自杀。那么,以后的工作就是查明自杀的原因了。

但这些判断在一分钟后就发生了逆转。陈大夫已在做尸体的善后工作,这时小丁走过去,敲了一下电脑键盘,他是想检查死者是否在电脑中留有遗书,因为在现场没发现文字遗书。屏保画面隐去后,屏幕上立即闪出孤零零的一行字:

放蜂人的谕旨：不要唤醒蜜蜂。

小丁紧张地喊："老鲁，老陈，你们看！"吉军看到这行字，神经立即绷紧了。这是什么意思？不要唤醒蜜蜂。这行字怪怪的，扑朔迷离，晦涩难解，其中很可能含有深意！他说："小丁，你把电脑中的文件仔细地查一下，着重查两天以内的内容。"小丁坐下来，仔细地检查了各个文件，没有发现更多的东西。大部分文件似乎都是死者的论文或笔记，都是些佶屈聱牙的东西。不过有一个大的收获，小丁查出了那行字存入电脑的时间：今天凌晨 3 点 15 分。

按陈大夫的判断，死者死亡时间为凌晨 3 点半之后，那么，这行字很可能是死者输入的最后几个字，是他的遗言。

但这行字是什么意义？是对某人的警示？是对警方的暗示？还是纯属无意义的信笔涂鸦？小丁的圆脸庞绷得紧紧的，神经质地说："老鲁，一定是他杀！这最后一行字是他临死时敲上的，一定是用暗语向警察示警，没说的！"

老鲁笑笑，未置可否。小丁是新分来的警校学生，初次涉足命案，他会把福尔摩斯的所有推理都搬到案情分析中来。老鲁含糊地说："这句话的确值得怀疑，再说吧。"

死者的衣袋内有他的身份证及中国科学院智力研究所的工作证。钱夹中有信用卡，还有一张女人照片。女人相当漂亮，穿着十分暴露，乳房高耸，大嘴巴很性感，眼窝略凹陷，皮肤白皙光滑，似乎从照片上就能感受到皮肤诱人的质地。一张没有背景的单人照是看不出身高的，但她修长的双腿双臂给人的印象是：这个女人比较高，至少属于中等偏高。她浑身散发着一种令人心动的活力，带着妖娆的气息，是一个西方化的中国美女。照片背后是四个字：你的乔乔。字体很朴拙，像是小学生的手笔。不过鲁段吉军知道，在电脑极度普及的 22 世纪 30 年代，不少年轻人已经不大会写中国字了,包括自己的助手小丁。所以,单从字体的优劣无法判断这个女人的文化素养。

小丁仔细端详着照片,说:"是死者的情人或未婚妻吧,你看她是南阳人还是外地人?"

"你说呢?"

"依我看是大城市人,没错,绝对是大城市人。她有一股……居高临下的气质。可能是北京人吧,因为死者的主要生活圈子在北京嘛。"

"对,和北京联系,这个漂亮女人将是咱们的第一个调查对象。"

吉军联系上北京方面,是陈王金新警官接的电话。这也是一位老警官,过去为一桩案子与吉军合作过。老鲁简要介绍了这边的情况,请他查查死者的背景资料,以及照片上那个女人的情况。陈警官说:"没问题,把照片传过来吧。"

小丁用数码相机翻拍了照片,通过互联网传过去。老杜说:"已经中午了,走,吃饭去,我做东。"老鲁说:"别费事啦!这儿冰箱里什么都有,主人死了,东西扔这儿也是浪费,咱们自炊自食吧。"

四个人一齐动手,很快就拼出一桌饭菜,蛮丰富的,有辣子肉丁、玉兰肉片、凉拌三丝、糖醋里脊、酸辣肚丝汤,主食是牛奶和米饭。小丁又从橱柜里搬出一箱青岛啤酒,笑嘻嘻地说:"我想要是司马林达还活着,一定会好好招待咱们。咱们就别客气了,别屈了主人的意。"

老鲁没挡他,只是吩咐一句:"下午还要工作,别喝多了。"

他们在餐厅里吃饭时,不时瞄一眼书房的死者。陈大夫困惑地说:"今天这个案子我看有点儿邪门,从现场看是一桩典型的自杀案,但电脑中那行阴阳怪气的字是什么意思呢?"老鲁说:"是啊,这12个字让我心神不宁的。我有预感,这个案子调查起来不会太顺利。"

吃过午饭,北京的复电到了。对司马林达的调查没有发现什么异常,他是所里极为看重的青年科学家,事业一帆风顺。定居瑞士的父母颇有家产(他的小飞机就是父母赠送的),死前没有什么反常行为。人们普遍的反应是：他不会自杀，他没有自杀的理由！照片上那个女人的身份也搞清了。那女人名叫白张乔乔，京城小有名气的歌手。不过，她的名气凭借的主要是容貌而不是唱歌的天分，是那种吃"青春饭"、"脸蛋饭"的歌手。她与林达来往密切，所住的单人公寓就是林达送的。"不过，"那边又说，"这位乔乔肯定不在作案现场，我们已经知道，那晚她一直在另一个男人的床上。"

小丁很轻易地改变了观点，说："死者一定是自杀！你想嘛，美女情人——失恋或戴绿帽子——自杀，这是顺理成章的事。"

鲁段吉军懒得跟他抬杠，只是刺了他一句："我看你的思想很活跃嘛。"

小丁嘿嘿笑了。吉军不大看好这位年轻人，他思维活跃，兴趣广泛，爱朋友，好交际，仅仅对一件事没有兴趣，那就是自己的本行。吉军相信，小丁这辈子绝不会成为一名好刑侦员。

他们把死者的尸体放到车上的冷藏柜里，准备带回市局作详细解剖，同鸭河派出所的老杜道了别。

一出门，小丁便两眼放光地奔向扑翼机，他早就急不可耐了，午饭时还抽空绕着它转了很久，"是蜜蜂 V 型的，真漂亮！带导航功能，双座，时速 650 公里。扑翼机是仿鸟类的翅膀设计的，虽然速度慢一些，但非常灵活，非常省油。这种蜜蜂 V 型是去年才出厂的新品种。老鲁，"他忽然想到一个主意，"咱们进京调查时干脆乘上它吧。"

老鲁说："上哪儿找驾驶员？咱市局还没一架扑翼机呢。据我所知，南阳只有两架，都是大款的。"

"我开呀！我在学校时就考过扑翼机驾驶证。"

小丁真的从内衣口袋里掏出一张驾驶证，上面盖着北京市警察局的钢印。鲁段吉军看着驾驶证，仍一个劲儿摇头，他可不放心让这个毛毛躁躁的年轻人带上天去。

小丁显然知道别人对他的评价，说："这样吧，你和陈法医坐车回去，我独自把扑翼机开回南阳。只要我能活着回到南阳,你不就放心啦?"

"不行。"老鲁干脆地说,"你要把命送掉,我至少得担个领导不力的罪名。"

小丁急了,把驾驶证杵到两人的眼前,"看看,驾驶证能是假的? 我的成绩还是优秀哩! 老鲁,答应我吧,要不还得派人把这架扑翼机运回北京呢。"

拗不过他的死缠硬磨,老鲁只好答应了。已经是下午3点半,他和法医驾车回南阳。一路上免不了担心,万一机毁人亡,他至少要承担领导失职的处分。那边,小丁风风火火地与鸭河派出所办了扑翼机交接手续,申请了航线。等第二天上班时,他驾着扑翼机降落到市局的院内,威风得像一位凯旋的勇士。

当天他们就赶往北京,扑翼机把这段路程缩短为一个多小时。他们沿着南水北调的中线干渠往北飞,看着一湾碧水在绿色中伸展。这一带有很多古迹,像白河上著名的瓜里津古渡口、秦汉时著名的"夏路"等。不过,这些古迹已完全被现代化建筑所覆盖了。扑翼机确实十分轻巧,在空中可以悬停、倒退,可以贴着地面飞行。它的双翅扇动着,有时羽翼平伸,在上升气流中轻松地滑行,让人想起神话中的大鹏鸟。老鲁原本以为它的操作大概比较复杂,而实际上,它的操纵大都由电脑进行,人工操作相当简单。小丁经过昨天的操练已经找到了感觉,扑翼机轻盈地上下翻飞,越过黄河,掠过河北平原。"怎么样?"他扭头问身后的老鲁。老鲁真心地称赞着:"不错,真不错。赶紧缠高局长买一架,你去当专业驾驶员得了。"

9点钟,他们降落到中国科学院智力研究所。研究所位于中关村以北,三环路之外,是一幢现代派的建筑,外部造型就像一排盘旋而上的音符,极为宽敞的玻璃窗收纳着楼前的绿地和远处的田野风光。北京局的陈王金新警官和研究所的易田所长在办公室里等他们。陈警官说,市局很重视这个案子,让他全力协助。

"司马林达的父母通知了吗？"

"他们正在欧洲旅游，一时联系不上。欧洲警方正在寻找，只要他们再使用信用卡或购买机票就能找到。"

"是否请易田所长再介绍一下司马林达的情况？"

"情况昨天基本上已经说请了，司马林达的情况很单纯，所里人不大相信他是自杀。不过，昨天在调查中发现了一点新情况，据反映，他的导师公姬司晨先生曾断言他是自杀。"

他说得很客观，没有任何言语上的暗示。吉军看看陈警官，后者轻轻点头。无疑，这个急着断言死者是自杀的公姬教授值得见见。小丁却忍不住笑意——他是笑这位教授的名字：公姬司晨，不就是公鸡打鸣嘛！

吉军嫌他的幽默感来得不是时候，瞪了他一眼，问所长："公姬教授的断定有什么理由？"

所长摇摇头，"不大有说服力，至少没把我说服。不过我不必转述了吧，反正你们得去见他。需要我陪同吗？"

"不必麻烦你了，你派人把我们领去就行。"

类人女仆打开房门，为客人端来三杯咖啡，到书房请主人去了。房间布置得很有情调，博古架上是清一色的紫砂茶具，造型古朴厚重。厅中挂着一幅行书中堂，字迹龙飞凤舞，鲁段吉军好容易才辨认出落款是"司晨手书"。这么说，主人还是一位书法里手。小丁一直好奇地等待着，想看看这位"公鸡打鸣"先生究竟是什么模样。

主人出来了，眉目疏朗，满头银发，穿着白绸质地的家居服，趿着拖鞋，眉宇间隐见孤傲之气。他以冷淡的礼貌对他们表示欢迎，开门见山地问："你们是为林达来的？"

鲁段吉军恭敬地说："对，我们是司马先生的家乡人，来调查他的死因。"

"太可惜了。"公姬教授自语道，"他是一名很有天分的科学家，虽不是爱因斯坦、牛顿那样的绝世奇才，但他的才能足以在一个专业领域里成为一代宗师。我是他的老师，但我相信他这一生的成就绝对会超过我。可惜，很可惜。"

"请问他研究的领域是？"

"是一个很重要的领域：智力层面和电脑窝石。"鲁段吉军急急地记下，智力层面和电脑窝石。他不清楚什么是智力层面，但估计这几个字不会听错，至于"电脑窝石"是什么东西，他无法猜度，决定等一会儿再问。教授特意解释道："我说他的研究领域很重要，那是从历史的高度上、从人类发展的角度去看，并没有什么近期的或军事上的用途。所以，你们不必怀疑是什么人对他实施了谋杀。"

"听说先生曾猜测他是自杀？"

"对。我说过，他是一个难得的天才，但天才往往比普通人更能看透生存的本质。当他的思考过于超前，失去了道德、信仰的支撑后，往往会造成彷徨、苦闷和心理失衡。历史上，天才科学家自杀的事例比比皆是。"他流畅地列举了很多外国名字，鲁段吉军只记下了"图灵"这个名字，他知道图灵是20世纪著名的数学家，是电脑技术的奠基人之一。还有一位自杀者是美国氢弹之父费米的朋友，他搞研究时从来不用数学用表（那个时代还没有电脑），因为所有数据他都可以在瞬间心算出来，这个细节留给两人的印象很深。不过总的来说，教授的一番话过于玄虚，他们如听天书。

教授显然也发现了这一点，略为停顿后解释道："我说的也许你们难以理解。举个例子吧，你们都是男人，天生知道追逐女人，男欢女爱，你们不会去思考爱情的动力究竟来源于何处。但那些深入思考的生物学家发现，爱情只是有性生殖的附属物，是基因为了延续自身所设下的陷阱。爱情和母爱归根结底是荷尔蒙和黄体胴所激发的行为反应。当一个人看透了爱情的本质，他就很难像普通人那样盲目地去爱了。"

鲁段吉军听不进这些玄天虚地的话，看来陈警官也有同感。他想，这位"公鸡先生"怎么老绕着圈儿说话呢，但他仍含笑听着。

教授说:"司马林达的自杀不会是为了世俗的原因,而是因为某种理念或信仰的崩溃。就在他死前的那天晚上,他还给我来过一次电话,谈话中已有精神崩溃的迹象。可惜我当时没能及时发现。"

吉军竖起耳朵,"请问他说了些什么?"

"很奇怪,我知道他是一个彻底的无神论者,但那天他忽然说,他已经确认了上帝的存在。可谈话中,又时时可以感觉到他对这位上帝的愤懑……"

鲁段吉军在心中苦笑,这位"公鸡教授"今天是成心和他绕弯子! 对上帝的信仰,对上帝的愤懑,一个人会为了这个理由去自杀吗? 他忍着不去打断,想看看这位老先生还会说出什么有证据的话。

但是小丁把事情搞砸了,他愣头愣脑地问:"公姬先生,你刚才说了男欢女爱,是不是暗指死者的自杀与男女之情有关?"

公姬教授的态度在这时有了一个突然的转变,他冷冷地盯着两人,一句话也不说了。吉军觉察到他的变化,小心翼翼地问:"教授,你刚才说司马林达临死的电话……"

教授摆摆手,干脆下了逐客令:"对不起,我还有事,二位请便吧。"

吉军愠怒地瞪了小丁一眼,只好站起身来。陈警官很尴尬——他至少算半个主人吧,能让客人这么灰溜溜地离开? 他咳嗽一声,想去劝说主人,吉军用眼色把他阻止了。老头儿这会儿显然正在火头上——虽然不知道火从何来——说也白说,等等再来吧。他仍保持着恭谨,与主人告别。"你先忙吧,我们以后再来。公姬先生,最后再耽误你一分钟。你刚才谈到电脑窝石——这当然涉及很高深的学问,我们不可能弄懂,不过请你尽可能简单地介绍一下,什么是电脑窝石——电脑里总不会长出结石吧。"他开玩笑地说。

这个玩笑令老教授十分反感,他冷漠地说:"以后再说吧,以后吧。二位请。"他毫不留情地加上一句评价,"依你们的知识层面,接手这桩案子不太合适。再见。"

三人走出教授的公寓,不免有点尴尬。吉军冷冷地对小丁说:"对证人询问时不要太随便,你看,你一句话就搞砸了。"

小丁不服气,低声嘀咕:"我咋问错了?他要不是暗示男女关系,干吗对警察扯什么男欢女爱?"

吉军想想小丁说得也有道理,放缓语气说:"反正以后多注意吧。陈警官,这位'公鸡教授'怕是说的鸟语!什么基因陷阱、理念崩溃、对上帝的信仰、对上帝的愤懑……尽是虚无缥缈的话。不过他说了一件事:司马林达在死前和他通过电话。请你查一下他说的是否属实。"

陈警官打了一个电话,几分钟后就弄清了,那晚12点,确实有一个南阳的电话打到公姬教授家里,通话时间为24分钟,至于内容就不得而知了。一个人在死前打了这么长一个电话,无疑值得注意。

陈警官说:"这样吧,我找公姬教授的家属做点工作,疏通疏通,明天咱们再去找他。今天咱们先去见白张乔乔,怎么样?"

"好的,先去找她吧,那也是一个重要的证人。"

扑翼机上坐不下三个人,他们把它留在智力研究所,陈警官开来一辆奥迪,三人朝公主坟方向开去。

吉平如仪在医院值了一星期夜班,星期天早上她值完夜班后,立刻打电话通知了剑鸣,又通知超市给家里送了几盘菜料,便急匆匆赶回家。她的小公寓在南阳城南白河边上,那是她和剑鸣共筑的爱巢。菜料已送到,她先到厨房把菜肴做好。剑鸣说过,他喜欢吃"如仪亲手做的菜",所以,不管多忙,她也要亲手为剑鸣下厨。然后她去洗了个热水澡,洗去夜班的疲劳,等着剑鸣。

如仪身材娇小,大眼睛,娃娃脸,剑鸣常亲昵地称她是"精致的瓷娃娃"。看面相会以为她只有16岁,实际上她已经25岁,是一名颇有名气的神经内科兼脑外科医师。她与剑鸣相恋5年,马上就要结婚了。

门锁处有插拔磁卡的声音,剑鸣推门进来,如仪立即像只百灵鸟一样扑入他的怀中,狂吻他的面颊。剑鸣抱起她,在屋里转了几圈。有一星期没见面了,两人都心旌摇曳不能自持。如仪伏在他耳边说:"是先要我还是先吃饭?"剑鸣说:"先吃饭吧,最好的东西要留在最后慢慢品尝嘛,对不对?"

如仪去厨房端来了麻辣鸡丝、腰果虾仁、八宝酱菜、干炸茄条,都是剑鸣爱吃的。两人依偎在一起吃了早饭。剑鸣吃得兴高采烈,不住口地夸奖:"香!好吃!"说一句扭头吻她一下,好像是为表彰她决定在她脸上"盖章"。如仪高兴地看着他的吃相。她喜欢剑鸣的性格,开朗随和,幽默风趣,干什么都是喜气洋洋的。吃完饭,剑鸣悄声说:"我去冲澡,在床上等我啊。"

如仪收拾好了碗筷,脱了衣服,在床上等着,欲望的火焰在全身游走。她和剑鸣已同居两年,仍像初恋一样激情如火。浴室的水声停止了,剑鸣笑嘻嘻地走来,挨着她躺下。如仪紧紧搂着他,两人的身体张满如弓……然后,弓弦松弛下来。

如仪躺在剑鸣的臂弯里,快快活活地闲聊着。没多久,如仪突然发现剑鸣目光发怔,呆呆地望着远处。她用手指在剑鸣胸膛上轻轻滑动着,轻声问:"你有心事?"

剑鸣没有瞒她,"嗯,我突然想起 RB 雅君了,今天是她被销毁的日子。"停停他又说,"是我把她送上这条路的。"

如仪已经听恋人说过 RB 雅君的情况,这时也觉凄然。她尽量安慰恋人,"不要过于自责,你只是在执行法律而已。有时我想,警察局 B 系统的工作虽然是扼杀生灵,但实际上,你们的所作所为又是最正确的,要不社会早崩溃了,工厂大批生产的 B 型人恐怕早已占据了地球,那对自然人未免太不公平了。"她问,"我说得有没有道理?这都是爷爷教我的。"

剑鸣把她搂在怀里,"我知道,从道理上我比你更清楚。不过,想起那位 RB 雅君,心中仍免不了生疼——她和齐洪德刚爱得多深!"

两人都怅然不乐,不再说下去。对这件事,他们是无能为力的。剑鸣默然良久,说:"我想去探望一下 RB 雅君。"他苦笑着自嘲,"权当是鳄鱼的眼泪吧。我想送送她,多少减轻一点内疚。"

"去吧,我陪你。"

剑鸣感激地吻吻她。两人穿好衣服,驾车赶往武警部队的气化室。

气化室的装修非常简单,一道厚厚的铁门,墙上有一对红绿按钮。被判销毁的 B 型人被送进气化室后,行刑人按一下按钮,5 秒钟内,B 型人就会完全气化,回到大气中去。死者不会有任何痛苦。这儿没有哀乐、挽联和花圈,因为这儿只有工件的销毁而不是人的死亡。

气化室旁有一间监禁室,被销毁者待在里面等待行刑。监禁室十分舒适,有精美的家具、舒适的床铺和豪华的淋浴室。被销毁者提出的任何合理意愿都会得到满足。人类愿在类人的最后时刻充分展现人道主义精神。

监禁室的隔墙是守卫室,墙上嵌着巨大的镜子。镜子单向透光,被监禁的人看不到这边,守卫则能对监禁室一览无余。守卫认得剑鸣,告诉他,这会儿齐洪德刚正在里边。透过单向镜面,他们看见齐洪德刚和 RB 雅君紧紧搂在一起,没有言语,没有哭泣,只是紧紧地搂抱着。时间在他们的拥抱中定格。如仪攥住剑鸣的手,两人也觉心中酸苦。时间已近 10 点,监刑人马上要到了。那边的监禁室里,RB 雅君推开德刚说:"来,让我梳洗一下。"

她在镜子那边对镜梳妆。不知道她是否清楚这是一面单向镜子,但她的目光就像是越过镜子直视着剑鸣。尽管明知道对方看不到这边,剑鸣仍不敢与她的目光对视。在雅君身后,齐洪德刚用双臂环绕着她的身体,泪水无声地涌出来。

雅君从镜子里看到了,从肩膀上攀过德刚的头,柔声说:"德刚,不要难过,我一点也不后悔,有了那个夜晚,也就当此一生了。"她为德刚擦去泪水。

　　法院的监刑人来了,是一个中年男人,穿着特制的监刑人服装,右臂上戴着红色臂章。他对这种场景看惯了,麻木了,神色冷漠地走进监禁室,平静地为 RB 雅君验明正身,宣布了法院的判决。然后两名警卫进来,要带走 RB 雅君。雅君在此之前一直很平静,但这会儿像火山爆发一样,忽然扑向德刚,发狂地吻着他的眼睛、嘴唇和面颊,吻得惊心动魄。她退后一步,贪婪地看着德刚,凄楚地说:"永别了,德刚,我不会忘记你。"她扭头对警卫说,"走吧。"

　　气化室的铁门吱呀着打开了。剑鸣很尴尬,不知道自己该不该露面,但他最终咬咬牙,走出守卫室,把带来的一束白色鲜花默默递给 RB 雅君,递花时他几乎不敢看对方。

　　雅君看来已把生死置之度外,面容又恢复了平静,当她接过花束时,甚至绽出一抹微笑,"谢谢你,警官先生,谢谢你为我送行。"

　　她最后留恋地看看德刚,走进气化室,铁门沉重地关上了。行刑人按下红色按钮,经过无声无息的 5 秒钟,绿灯亮了,表示已气化完毕。如仪偎在剑鸣身旁,两人臂膀相扣,都能感受到对方身上轻微的悸动。作为自然人,他们从理念上明白自然人同 B 型人的分野,也支持那些限制 B 型人的法律——毕竟自然人才是地球的主人,而 B 型人是自然人创造出来的呀——但这些干瘪的理念在面对一个 B 型人的死亡时,未免显得底气不足。

　　监刑人确认犯人已气化完毕后就走了,没同任何人打招呼,就像是一个程序精准的机器人。守卫走近剑鸣,随意闲聊着。在这段时间内,如仪的目光一直追随着雅君,这位如此平静地走向死亡的女性,她的气度让人钦佩。直到气化完毕,她才注意到齐洪德刚的目光。齐洪德刚一直狠狠地盯着剑鸣,目光炯炯,像一只冬夜中的孤狼。如仪不由得打了一个寒战——他的目光中浓缩了多么深的仇恨!从这一刻起她就知道:剑鸣的这一生难以安稳度过了。

　　德刚走过来,声音嘶哑,一字一顿地重复着他的誓言:"宇何剑鸣警官,我忘不了你对我的'恩惠',我会用自己的后半生去'偿还'。"

剑鸣苦笑着说:"我已经说过,我只是在尽我的职责。但你尽管来吧,我等着你。"

德刚狞笑着扫了一眼如仪,上了汽车疾驰而去。

剑鸣和如仪驾车离开这里时已经快中午了,初夏的太阳暖洋洋的,田野里麦梢已经发黄。他们原打算郊游的,但这个星期天已经被这件事毁坏了。雅君的死亡,德刚的仇恨,汇集成一个灰色的幽灵,时刻盘踞在他们的头顶。

如仪忧心忡忡地说:"剑鸣,你要小心啊,那位齐洪德刚绝不会放过你的。我一想起他的目光,身上就发冷。"

剑鸣苦笑着,"实际上我已经对他很宽容了。他帮 RB 雅君篡改了B 型人身份,按说也该受处罚的,但我在口供中把他描述为一个'不知情者'。"

"是否由我找他谈谈,化解这些误会?"

剑鸣不由得失笑,"我心地单纯的瓷娃娃哟,这种仇恨是语言能够化解的吗? 不过我会小心的,你放心吧。来,忘掉这件事,咱们快快活活地玩儿一天。"

他们抛开烦恼,痛痛快快玩了半天,在一家小饭馆里吃了晚饭。晚上 7 点钟,著名钢琴家钱穆三元在北京有一场独奏音乐会,如仪很喜欢他的演奏,两人匆匆赶回家。

他们打开虚拟系统,面前出现了北京大剧院的舞台。长发披肩的钢琴家走上台,先把十指按在指纹识读器上,验明了自然人的身份,然后开始演奏。这个小插曲让如仪一下子变得兴味索然,她啪地关掉虚拟系统,沉闷地说:"一场钢琴演奏会也要验明身份? 真是焚琴煮鹤的败兴事。"

剑鸣解释道:"这样做还是有必要的。你知道,B 型人可以定向培育出体育才能、音乐才能或数学才能,如果没有限制,以后就不会有自然人钢琴家了。"他温和地指出,"演奏前的指纹检查一直就有嘛。"

如仪仍闷闷不乐。剑鸣知道,她对音乐会的不快只是借题发挥,实际上,她心中还刻印着雅君的死亡和德刚的仇恨。他搂着如仪到了阳台,坐在摇椅上,絮絮地讲着恋人的情话,终于驱走了如仪心中的阴云。两人快活地拥抱着,回到床上。

一番缱绻后,两人沉沉睡去。忽然,电话铃急骤地响了,是剑鸣的上司高局长。局长半是歉然半是戏谑地说:"剑鸣,打断了你的良宵,十分抱歉。KW2034 号太空球上又发生了一起血案,你马上去那儿。"

"是,局长。"

"今天警用飞艇不在家,恐怕你得乘班机了。"

"没问题,今天上午就有合适的班次。"

"替我向如仪致歉,任务完成后,我答应把这个良宵还给她。"

如仪也醒了,正在紧张地盯着他。剑鸣放下电话,歉然地耸耸肩,"没办法,紧急任务,又一起太空血案。"如仪没有说话,"如仪,别扫兴,我很快会回来的。"

他发觉了如仪面色的异常,她脸色苍白,大眼睛里包含了几许惶惑。剑鸣走过去揽住她的肩膀,"你怎么啦?"

如仪回过神来,勉强笑道:"没什么,高局长刚才说太空血案,不知怎的,我忽然想到了爷爷。我很长时间没同他通话了。"

如仪的爷爷吉野臣今年 79 岁,是第一批太空移民,至今已在天上生活了 34 年。陪伴他的只有一位 B 型人男仆,RB 基恩。剑鸣在如仪额头上敲了一记,"不许胡思乱想,基恩是天底下最忠心的仆人,怎么会……"他到卫生间去洗漱,一边伸出头说,"不放心你可以打一个电话嘛。"

如仪真的把电话打到爷爷的 KW0002 号太空球上,铃声一遍又一遍地响着,没人接。如仪心中不祥的预感又加重了。爷爷和基恩一向睡得很晚,这会儿应该还没睡呢;即使在熟睡中,这铃声也该把他们吵醒呀。她向浴室喊:"剑鸣,剑鸣! 为什么太空球里没人接电话?"浴室里水声哗哗,剑鸣没有听见。

忽然屏幕亮了,是 RB 基恩,他惊喜地说:"是如仪! 如仪小姐! 你有好长时间没同我们联系了!"

如仪曾在爷爷的太空球待过 5 年,同基恩叔叔感情极佳。屏幕上,基恩的惊喜发自内心,如仪甚至为自己的不祥预感感到羞愧——即使所有太空球上都发生血案,基恩叔叔也不会成为凶手的。不过她仍然追问:"基恩叔叔,怎么这么晚才接电话?"

"我刚刚服侍你爷爷进入强力睡眠,你知道,这时若中断操作,他又会通宵失眠。"

"爷爷还在用强力睡眠机?"如仪问。她觉得自己这几年对爷爷关心得太少。强力睡眠机曾经时髦过一阵子,现在地球上已基本淘汰了它,因为现今的时髦是"按上帝的节奏生活"。

基恩解释道:"对,你知道,吉先生已 79 岁高龄,他要争取在有生之年完成一部巨著。他说,强力睡眠机每天可帮他抢回四个小时。"

他把可视电话的摄像镜头扭偏一点,可以看到爷爷正睡在强力睡眠机上,白发苍苍的头顶正对着这边。如仪放心了,同基恩扯了几句闲话。基恩埋怨道:"如仪,你已经 10 年没来太空球了! 爷爷和我都很想你,抽空儿来住几天吧。"

"好的,不过最好你和爷爷回地球上来度假,你们已经十五六年没回地球了。"

基恩的眼光中露出黯然的神色,"劝不动吉先生的,他已发誓今生不再离开 02 号太空球了。"

如仪知道老人的孤僻脾气,也就不再劝了。她与基恩聊了几句,道了再见。这时,剑鸣从卫生间出来,开始穿衣服,"没有问题吧,我就说你不要胡思乱想嘛。我走了,再见。"

他利索地穿好警服,吻吻如仪的额头走了,轻轻带上身后的房门。

如仪没了睡意,思绪尽往爷爷身上飘去。爷爷吉野臣是著名的作家和哲学家。如仪5岁时,母亲病故,父亲再婚,爷爷把她接到身边抚养。她住在太空球上。太空球每天缓缓旋转着,把地球的秀丽、太空的壮美随时送进视野。在那儿,重力是由太空球的旋转造成并且指向球心的,所以,看着爷爷或基恩与自己分别站在球的对侧,脑袋对着脑袋,那感觉真的新鲜无比。如果是为期一个月的假期,如仪会把这段太空生活保存在绯色的记忆中。

但她到太空球并不是度假,而是长年生活。没有绿树红花,没有泥土和流水,没有同龄伙伴,如仪很快就厌倦了这座碳纤维的牢笼。她奇怪怎么有人(包括爷爷)会喜欢这样的囚笼,并甘愿在其中度过一生!

基恩叔叔十分宠她,尽一切可能让她快乐,但爷爷的性格让她受不了。爷爷那时已近60岁,也许是长期与世隔绝的缘故,他的性情有点古怪。他当然喜爱孙女,但这种喜爱常被包裹上一层冷漠的外衣;他也不是不喜欢基恩这个忠心耿耿的男仆,但他常把喜爱罩上严厉的外壳。他对基恩的严厉常常是不合情理的,因而使如仪渐生反感。

10岁那年,如仪忽然下定决心要离开太空球,无论是爸爸在电话中的劝说,还是基恩的挽留,都无法改变她的决定。最后,爸爸只好把她接回地球。她的反叛无疑使爷爷很恼火,从那以后,爷孙俩的关系变得相当冷淡。

但如仪始终把爷爷珍藏在心里。爷爷其实很爱她,在太空球里,当她咯咯大笑着和基恩疯闹时,爷爷常常坐在一边悄悄看着,看似漠然的目光中饱含着欢欣。如仪现在已经长大了,看到了当时看不到的东西。在与世隔绝的太空球中,小丫头如仪曾是那两个寡言男人生活中唯一的欢乐源泉,难怪爷爷对她的执意离去是那么恼怒了。

她想到了基恩的邀请,当即决定去太空球探望爷爷。她和剑鸣马上要结婚,正好去邀请爷爷参加婚礼。这些年她对爷爷太寡情了,她太年轻,不能理解老人的感情。今天,可能是因为目睹了一个女类人的死亡(销毁)

吧,她觉得自己忽然成熟了,她要在感情上对爷爷做出补偿。这个念头一萌生出来就变得十分强烈,一刻也等不得。她立即向医院申请了今年的年休假,又打电话预订了太空艇,是后天的票,因为太空小巴士要等待合适的发射窗口。这些安排是否要告诉剑鸣呢?她想了想,决定不说。剑鸣正在执行公务,她不想干扰剑鸣的工作。

随后她安然入睡,刚才忽然生出的不祥预感早已消失得无影无踪。但她没有想到,随后的几天中竟充满了凶险。

去白张乔乔的寓所之前,陈警官先打了一个电话,这位乔乔不同意他们到自己家里去,于是把约会地点定在附近一家名为"星星草"的咖啡馆。这是晚上6点,华灯初上,咖啡馆位于一座大厦的顶楼,不锈钢护栏围着落地长窗。窗外是明亮的楼房、五光十色的霓虹灯和安静的星空。咖啡馆里很静,一缕轻曼的乐声似有若无。顾客们多是成对的男女,有头发雪白的老年夫妇,也有脖子上挂着玉坠的中学生。乔乔小姐走进咖啡馆时,满屋的男人都觉眼前一亮。北京是美女如云的地方,但乔乔在美女堆中仍比较出众。她穿着一件淡紫色的风衣,风衣下是大胆暴露的小背心和超短裙。身材高挑,走路有名模的风范——而且不是那种中性化的模特,她体态丰腴,胸脯和臀部把衣服绷得紧紧的,一头长卷发很有层次感地披散在身后。右臂弯里还挎着一件衣服,是淡青色的风衣。在众人的目光中,她袅袅婷婷地走过来,坐到三位警官面前。

陈警官已调查过她一次,今天让鲁段吉军和小丁当主角。在这样一位美女面前——她的美貌让人不敢直视——鲁段吉军多少有些紧张。他在心中骂了自己一句,咽口唾沫,开始询问。不过随着问话,这位美女的光芒很快消退。吉军在心中鄙夷地断定:这绝对是个没心没肺的女人。司马林达尸骨未寒,她已经嬉笑自若,连一点悲伤的样子都没有,哪怕是假装出来的悲伤。正谈话间,她的手机响了,她从风衣中掏出手机,喂了一声,立即眉飞色舞,那种嗲劲儿让吉军生出一身鸡皮疙瘩。她当着三个人的面与这位不知名的男人嗲了十分钟，才挂了电话。

乔乔非常坦率，爽快地承认自己与司马林达关系"已经很深"。说这话时，她瞟了吉军一眼，意思是"你当然明白我这话的含意"。不过她说，她早就想和司马林达"拜拜"了，因为"那是个书呆子，没劲儿"。没错儿，他长得很英俊，社会地位高，家里也很有钱，但除此之外一无可取。他根本就不解风情，连在幽会中也常常走神。"完全没必要把他的死同我连在一块儿嘛！我已对陈警官说过，那晚我一直和另一个男人在一起，我相信陈警官早去取过证啦。那个男人与我是一夜情人，犯不着为我作伪证。"乔乔不耐烦地说。

听着她坦然的叙述，吉军忽然对那位死者产生了强烈的同情，如果真如小丁所说，司马林达是因失恋自杀的话，那他死得太不值得了！他冷冷地问："你和其他男人的性关系……司马林达知道吗？"

乔乔嫣然一笑，"我并没有刻意掩饰，不过我想他是不知道的。是谁说过这么一句话：'爱情使男人变成瞎子。'"

"如果他知道了——他是否会为你自杀？"

这个问题分量比较重，连乔乔这样"没心没肺"的人也略微迟疑了一会儿。"他不会。"她思索后断然说，"我想他不会。他虽然对我很迷恋，但我清楚，其实他并没真正把我放在心上。和我做爱时他也会走神。不，他不是在想另一个女人，他想的是另一个世界的事情。"

幽会时司马林达常常走神，他的思维已经陷入光与电的隧道中，无法自拔。那是漫长、黑暗、狭窄的幽径，他相信隧道尽头是光与电织成的绚烂云霞，上帝就飘浮在云霞之中。那是全能的上帝，无肢无窍，无皮无毛，他的大智慧是人类无法理解的，即使伽利略、牛顿、爱因斯坦也不行。上帝在云霞中飘浮，在云霞中隐现，也许世人中，只有林达一人能稍稍窥见他的真容。

司马林达很迷恋他的女友，迷恋她高耸的胸脯、修长的四肢、浑圆的臀部和其他种种无法坦言的妙处。即使在追踪上帝时,他也无法舍弃这具肉体的魅力。他早已看透了生命的本质,看透了基因的陷阱,但他在享受乔乔的肉体时,仍心甘情愿地迷恋其中。

如今他已经脱体飞升,融化在光与电的云霞中。他与上帝同在。当他从九天之上俯看这个叫乔乔的浅薄漂亮的尤物时,他的心中是否会激起一波涟漪?

"司马林达是个神经病!"乔乔恼怒地说,"他在我面前百依百顺,但他走神时,眼中根本没有我这个人。神经病,八成是自己寻死啦!"

小丁轻轻碰碰吉军,吉军知道他的意思。关于司马林达是死于"精神失常"的提法,这已经是第二次出现;在此之前,公姬教授也提到过他可能死于"心理崩溃"。他说:"乔乔小姐,你的这点看法很重要,能不能做一些具体的说明呢?"

乔乔说:"我也没有太具体的例证,反正他常常发呆、发愣,即使正在干男女之事,他也会突然冒出几句不着边际的话。最近他常常把白蚁啦、黏菌啦、蜜蜂啦挂在嘴边,他的话老是莫名其妙。他常常谈蜜蜂的整体智力,说一只蜜蜂只不过由一根神经索穿着几个神经节,几乎谈不上具有智力,但只要它们的种群达到'临界数量'……"

吉军打断她:"什么数量? 他说什么数量?"

乔乔想了想,不太有把握地说:"他说的是临界数量,我大概不会记错吧。他说只要蜜蜂的种群达到临界数量,智力上就会来一个飞跃。它们能密切协同,建造连人类也叹为观止的蜂巢。它们的六角形蜂巢是按节省材料的最佳方式建造的,符合数学的精确性。"她说,"都是这种自言自语,我没兴趣听,也听不懂。不过他说的次数多了,我也能记得几句。对了,近来他常到郊区看一个放蜂人……"

鲁段吉军的瞳孔陡然放大。放蜂人! 案发现场那句神秘的留言上就含有这个字眼——放蜂人的谕旨:不要唤醒蜜蜂。所以,这位放蜂人肯定是本案的关键。小丁看来也想到了这点,作势要追问,吉军用目光止住了他,佯作无意地问:"怎么又出来个放蜂人? 是司马先生的朋友吗?"

"不知道,我真的不清楚,他几次都是骑摩托去的,当天返回,所以那人肯定在郊区一带。他从没提过放蜂人的名字,但他从放蜂人那儿回来后总是怪怪的,有时亢奋,有时忧郁,说一些不着边际的话,什么'智力层面'啦,'宇宙大道'啦,把我烦死了。"她皱着眉头说,"烦死我啦。我早就想和他分手,我可受不了这种神经兮兮的男人。"停停她补充道,"我和他肯定不是一路人。"

吉军不由得对这位风流女人生出一丝同情,不过他仍未放松对放蜂人的追问。他看看陈警官,陈警官机敏地插话:"上次你没有对我说到放蜂人。请你再想想,还有什么有关放蜂人的情况。他在什么地方? 是不是司马林达的亲戚?"

乔乔对这些一无所知,她不耐烦地说:"我知道的都说完了,该放我走了吧。希望你们以后不要再来找我,我与司马林达已没什么关系了。"

吉军冷冷地问:"听说你的住宅是司马林达买的?"

乔乔对这个问题很反感,"对,没错。但他是专门为我买的,房产证上写的是我的名字。你想让我把房产还给他吗?"

吉军缓和语气说:"不不,你安心住下吧,不会有人找你麻烦。我只希望乔乔小姐能配合警方的调查,尽快弄清司马林达的死因,使死者九泉之下可以瞑目。"

乔乔哼了一声,起身告辞。她已经走到咖啡店门口,吉军喊住她:"喂,乔乔小姐,你的风衣!"

乔乔噢了一声,不在意地说:"差点忘了,这是林达忘在我家中的风衣,口袋里有放蜂人的照片,留给你们吧。"

她转身走了,吉军和小丁瞪着她的背影,不知道是该恼火还是该高兴。放蜂人的照片! 多么重要的证据,她竟然几乎忘了向警方提供! 他们急忙掏出照片,有厚厚一沓,不过多是拍的蜂箱和蜂群:一群蜜蜂在天上飞舞,十几只蜜蜂在蜂箱的入口狭缝处爬动,蜂王在空中同雄蜂交配……只有一张是放蜂人的,偏偏那人正在取蜜,头上戴着防蜂蜇的面罩,看不清容貌。三个人失望地在照片上寻找着其他线索,小丁眼尖,在蜂箱上发现了一行字迹,是红漆写的地址和名字:河南新郑石桥头,张树林。

三个人真正是喜出望外了。调查进行到这儿可以说是峰回路转。刚开始见到屏幕上的留言时,虽然对它很重视,但在某种程度上,吉军只是把"放蜂人"作为一个隐喻而不是一个实体。可现在,在司马林达的生活圈子中真的出现了一个放蜂人,一个有地址有照片的真人。那么,屏幕上这句神秘的留言必定有其深意了。

老刑侦人员常有这样的经历:看似容易查证的线索会突然中断,看似山穷水尽时却突然蹦出一条线索。不用说,下面就要去找到这个张树林。但放蜂人是居无定所的,到哪儿去找他?老鲁说这不难,放蜂人总得要和家里通电话吧,先请河南新郑警察局查出石桥头张树林的家,再向家人打听他现在的放蜂地点。

三个人喜气洋洋,以咖啡代酒碰杯,"这个女人!"吉军说。"糊涂娘们儿!"小丁也说。不过,他们还是很感谢这位没心没肺的乔乔。不管怎么说,是她提供了这条重要的线索。

资料之四:

1932 年,中国著名生物学家贝时璋在杭州浙江大学任教时,在一个叫松木场的地方采集到了一种叫丰年虫的小动物。它体长 1-2 厘米,非常美丽。研究发现,它们在性别上非雄非雌,是一种中间性。进一步的研究又有了惊人的发现:这种中性丰年虫的生殖细胞发生性的转变时,卵母细胞中新形成的细胞并不是由母细胞分裂而来,而是以母细胞细胞质中的卵黄颗粒为基础组建的。其过程是:卵黄颗粒先形成新的核,再逐渐包上细胞质和细胞膜,形成一个完整的子细胞。

简而言之,它们的细胞不是由细胞分裂而来,而是由非生命物质重新建造的。这是一个极为重大的发现,它第一次揭示了太古时期地球上非生命物质向生命物质转化的早期过程。两年后,贝时璋教授在世界上第一次正式提出了细胞重建学说。只是由于当时正处战乱,不得不中断了这一研究,直到 1980 年才恢复。

贝时璋教授表示,相信在 21 世纪,科学家将在实验室里由非细胞物质合成出子细胞,亦即把非生物物质转化为简单的生命。

——摘自《细胞重建学说》(《科普创作》2001 年第 3 期)

3. 追　踪

　　太空巴士机场在郑州附近,它最显著的地貌是一条斜指蓝天的电磁轨道,长达20公里。实际上,这就是一门电磁轨道炮,炮弹——小巧的太空巴士——在轨道上受到电磁力的推动,以高达10G的加速度(这是一般乘客所能忍受的加速极限)进行加速,在脱离轨道时能达到大约每秒2公里的初速度,这就大大降低了太空巴士本身的燃料消耗。太空巴士降落时是上述过程的反过程,首先用巴士自身携带的燃料进行初步的反喷制动,然后降落到轨道上,用电磁力进行强力制动。

　　由于电磁轨道是用廉价的电力代替昂贵的化学燃料,所以太空巴士收费低廉,成为大众化的交通工具。

　　又一辆太空巴士降落了,这是一辆大型巴士,40多名乘客走下来。宇何剑鸣走在乘客之中,手里拎着一位邻座老太太的大皮箱。这位老太太也是太空球的老住户,不过已决定返回地球寻找归宿了。剑鸣是太空巴士的常客,他是警局"金钥匙"组织的成员,这个组织的成员有权处理太空球的治安事务,加入资格的要求很高,要求高学历、机敏、有熟练的电脑技巧和格斗技巧。全国警察系统中只有不足百名的"金钥匙"成员。

　　此次剑鸣前去调查的这桩太空球血案的真相十分简单,典型的太空幽闭症所致。自然人主人和 B 型人仆人因琐事而争吵，仆人失手杀死主人并畏罪自杀。太空球内的自动音像系统录下了血案的全过程。调查过后，宇何剑鸣心里沉甸甸的，他不理解为什么有人偏要住在与世隔绝的太空球内，为家庭种下祸根。他想到了如仪对爷爷的担心，内疚地想，他对这位 79 岁老人的关心太少了，回去后他要和如仪商量，努力把老人劝回来，至少回地球上住一段时间，调整一下心绪。

他站在自动人行道上，和同行的老太太闲聊着，老太太贪婪地看着外边，喃喃地说："10 年了，10 年没看见地球的景色了。"剑鸣笑着说："在太空球里不是每天都看吗？"老太太说："那是远观，远观和近看到底不一样啊。"

玻璃幕墙另一侧是进站的自动人行道，这会儿正是进站时间，一拨接一拨的人从视野里滑过去。忽然，与其说是听见不如说是直觉，他发现玻璃幕墙那边有人在喊他。是如仪！她正努力捶着玻璃幕墙，不过，厚厚的玻璃隔断了她的声音，只能看见她的嘴唇在一开一合。他猜测如仪肯定是去 KW0002 号太空球探望爷爷。逆向而行的人行道很快把两人的距离拉远了，他匆匆把皮箱还给老太太，做了一个抱歉的手势。老太太刚才也看到了那一幕，忙不迭地推他，"快去吧，快去吧。"

剑鸣从自动人行道的扶梯上跳过去，快步走到边门，向服务员出示了证件。无疑，太空巴士站的工作人员都很熟悉警局"金钥匙"组织，殷勤地为他打开了侧门。他顺着进站自动人行道走到候机室，如仪正在那里等他，身边放着一只小小的旅行箱。

一进候机室，如仪就扑过来搂住他的脖子，高兴地说："没想到在这儿碰到你。怎么这么快，你不是说需要三天吗？"

"案情简单，我提前一天回来了，你是去探望爷爷吗？"

"嗯。"

"干吗这么急？该等我回来嘛，我可以请几天假，陪你去。"

如仪不好意思地说："我也不知道为什么，一时心血来潮做出的决定。"

剑鸣想起那天如仪的担心,小心地问:"太空球里……一切都好吧?"

如仪敏锐地听出了话外之音,"很好,什么事也没有,RB 基恩是天底下最好的仆人,没事的,我只是想去看看爷爷。"

但剑鸣却不能释怀。前天他曾劝如仪不要胡思乱想,但目睹了太空球内血迹斑斑的场景后,他无法拂去心中的沉重感。他劝如仪:"把票退掉,跟我回去吧。等我把这件案子处理完,陪你一块儿去,我还没见过爷爷呢。"

如仪笑着,"我已经来到候机室,哪能再回头呀?放心吧,三天后我就回来。"

但剑鸣心中的不祥预感却十分强烈。没错,一切会平安无事的,如仪只是"回家"探亲,毕竟,发生血案的太空球是极少数……但他想,还是做点预防为好,至少没有任何害处。不过,为了怕如仪担心,他把下面的话处理成一个玩笑——

"如仪,"他压低声音故作神秘地说,"你愿意体验一下警察生活吗?"

"怎么体验?"

"我们如果是单人执行任务,都要事先和同伴规定好联系的暗语,因为谁能料到将要面对的是什么环境?这次咱俩也规定一个暗语吧。"

如仪的娃娃脸上神采飞扬,兴致勃勃地说:"好啊,怎么规定?"

"如果那儿一切平安,你在电话中就随便提一种植物的名字;如果有危险,就随便提一种动物的名字;如果是极端危险,就说'我的上帝!'"

"行啊。极端危险——我的上帝;安全——动物;危险——植物。"

"傻妞,你记反了!安全——提一种植物;危险——提一种动物。你可以联想嘛,动物中有危险的食人鲨、恶虎、恶狼、鳄鱼,而植物中有美丽的花朵、舒适的绿茵……"

"可是动物中也有驯良的绵羊、小白兔,植物中也有危险的箭毒木和食人花呀。"她看到剑鸣有点急了,便笑着摆摆手,"不开玩笑了,不打岔了,我记住啦：危险——动物；安全——植物；极端危险——我的上帝。"

"这就对了。干脆再给你一件东西吧。"他掏出自己的"掌中宝"手枪，悄悄塞到如仪手里。它十分小巧，即使如仪的小手也能完全遮没它。如仪似乎吃了一惊，剑鸣顽皮地眨眨眼，努力把它弄成一个玩笑，"带上吧，带上它才像是一朵警花呀。"

如仪接住掌中宝，小声问："上太空巴士不检查？"

"检查站早过啦，从太空回来是不检查的。不过，不到万不得已时你千万别摆弄它，否则你会让我丢掉饭碗的。"

"好，我记住了。"

一个悦耳的女声在说："到太空 RL 区的乘客请注意，登机时间已经到了，请你们带好行李物品，从三号进站口登机。到太空 RL 区的乘客请注意……"声音中似乎带着浓浓的睡意。候机室里开始骚动，人们带上行李，鱼贯进入三号口，一辆又一辆太空巴士在轨道上急速滑过。剑鸣送如仪到登机口，两人在这儿吻别。今天如仪预订的是双座小型太空艇，由乘客自己驾驶。漂亮的太空艇在轨道上很快加速，从轨道顶端射出去，然后太空艇点火，在尾后绽出一团橘黄色的火焰。火焰急速变小，消失在天幕中。

高郭东昌局长听取了剑鸣的汇报，满意地说："好，小伙子干得不错，回去再写一份书面报告。"

剑鸣在高局长面前一向很随便，"承蒙夸奖，不胜感激，不过，你别忘了，你答应过要还我一个假期。"

"我什么时候言而无信啦？今天就还你，现在就去找如仪吧。"

"找不到啦，如仪这会儿已经在 KW0002 号太空球上了。我正好在太空巴士机场碰上她。她去看望爷爷，这些天连着出了两起太空凶杀案，把她担心坏了。"

局长呵呵地笑了，"是吗，那就不能怪我了。"

"老鲁那边进展如何，就是那桩副研究员自杀的案子？"

"还没有进展。"高局长对那组人多少有些担心。鲁段吉军侦查经验很丰富，但毕竟年纪大了，知识过时了，应付高科技环境下的案件似乎有些吃力。而小丁又太贪玩，业务上不钻研。有关自然人的案子现在常常放在第二位，放在类人的案件之后，但马林达这桩案子不同，他的身份容不得马虎。局长不愿在下级面前批评其他下属，只是含糊地说："你也做点准备，也许这个案子会让 B 系统插手。我关照资料室，把那桩案子的资料随时传给你浏览。"

剑鸣乖巧地说："我相信老鲁能办好，不过若需要我帮忙，我一定尽力。"

局长点点头，剑鸣便离开了局长室。随后的半天没什么工作，他和部下聊了一阵子近几日的新闻，又调出鲁段吉军的案情记录看了一下。从资料上看，他们取得了相当大的进展，已经摸清那名放蜂人现在的位置，是在河北西边的枣林峪放蜂，两人已赶去调查。剑鸣知道，死者的电脑留言上曾提到"放蜂人"，所以这位放蜂人当然是重要的被怀疑对象。他听出高局长对两人的工作不是太满意，那么，高局长认为他们的主攻方向错了？放蜂人并不是本案的关键？

他不知道高局长是如何思考的，如果是他在查这件案子，也只能依鲁段吉军的思路去走，这是本案中唯一的线索。

不过，毕竟他没参与此案的侦破，所以他只是浏览一遍便罢手了。时钟敲响 6 点，他关了电脑，穿上外衣。屋里的年轻人一窝蜂拥出去，今天有一场中国对西班牙的足球赛，他们要赶紧回家守在电视机旁。在走廊上他们已开始了热烈的讨论，预测这次比赛的结局。陈胡明明磨磨蹭蹭走在后边，不凉不酸地说："队长，快回去吧，如仪在等着你哪。"

"如仪去太空球了，三天后才能回来。"他坏笑着，"怎么，趁这个空当儿咱俩幽会一次？"

明明脸红了，半真半假地说："你敢约我就敢去！"

"那有什么不敢约的，走！"他换上便衣，伸出胳膊让明明挎上，大大方方走出警局。

　　这晚他们玩得很痛快。他们先到舞厅,在太空音乐的伴奏下尽情扭动,跳出一身汗。然后他们来到附近的"水一方"餐馆,剑鸣点了几样菜肴,要了一瓶长城干红,深红色的葡萄酒斟在高脚水晶杯里,剑鸣举起杯,"明明,干!"

　　明明喝了几杯,脸颊露出了一抹红晕,目光中闪动着疑惑。她不知剑鸣今晚约她出来的用意。虽然剑鸣嘴巴上不太老实,但他在爱情上是极其忠实的,可惜是忠实于如仪而不是自己。今晚他约自己出来是干什么?如果他最终提出要和自己发生关系,明明想自己恐怕不会拒绝。

　　"水一方"环境优雅,透过临窗的雅座可以俯瞰白河的流水,花瓶里的玫瑰是刚换的,花瓣上还带着露珠。屋里飘着水一样的乐曲。酒喝得不少了,火焰在明明姑娘的血管里流动。她喜欢剑鸣,今晚她会跟剑鸣到任何地方,会答应剑鸣的任何要求。

　　这会儿剑鸣倒是十分平静,他不再劝明明喝酒,自己慢慢地呷着,忽然说:"明明,我早就想找机会与你深谈一次了。你是个好姑娘,我也知道你的心意。可惜我已经有了如仪……明明,不要因为一个解不开的情结误了一生,赶快忘掉我,去寻找你的意中人吧。"

　　明明血管中的火焰一下子变成了寒冰,极端的失望转化成愤懑,她想尖口利舌地刺伤他……不过,她知道对方说这些话是出于好意,他对如仪的忠实也值得钦佩。她努力平复了情绪,用谐谑的口吻说:"这是最终判决书吗? 我接受这个判决。"

　　"对不起,明明,我真不想说这些扫兴话,不过我想,还是把话说透了为好。"

　　明明站起身,隔着小几吻吻他的额头,"不用说了,虽然你彻底打破了我的梦,但我还是很感谢你。走,再陪我跳舞去,跳一个通宵,算是咱们的告别。"

剑鸣陪她回到舞厅，两人在亢奋的舞动中释放了内心的抑郁。明明搂着剑鸣的脖颈，柔软的胸脯紧紧贴着他，眼睛亮晶晶地仰望着。隔着薄薄的衣服，两人都能感觉到对方的心跳。他们默默跳着，几乎没有交谈。这会儿交谈已经没有必要了。不过他们并没跳通宵，凌晨一点他们离开了舞厅，剑鸣开车送明明回家。他下了车，为明明打开车门，又陪她走过昏暗的楼梯，在门口与明明告辞。他们轻轻拥抱一下，没有吻别，明明嫣然一笑，"队长再见。"随即轻轻带上房门。

剑鸣开车回家，街上寂寥无人。就在这时，黑影里滑出一辆汽车，远远地跟着他。机警的剑鸣很快觉察到了，他回忆着，从今天下午离开警局起，似乎这辆黑色汽车就跟在后面。是谁在跟踪他？为了什么？为了验证自己的猜测，他有意把车速加快，后边那辆车立即也加快了车速。行过一条街，剑鸣降低了车速，那辆车也随即降速。剑鸣不再验证了，冷笑着一直开回家，把车缓缓停在楼前。那辆汽车也悄无声息地停在不远处的暗影里。剑鸣忽然急速掉转车头，朝那辆车快速开过去。那辆车没来得及逃开，或许他干脆就没打算逃走。当剑鸣的车与他的并肩而停时，那边干脆打开车内灯光，隔着玻璃与剑鸣对视。

是齐洪德刚，那位被气化的女类人的"丈夫"。

剑鸣走下车，拉开对方的车门，含笑说："是齐洪先生吗？真巧，在这儿遇上你，能否请你到家中小坐？"

德刚冷冷地盯着他，"谢谢，不必了，我过来只是想告诉你，我忘不了你的'恩惠'。"

剑鸣叹道："我已经再三说过，我只是在尽自己的职责。齐洪先生，不要与法律对抗，不要再把自己搭进去。"

"是吗，谢谢你的关心，不过齐洪德刚早已经死了，再死一次不算什么。"德刚挂上倒挡，"祝你睡个好觉，像你这么内心清白的人一定不会失眠的。"他踩满油门，汽车嗖地退走了，把剑鸣带了一个趔趄。

黑色汽车迅速消失在街道尽头，剑鸣摇摇头，转身离开。他能理解德刚的仇恨,甚至暗暗欣赏德刚的血性。不过,他知道自己今后很难有清静日子了,德刚一定会像只牛虻一样紧紧叮着他。他本人并不惧怕,今后该注意的是不要把如仪牵连进去。

回到单人寓所,他首先对屋内摆设扫视一遍,看有没有外人闯入的痕迹。没有。樱桃木的书架里,书籍仍然整整齐齐,沙发上的坐垫和电脑前堆放的东西也都保持着走前的模样。显然高智商的齐洪德刚不屑于用非法手段来报复。他打开电脑,立即发现有人闯入过他的资料库。这台电脑中没有机密,都是一些普通的家庭资料,所以他只建了一道普通的防火墙。闯入者似乎也不在意留下闯入的痕迹,离开前他曾详细翻阅了宇何剑鸣的个人档案和家庭档案。

不用说,又是那个齐洪德刚。剑鸣对此并不担心。他的一生是一本公开的书,没有什么见不得人的秘密,没有齐洪德刚可以利用的把柄。不过,他还是决定认真应对德刚的挑战。看来这位齐洪德刚是位电脑高手,但自己也不会比他差吧。于是他埋下头来,开始在网络中追查闯入者的痕迹。

齐洪德刚家中有一个灵堂,一个永久性的灵堂,雅君的遗像嵌在黑色的镜框中,镜框上方是黑色的挽幛和白色的纸花。哀乐轻轻响着,似有似无。德刚每次回家,都要先到灵堂,额头顶着雅君的相片,默默祭奠一番。

这儿是有效的仇恨强化器。随着时间的推移,他对剑鸣的仇恨在慢慢减弱。的确,剑鸣只是在履行自己的职责,他本人并不是冷血的刽子手,把仇恨集中到剑鸣身上并不公平。但每次回到灵堂,弱化的仇恨又迅速恢复。不管怎么说,雅君死了,是剑鸣害死了雅君,一定要向他复仇!德刚不会使用匕首和毒药,但他要设法使剑鸣名声扫地,让他被人类社会抛弃,这才是最无情的复仇。

电脑上闪现着宇何剑鸣的全部资料,包括他的父母和恋人的资料。这是十几天来他搜集的,大部分是从宇何剑鸣的家庭信息库下载到的,少部分是通过社会保险局查询到的。这些资料中似乎没有可供利用的秘密。

宇何剑鸣,2095 年 5 月 24 日生,马上要过 30 岁生日了,父亲何不疑,退休前是 "二号" 工厂的总工程师。德刚原来没想到宇何剑鸣的父亲还是这么一位大人物,RB 雅君就是在 "二号" 工厂里诞生的呀,从某种程度上说,何不疑甚至可以算是雅君的父亲。他从网络中调出了何不疑退休前的照片,看上去面容英俊刚毅,肩宽膀阔,大腹便便。剑鸣母亲叫宇白冰,结婚后一直没有外出工作,留在家中相夫教子,从照片上看是一位风姿绰约的女人。当然,这也是 30 年前的照片。

宇何剑鸣的履历表清白无瑕。他在北京警察大学上学,毕业后分回家乡,在南阳特区警察局 B 系统工作,晋升迅速。他似乎天生是个好学生、好警察,档案中到处是褒扬之语。

查不出什么东西,连剑鸣父母的档案中也没有任何污点。何不疑 50 岁时退休,那时,他在社会上的声望正处于巅峰期,所以不少人在报纸上表示惋惜。德刚在这儿发现了一点巧合:何不疑退休的日期,恰恰是宇何剑鸣出生的日期——也许他老年得子,一高兴就辞职回家抱儿子去了?

他还查到两年来剑鸣同父母所通的电子邮件,内容尽是家长里短,儿女情长,没什么特殊内容,仅何不疑的一次问话有些反常。在这封邮件中,他详细询问了儿子同吉平如仪的关系,特别是问及两人的性生活是否和谐,因为(何不疑在信中解释道),现代高科技生活的节奏越来越快,不少人慢慢丧失了自然本能,包括性能力。剑鸣似乎对父亲的问话也感突兀,但他回答说一切都好,何不疑说那我就放心啦。

齐洪德刚对这次通话多少有些怀疑,一般来说,父亲不大会过问儿子的性生活,似乎在此之前,父亲对儿子的性能力一直怀有隐忧,也许剑鸣小时候曾受过某种外伤?

这个小插曲说明不了什么,德刚继续扩大搜索的范围。打开搜索结果,关于何不疑的条目竟然有 5 万多条!他一条一条浏览着,几乎全是褒扬之语,衷心赞叹着何不疑及其同事们所创造的 "上帝的技术"。即使对制造类人持反对态度的人，对何不疑本人也是钦佩有加。

已经凌晨四点了，眼皮酸涩沉重。他去卫生间擦了把脸，雅君的化妆品还摆在梳妆台上，那个丰腴的人儿似乎还坐在镜前。德刚揉揉眼睛，又回到电脑前。这回，他查到了30年前的一篇长篇报道，标题是《万无一失的人类堤防》，作者董红淑。报道的内容引起了他极大的兴趣，他认真地读下去。

这篇报道从近距离观察了"二号"工厂的内幕（德刚真想也能去看看雅君的出生地！），叙述了何不疑导演下的一次实战演习。她的生花妙笔再现了那个惊心动魄的时刻：一个具有人类指纹的类人婴儿被及时发现，并被何不疑亲手销毁。德刚冷笑着想，难怪宇何剑鸣如此冷血，原来他父亲就是这样的货色！董红淑的文章写得比较隐晦，但字里行间可以看出她对何不疑的厌恶——是钦佩中夹着厌恶。在文章的末尾，她直率地发问："人类有没有权力判决 B 型人的生死？尽管 B 型人的 DNA 是用纯物理手段组装成的，但他们毕竟是活生生的生命呀。"

齐洪德刚早就知道董红淑的名字了，她是北京一家报纸的名记者，至今仍常有文章见诸报端。看了这篇文章，德刚觉得同董红淑的感情一下拉近了。他决定拜访这位为 B 型人鸣不平的女记者。

电话响了，是妈妈。她在通话视频中恼怒地盯着儿子，久久不说话，谴责之意溢于言表。德刚心酸地与妈妈对视，不想为自己辩解。很久，妈妈才说："德刚，我们看到了报纸上的报道，你也太胡闹了，竟然和一个类人……算了，过去的事情不说了，你一定要忘掉那个类人，赶快振作起来。"

爸爸接过电话，说了内容相似的一番话。德刚烦躁地听着，真想马上挂掉电话。妈妈忽然从屏幕上看到了他为雅君设的灵堂，从丈夫手中抓过话筒尖声问："你还在为那个类人设灵堂？你……刚儿，不用说了，明天我们就到你那儿去。"

德刚坚决地说："不，你们不要来，明天我将去北京办事。爸妈再见。"

不等妈妈说话,他就挂掉了电话。

第二天,他真的登上了去北京的班机。

在记者部主任的办公室里,德刚见到了董红淑女士。她 50 多岁,头发花白,但行动敏捷,看不出丝毫老态。董女士亲自为他倒了杯绿茶,亲切地问他有什么事。

德刚说:"我刚拜读过你 30 年前所写的一篇关于'二号'工厂的文章,是这篇文章让我来拜访你。"

董女士陷入了回忆,"是吗? 我这一生写了不少文章,但我个人最看重的就是那篇报道。"

"董妈妈,我很佩服你,你以仁者之心谴责了对 B 型人婴儿的谋杀,这是需要勇气的。"

董女士摇摇头,"不,我并不像你想象的那样坚定,我无法目睹一个无辜的 B 型人婴儿被销毁;但我也知道,如果不加任何防范,大批工业化生产出来的 B 型人很快就会取代必须怀胎十月的自然人,这对自然人也是不公平的。"她叹道,"世界上很多事就是两难的,没有绝对的对与错。"

"但我从文章中读出了你对何不疑的厌恶。"

"对,我是厌恶他——在他谈笑自若地对一个婴儿进行死亡注射时。不过,除此之外,我对他其实很钦佩。他是一个完美主义者,一个哲人,待人宽厚仁慈。看到这么矛盾的性格共处于一个身体,确实让人迷惑。"

"何不疑现在在什么地方?"

"不知道,他 30 年前退休后就从社会上销声匿迹了,据说他隐居在家乡的深山里,离'二号'工厂不是太远。像他这么叱咤风云的人物,没想到真的能抛弃红尘。小伙子,"她用锐利的眼睛盯着德刚,"请告诉我,你与何不疑先生有什么个人恩怨吗?"

德刚犹豫片刻,决定实话实说:"我和何先生没有个人恩怨,但他的儿子宇何剑鸣害死了我的 B 型人未婚妻。"

董女士噢了一声，注意地重新打量着齐洪德刚，"原来是你！我一直关注着那件案子的报道，只是没记住你的名字。你就是那位痴情的丈夫，为未婚妻雕刻了假指纹？"

"对，我尽了最大的努力，可惜还是被宇何剑鸣识破了，这个刽子手！父子两代都是刽子手！"

董女士沉思地盯着他。有人进来送上一份稿件，她心不在焉地签了名字。来人出去后，她委婉地劝说："小伙子，我十分理解你对未婚妻的情意，不过我不赞成你把仇恨指向那位年轻警官。他只是在履行自己的职责而已。这件事的责任要由法律来负，由社会来负。"

德刚咬牙切齿道："他们父子两代恰好都是法律的代表。"

"是啊。"董女士低声说，神情有点恍惚，"是啊，父子两代……小伙子，"她忽然说，"中午不要走了，到舍下用点便饭。"她有点难为情，"有些话在我心中憋了 30 年，早就想找人聊一聊了。"

德刚颇觉意外，但马上点了点头，"好的，谢谢董妈妈的邀请。"

董女士的丈夫中午不回来，女儿不在家住，类人女仆含笑在门口迎接，递上两双拖鞋，接过两人的外衣挂在衣架上。董红淑交代她去炒几样菜，开一瓶葡萄酒。女仆点点头，先送来两杯绿茶，然后进厨房去了。董女士在对面的沙发坐下，小心地询问了雅君被销毁的情形，对她的不幸表示哀悼。然后，她详细追忆了当年参观"二号"时的感受。

"那次感受确实终生难忘！"她把玩着茶杯，缓缓说，"我们那一代和你们不同，你们已习惯了 B 型人的存在，把世上有 B 型人当成天经地义；我们呢，那时还受传统思想的束缚，一直认为人类是万物之灵，虽不是耶和华或女娲的创造，但至少是天造地设，是大自然经亿万年锤炼、妙手偶得的珍品。人类的智慧和生命力都是神秘的，不可复制。可是突然间，所有这一切用激光钳摆弄一些原子便可以得到。没有生命力的原子只要缔结成一定模式，就会分裂、发育，最终变成婴儿并成长，具有智慧和感情，这太不可思议了!"

"是的,我们虽然已习惯了B型人的存在,但同样认为它不可思议。"

"告诉你,自从那次报道后,我再也没写过有关B型人的文章。为什么? 因为我觉得自己的智慧不足以判明有关B型人的是非。清晰的思维曾让我引以为豪,可是只要一涉及B型人,我就成了双重人格者。一方面,我憎恶何不疑的残忍;另一方面,我也从理智上赞同他们的防范,我不愿看到人类被一些生产线上的工件所代替……"

"他们不是工件,"德刚恼怒地说,"任王雅君不是工件!"

"啊,请原谅我的失言,"董红淑笑着说,"也许这就是两代人的代沟,你们的理智和感情已趋于同一化了,我们的理智和感情还分离着。"

"雅君不是工件,"德刚重复道,"她是个有血有肉的姑娘,她的爱情十分炽烈。"

董红淑温和地反驳道:"这一代B型人都生活在人类环境中,有的被人类同化了。我参观的'二号'工厂里的B型人,既无爱情,也没有对死亡的恐惧。记得吗? 我在文章中描述了一个进入'生命轮回'的类人,他们对待死亡十分平静,就像是一次普通的睡眠。我想,对死亡的轻视算不上美德,也不值得夸奖,那是人类和类人的重大区别之一。你的雅君姑娘是否也是这样?"

她看着德刚,德刚想起了雅君死前的平静,不过他没有说话。董女士再次劝道:"你不要把仇恨指向何不疑父子,不要造成新的悲剧。如果你认为自己是对的,就去改变这个社会,改变社会准则。"

德刚沉默着,"那是过于艰难的事。"他含糊地说。

董红淑叹口气,"仇恨使你变得过于偏执。"她不再劝说。饭菜送上来了,女仆为两人斟上酒,悄悄退下。德刚不由得想,在董妈妈家里,类人同样没有与主人同桌吃饭的权利,这使他心中隐生不快。

董女士随便闲聊着。她介绍了何不疑的外貌,描述了他宽阔的肩膀和臃肿的大肚子;她回忆了那个B型人进入"生命轮回"的平静和自己的震惊,也回忆到进行死亡注射时斯契潘诺夫的冷血,及自己对他的愤怒……

"斯契潘诺夫先生还在世吗?"德刚插话道。

"还健在,仍像过去一样居无定所,听说最近在美国旧金山居住。"她敏锐地问,"你准备找他吗?"

德刚含糊地说:"也许吧。我只是想多了解一点宇何剑鸣的情况。"

董红淑想,然后你从中找出可以利用的把柄。她知道德刚与宇何剑鸣是较上劲儿了,她不赞成这样的冤冤相报,不免暗暗叹息。她想,也许自己该给何不疑父子提个醒,让他们对德刚的报复有所防备。

她也很喜欢德刚,尽管有点偏执,但德刚不愧是一个真情汉子,这种至死不渝的爱情在机器化社会里很是难得。她为德刚满满斟上一杯,给自己斟上半杯,"来,干杯! 德刚,记住我的忠告,忘记过去,从今天开始新的生活。你能记住吗?"

德刚含糊地应了一声。

"下午我还要上班,不能陪你了。有什么想不开的事,记住给董妈妈说说。多来电话,啊?"

"谢谢董妈妈。"

资料之五：

美国科学家正在进行一项历史性的试验——在实验室中制造一种新的生命形式，以解答生物学领域一个最基本的问题：生命自身是如何形成的。

美国马里兰州罗克维尔基因研究所的克莱德·哈金森博士将单细胞生物的 DNA 完全去除，使其变成没有生命的细胞外壳，然后试着注入最少量的基因，观察到底具有多少基因才能使细胞存活并进行自然复制。他们使用的是一种叫做支原菌生殖体的微生物，它有 517 个基因，是迄今所知基因最少的生物之一。

研究表明，最低需注入 250~300 个基因后，单细胞才能"复活"，不过这 300 个基因中，有 100 多个基因似乎对生命过程并不起作用。研究人员说，这项研究还称不上"创造生命"，而只是对原有生命的重新拼合。不过，这项研究将对真正的人造生命起奠基作用。

——摘自《在实验中制造生命》（英国《卫报》1999 年 12 月 10 日）

4. 放蜂人

　　枣林峪位于一个山坳里,山坡上到处是弯腰弓背的老枣树,树龄已达300年。据说,在这儿种枣树始于清朝的一位总兵。他在这儿驻扎时强令百姓种枣树和板栗,不从命者杀头,种不活的挨板子。百姓敢怒不敢言。不过,等枣树和板栗郁郁葱葱地盖满山坡时,百姓对总兵只有感恩戴德的份儿了。树多雨水也多,万一碰上荒年,还有一份铁杆儿粮食可防饥哩。"大跃进"那年到处砍树,周围都成了秃山。但枣林峪一则偏远,二则百姓拧着劲儿不让砍,才算保留了这支树脉。

　　鲁段吉军和小丁租了一辆雅马哈摩托进山,在枣林峪沟口找到了张树林。一辆轻型卡车停在鹅卵石的河谷里,顺着山沟一溜儿排了几十只黄色的蜂箱,山沟旁扎了一顶帐篷。走进枣林,到处是细碎的白色枣花和淡淡的甜香,黄褐相间的小生灵在花丛中轻盈地飞舞,忙忙碌碌,没个停息,似乎它们从寒武纪生命大爆炸时一直忙到了现在。

　　见到张树林后,两名警察比较失望。至少,按中国影视导演的选人标准,他怎么也不像一个反面角色——典型的北方汉子,脸膛黑红,身材矮壮,留着小平头,头发已经花白,说话底气很足。看见来了客人,而且是千里迢迢专门来拜访他的,张树林几乎受宠若惊,高嗓大声地连说:"请进,请进!""贵客,贵客!"扭回头吩咐,"小郎当,孙子哎,快去村里小卖部买酒,今天我要陪贵客喝个痛快!"他孙子是个十二三岁的少年,正在笔记本电脑前看中学课程自学教材。他腼腆地对客人笑笑,从爷爷手里接过钱,一溜烟跑了。

帐篷里相当简陋,不像是在22世纪。一个地铺,一张小行军床(看来是给孙子睡的),角落里扔着液化气灶具。张树林让客人在行军床上坐下,先倒了满满两大缸蜂蜜水,"喝吧,喝吧,地地道道的枣花蜜。你品品味,是不是带着枣子的甜香。枣树可是个好东西!告诉你吧,正宗的北京全聚德烤鸭,只能用枣木炭去烤,日本、美国的烤鸭坊必须得从中国进口正宗枣木炭哩!还有,旧做派的木匠,刨子和锯把都是用枣木做的。老枣木红鲜鲜的,颜色最地道,非常坚实……"

鲁段吉军看他扯到前朝古代了,忙接过他的话头:"大哥,你的枣花蜜确实不错!我们这次来,是想打听一个叫司马林达的年轻人,听说你在北京郊县放蜂时,他常去看你?喏,这是他的照片。"

放蜂人扫了一眼照片,说没错,是有这么个人找过我三次。三十岁左右,穿着淡青色风衣和银色毛衣,骑一辆野狼摩托,读书人模样,说话很爽快。"我俩对脾气,谈得拢,聊得痛快!"

吉军问:"他来了三次,都谈了些什么?"张老头说:"尽谈的蜜蜂。知道不,蜜蜂这小虫虫,学问大着哩。"不等客人催促,他就滔滔不绝地说了下去。鲁段吉军和小丁接受了这番"速成教育",离开时已是半个蜜蜂专家了。

张老头说:"蜜蜂国里的习俗太多了,比如,蜜蜂采蜜要先派侦察蜂,发现蜜源后就回来跳'8'字舞,8字的中轴方向与铅垂线的夹角,就表示蜜源与太阳方向的夹角。这种8字舞是在垂直面上跳的,但蜂群会自动把它转成水平方向的角度,然后按这个方向去寻找蜜源。跳舞时的频率和扭动幅度则表示蜜源的远近。蜂群中大部分是雌性,工蜂和蜂王都是雌性蜂,工蜂幼虫只要食用蜂王浆,就会变成蜂王。蜂群中的雄蜂很可怜哪,它们一生只与蜂王交配一次,交配后就被工蜂逐出蜂箱,冻死饿死,因为蜂群里是不养'废人'的。啧啧,这个规矩太残忍了,但也很合理,你们说是不是? 还有一点,放蜂人取蜜时不可过头,取多了,冬天不够蜂群吃,这时你就得往蜂箱里补蜜。但蜂群仿佛知道这些蜂蜜是外来的,不是自己的劳动成果,它们取食时就不知道怜惜,随意糟践。你说怪不怪? 它们也都有点小脾气哩!"

小丁有点不耐烦了,扭动着身子。但鲁段吉军瞪了他一眼,示意他耐心听下去。吉军自己则津津有味地听着,不时加几句感叹词:是吗? 真妙! 真逗! ——有这么个好听众,张老头更健谈了。

"蜂群大了,就要分巢。这个命令是谁下的,不知道,反正不是老蜂王。一分巢,老蜂王就得被扫地出门,你想它愿意做这样的傻事? 可是只要蜂箱里显得拥挤,工蜂就会自动在蜂巢下方搭几个新王台。这时怪事来了! 蜂王似乎预先知道自己今后的命运,迟迟不愿在新王台里产卵;但平时勤勉恭顺的工蜂们这时却变得十分焦躁,不再给蜂王喂食,成群结队地围住它,逼它去王台产卵,老蜂王只好屈从。王台中的幼虫是喂蜂王浆的,以后就会变成新蜂王。新王快出生时,老蜂王就飞出蜂箱——平时,除了在空中交配,蜂王是从不出箱的——这时,有一半工蜂会跟着老蜂王飞走,在附近的树上抱成团。此刻,放蜂人要赶快设置诱箱,否则它们就会飞走,变成野蜂。进入新箱的蜂群从此彻底忘掉了旧家,即使在外边冻死饿死也绝不回旧箱,就像它们的神经回路咔嚓一声全被切断了。你说这事怪不怪? 咱们人类若是搬家,刚搬家那阵,会不由自主往旧家跑,可是蜜蜂呢,即使新箱旧箱摆在一块儿,它们也绝不会回旧箱,和旧箱的亲戚情断义绝!"

鲁段吉军说:"是啊是啊,蜜蜂国的风俗真有趣。司马林达到你这儿……"

张树林抢着说:"这时旧蜂箱中正热闹呢,新王爬出王台后,第一件事就是寻找其他的王台,把它咬破,工蜂们会帮它把里面的幼虫咬死,或把没发育成熟的另一只蜂王拖到蜂箱外边。不过,假如两只蜂王同时出生,工蜂就会采取绝对中立的态度,安静地围观两只蜂王进行决斗。直到分出胜负,它们才一拥而上,把失败者扔出蜂箱。想想这些小虫虫真是透着灵气,比如说,分群时是谁负责点数? 它们又没有十根手指头。还有,蜂王一出生就知道去咬死其他蜂王,免得占了自己的王位,这种皇权思想是谁教它的? 工蜂们'只帮胜利者'的'公平'规则又是谁定的?"

鲁段吉军暗暗苦笑。他不大相信司马林达几次千里迢迢地找到放蜂人,只是为了听这些不着边际的废话,他努力想把话头扯回来:

"真绝了,我今天才知道,蜜蜂中也有皇权思想! 司马林达一共来了三次,他……"

"司马先生也是个蜜蜂迷呀,我俩对脾气,能聊到一块儿!"

司马林达与放蜂人并肩站在枣林里。细碎的枣花点染于嫩绿的枣叶中。一群睿智的小生灵在花丛间轻盈地飞舞。它们是否在傲视人类? 当蜜蜂建立了自己秩序严密的社会时,第一只哺乳动物都还没出世哩。蜜蜂社会绵亘了几亿年的时间,它们有自己的数学和化学,有自己的道德、法律和信仰,有自己的行为准则和社交礼仪。一只孤蜂算不上一个智慧生命,它肯定不能在自然界存活下去,它极简单的神经系统不存在发展智力的基础。可是,蜂群达到一定数量后,就产生了一种整体智力,复杂而精巧。所以,称它们为蜜蜂并不是一个贴切的描述,应该把整个蜂群看做一个名叫"大蜜蜂"的生物,而单个蜜蜂只能算做它的一个细胞。智力在这儿产生了突跃,整体大于个体之和,几万个零加在一起得到了一个自然大数。

司马林达对着蜂群顶礼膜拜,对着蜂群自言自语。他说这些小生灵可以让人类彻悟宇宙之大道。他认真地追问放蜂人老张,蜂群分群的临界数量是多少,也就是说,多少个零累积起来就会产生飞跃? 但他又反过来说,精确数值是没有意义的,只要大概了解个数量级就行。老张有点困感，他和司马先生聊得十分合拍，但他开始听不懂先生的话了，他弄不懂"临界数量"和"宇宙大道"是什么意思。

　　鲁段吉军一直注意地听着老张的"废话"。他听老张说到"临界数量"，忙请老张暂停。这个词儿已是第二次出现了，此前乔乔小姐也提到过。这个词儿多少有点神秘，也带点危险性（他们都知道核爆炸就有一个临界数量）。吉军耐心地引导老张回忆，司马林达关于"临界数量"还说了些什么，但他们的追问在老张那儿得不到回应。老张只是东拉西扯一些题外话，他从照片中翻出自己那张戴面罩的照片说："这是林达特意为我照的，他说要寄到我家，不知道寄了没有。本来还不到取蜜期，但他硬要我戴上面罩为他表演，他说，'你戴上它就像是戴上皇冠，你本来就是这群蜜蜂的神，是它们的上帝。'这个司马先生真是孩子气，尽说一些傻透了的话。"

　　吉军和小丁竖着耳朵听张老头的神侃，期望从中剥离出与案情有关的点滴内容。但他们已基本失望了。全是些不着边际的废话，与司马林达之死一点关系都没有。不过张老头说司马林达"傻透了"时，吉军突然受到了触动。乔乔小姐也曾轻描淡写地说林达"神经病，八成是自己寻死啦"。莫非司马林达的确是因精神失常而自杀？屏幕上的留言只是精神失常者的呓语？吉军截断了老张的话头说："大伯，司马林达真说了很多傻话？这很重要，他的女友说他精神上有毛病，我们正是为此来的，请你如实告诉我们。"

　　老张显然很后悔——他不该对外人讲司马先生的"缺点"。他连忙为先生辩解："谁说他的精神有毛病？绝对没有。不错，司马先生是说过一些傻话，他说，'老张你就是高踞于蜜蜂社会之上的神，你干涉了蜜蜂的生活。比如，你带它们坐上汽车到处追逐蜜源，你剥夺了它们很大一部分劳动成果供人享用，你帮它们分群繁殖、建造新蜂巢等等。但蜜蜂们能感觉到这种'神的干涉'吗？当然，这肯定超出了它们的智力范围，但它们能不能依据仅有的低等智力'感觉到'某种迹象？比如，它们是否感觉到比野蜂少了某种自由？它们坐汽车从河南赶到北京，是否会感觉到空间的不连续？冬天，放蜂人为缺粮的蜂群补充蜂蜜时，它们是否会意识到这来自一双仁慈的'上帝之手'？它们随意糟践外来的蜂蜜，会不会是一种孩子气的自我放纵？'"

放蜂人记忆力极佳，这些怪兮兮的话他不大懂，但他复述得很准确，就像一台运转良好的留声机。"司马先生把我给逗笑了，我说蜜蜂再聪明也只是小虫蚁呀，咋会知道这些？它们没有能思想的聪明脑瓜，我看它们活得蛮惬意的，大概也不会自寻烦恼。不过，"他认真地辩解道，"司马先生绝不是神经病，他是爱蜜蜂爱痴了，钻到牛角尖里了。"

鲁段吉军与小丁对望了一眼，目光都很低落，对这样的调查结果很失望。放蜂人的照片首次出现时，他们曾惊喜不已，认为这是解析司马林达遗言的钥匙。但是现在呢，即使最多疑的人也会断定，这位豪爽健谈、性格外露的张树林绝不像是满腹阴谋之人。案情爬了一个大坡，又哧溜一声滑回起点。司马林达是自杀？是他杀？如果是自杀，自杀的原因是什么？他的临终遗言到底是精神失常者的呓语，还是别有隐情？

所有这一切仍没有丝毫进展，他们乘兴而来，败兴而归。

张树林的孙子回来了，拎来一瓶习水大曲，鲁段吉军想谢绝在这儿吃饭，但张树林几乎与他们翻脸，"你们看不起我？司马先生就在我这儿吃过两顿饭！"

两人只得留下，帮着老张，用简陋的炊具做出一桌丰盛的饭菜。有不少地道的野味，如蒸荠荠菜、凉拌野苋菜、烧野兔，还有一大盘火辣辣的水煮肉片。主食是揪面片，辣得人浑身冒汗。张老头非常霸道地向两人敬酒，"一定得喝！不喝就是看不起我老张！"还不忘为两人一次一次地倒蜂蜜水。那个"小郎当"趴在碗边，两眼滴溜溜地盯着难得一见的客人。饭后张老头才想起问二人的来意，大老远打北京来到底是为了啥？司马林达先生怎么啦？鲁段吉军看看小丁，不想再瞒下去，便说出了司马林达的死讯。老人惊呆了，之后是涕泪滂沱，"好人不长寿，好人不长寿哇！"他用巴掌抹着泪水,哭得像个孩子。

在见识过乔乔小姐的寡情后,鲁段吉军想,有了这位放蜂人的泪水,司马林达在天之灵也多少有点安慰吧。告别时,他与放蜂人已成契友了,颇有点恋恋不舍。他从那沓照片中翻出老张戴面罩的那张,说:

"老张,司马林达要给你寄照片,我不知道他死前寄了没有。这张照片就送给你做个纪念吧。别推辞,我那儿还留有翻拍的底片。"

张树林珍重地接过照片,用手掌抹了抹,夹在他的账本中。

资料之六：

1997 年 12 月，美国马里兰州雷泽夫大学医学院的亨廷干·威拉德完成了一项史无前例的工作：人工组装了一条染色体。

生物染色体有三种主要成分：1. 两端是端粒，就像鞋带两端的箍一样，它的作用是保证正常的染色体不彼此融合；2. 中间是 DNA 反复复制的短序列；3. 所谓"复制起源"的 DNA 序列，它在细胞分裂期间发动染色体的复制。

在每条染色体的中心是神秘的着丝粒（指染色体的明显缩窄部分），它在染色体的分裂和分离中起关键作用。过去正是因为忽视了它，才不能制造人工染色体。

威拉德小组进行了大胆的尝试，将上述三种 DNA（即端粒 DNA、DNA 短序列和复制起源 DNA）分开，再把分离状态的三种 DNA 插入细胞，然后他们看到了精彩的一幕：上述三个片段按照正确的顺序，自动组装成一条染色体，似乎细胞内储存着染色体的组装程序。

——摘自《人工染色体》日本共同社（1997 年 12 月 23 日电）

5. KW0002 号太空球

太空巴士站是个放大版的太空球。这是一个繁忙的港口,一辆辆大巴士从云层里浮上来,按照巴士站的导航,分别停泊在各个泊位上,乘客们鱼贯而出。这儿有轻微的地球重力,人们的行走都是轻盈的纵跃。他们从这儿到各个太空球居住点要换乘太空摩托艇,乘员二到三人。换乘后,一艘艘摩托艇随之离港,就像是挂着黄色尾灯的萤火虫。如仪租用的是私人用小型太空艇,不需换乘,她在巴士站验票出站后,独自在空旷的太空中疾行。熟悉的景色使她恍惚回到了童年时代:那时,她常常贴在太空球的玻璃窗上,把鼻子压得扁扁的,贪婪地看着窗外的景色。这种景色已与她久违了。

KW0002 号太空球在视野中出现了,这是一个淡黑色的大球,缓缓转动着,在空旷的背景上显得孤零零的。如仪没有事先通知爷爷和基恩,存心想给他们一个惊喜。快到太空球时,她才打开通话器,"爷爷,基恩叔叔,是我,如仪! 我已经到你们门口了!"

通话器立即传来基恩惊喜的声音:"是小如仪吗? 你怎么突然来了? 你爷爷正在睡觉,稍等一会儿,我马上为你打开气密门。"

如仪把摩托艇小心地泊上太空球,仔细地扣好锚扣。太阳从地球背后转过来,把光芒洒在太空球的电池板上,为太空球提供电力。往下看是亲爱的老地球,黄河长江变成了两条细带,太平洋闪着蔚蓝的光芒,白色的雪山绵亘在青藏高原上。如仪兴高采烈地欣赏着,等待着气密门开启。

基恩说"马上"开门,但这个"马上"未免太长了一点。二十分钟后,如仪还没听见那熟悉的咔嗒声,便着急地喊:"基恩叔叔,你怎么啦?磨蹭什么呀?"

基恩笑着说:"莫急莫急,马上就好。"又过了十分钟,气密门的外门终于打开了。如仪打开密封的摩托艇舱门,她的太空衣立即膨胀起来,她艰难地挤进太空球的气密门,外门关闭,气密室内气压逐渐升高,太空衣又慢慢变小了。内门开启了,如仪急忙跨进去。

还是那个熟悉的太空球,她曾在这儿生活了五年,对球内的每一部分都了如指掌。爷爷这会儿在太空球的对面,也就是在她的头顶上,基恩正在他脑后忙活着什么。习惯了地球的重力,乍一走进太空球,总觉得这里怪异,眼睛无法适应。头顶上的基恩仰起头,笑容满面地说:"稍等一下,吉先生的睡眠马上就要结束了,我来帮你脱掉太空服。"

"不用,我自己能行。"

如仪脱掉太空服,沿圆球内面小心地走到爷爷那儿(在地球上生活时间太长,她从心理上摆脱不了"走向天花板"的错觉)。爷爷还闭着眼睛,两片磁极贴在太阳穴上,这种强力睡眠机在地球上曾风行一时,但很快就被淘汰了。现在,只有失眠症患者才使用这种机器。但爷爷一直用着它,他要与死神赛跑,要完成那部巨著:《与哲人的对话——过去、现在与未来》。爷爷睡得很安详,睡梦中仍显得威严,这种威严是与生俱来的。这时,基恩对如仪做了个手势,示意她取下老人太阳穴上的磁极,果然,爷爷眨巴眨巴眼睛,醒来了。睁开眼,他就把目光盯在如仪脸上,露出惊愕的表情。

如仪大笑着扑到他的怀里,"是我,是如仪,爷爷,我来看你啦!"

她亲亲热热地蹭着老人的脸。爷爷显然很欣喜,不过仍像过去那样不让感情外露,表情淡淡的,没有说话,只是用胳膊搂住孙女。也许,他不能完全忘却"宿怨",不能忘却孙女对自己的反叛。RB 基恩收拾好睡眠机,走过来,用他没有指纹的手指轻轻摩挲着如仪的秀发。如仪站起来,高高兴兴地同这位童年玩伴拥抱。她沉浸在久别重逢的快乐氛围中,不由得想到自己那晚的担心是多么可笑。

她仔细端详着爷爷,七十九岁的老人看来十分健康,面色红润,动作利索,根本没有老年人的迟缓。他吩咐基恩:"准备早饭吧,如仪肯定还没吃呢。"

基恩扬扬眉毛,高兴地答应一声,转身走开。二十分钟后,他端着食盘走进餐厅,在如仪面前摆上煎蛋、豆沙包、热咖啡和小米粥,笑着说:"十五年没有为你做饭了,我怕不合你的胃口,刚才特意向你家的电脑索取了你的家常食谱。怎么样,还对你的口味吧?"

"谢谢你,基恩叔叔,你做什么饭菜我都喜欢。"

她不安地发现,基恩往桌上端咖啡时,手指明显地颤抖着。其实刚才她已经发现,基恩走路时身体前倾,动作迟缓,像是患了老年痴呆症的老人,这未免不正常。B 型智能人与自然人类有同样的身体结构、同样的寿命,而基恩才刚刚 43 岁。她关心地问:"基恩叔叔,你的身体不舒服吗?你的手指为什么在发抖?"

基恩面色变白了,他偷偷看看主人,勉强笑道:"没有的事,我的身体很好。"

但他的手指分明抖得更厉害了。吉野臣横他一眼,冷冷地说:"早在几年前基恩就明显衰老了,今年老态更甚,已经不能胜任工作,只有报废了。显然他是一件不合格产品,我已经向类人交易中心提出索赔,他们答应赔偿一个新的 B 型人,这个月就会送来。"

RB 基恩的面色更加苍白,沉重地低下头,步履蹒跚地回到厨房。如仪不满地低声喊:"爷爷!你不该当他的面谈论这些。"

爷爷刻薄地说:"为什么?你怕他伤心?你要记住,不管他多么像人,归根结底,他仍是一台机器,他的‘生命’是人工制造的,生生死死对他而言只是预定的程序。我最看不得年轻人的廉价博爱!这种貌似高贵的感情实际上是贬低了人类的地位,把人类与机器并列。”

如仪暗暗叹息着,没有同爷爷争论。十五年没有见面,爷爷的古怪偏执并未稍减。如仪悄悄转移了话题:“爷爷,你的身体好吗? 我在地球上索取过你的健康资料,从资料上看一切正常。”

“我没有什么毛病,只有头皮常常发涨发麻,隐隐作痛。不过也不要紧,是老毛病了,八九年来一直这样。”

“晚上我给你详细地检查一下。爷爷,你孙女是名相当不错的医生呢。”

饭后,如仪在爷爷膝前聊了两个小时,午饭前特意到厨房帮忙做饭,她想找机会安慰安慰可怜的基恩。但基恩十分乐观,没有主人在身边,他显得开朗多了。他一边炒菜,一边轻松地说:“小姐,你不用安慰我,主人说得对,我知道自己已经得了老年痴呆症,无药可医,很快就要被销毁了。”

如仪难过地问:“为什么? 你只有43岁呀。”

“不知道,我是‘二号’工厂早期制造的B型人,可能那时合成人的质量还不稳定。”

如仪低声说:“你跟我回去,我为你医治。”

“没有用的,除非更换大脑——但换过大脑后我实际上还不复存在了。既然如此,何不干脆换一个基恩Ⅱ?”他笑道,“你真的不用担心,B型人的生命是人工赋予的,我们没有对死亡的恐惧。幸运的是,吉先生的身体很好,七十九岁的年龄仍然思维敏捷,动作灵活,就像四十岁的盛年。小姐,你已经同他聊了很久,你感觉他有丝毫老态吗?”

“没有,他甚至比我离开这儿时还年轻。”

“有没有病态或其他异常?”

“没有。”

"看,我没说错吧,他一定能再活二十年,写完这部巨著。"他扬扬眉毛欣喜地说,"我很高兴,我真的很高兴。只要主人身体健康,我会笑着走进气化室。开饭了,走吧。"

午饭后,如仪拨通了剑鸣的电话,太空球的图像传输不太稳定,剑鸣的头像一会儿被拉长,一会儿横移,好容易才稳定下来。虽然才离开一天,但由于空间上的遥远,如仪似乎已与恋人分别了很久,拿起电话说个不停。她说了与爷爷重逢的欣喜,爷爷的偏执(当然是压低嗓音说的),基恩的病情和他的处境。她很可怜基恩,想起他很快就要被销毁,心里很不好受,沉甸甸的。

通话时,剑鸣在屏幕上目不转睛地盯着她,两人谈了很久,剑鸣仍然连声问:"还有要说的吗? 还有要说的吗? "

如仪终于恍然大悟,来这儿后只顾沉醉于重逢的欣喜,她已经忘了走前关于植物、动物和危险信号的约定! 不过,那本来就是孩子气的玩笑,难得剑鸣还记得牢牢的。于是她大笑道:"还有我屋里的花! 你不要忘了浇水啊! "剑鸣这才笑了,挂上电话。

太空球已经进入地球的阴影,下面现在是灯火辉煌的北美大陆,五大湖在夜色中泛着冷光。如仪走进电脑室,打开屏幕,电脑中立刻响起一个悦耳的男低音:"如仪小姐,你好,我是主电脑尤利乌斯,我能为你做什么事? "

"你好,尤利乌斯,我们已经十五年没有见面了,当然,除了在网络上。"

"对,你已经是个漂亮的大姑娘了。"

"谢谢你的夸奖,尤利乌斯,我想查查爷爷的健康档案。"

"乐意效劳。"

屏幕上显示出了爷爷健康情况的有关资料。如仪想为爷爷做一次全面的身体检查。从人体自动监测系统的数据和图表看,爷爷的身体状况相当不错,大脑的状况尤其好,没有老年人常见的褐色素沉积、空洞和脑血管硬化。她浏览了一遍,满意地点点头,准备关闭电脑。就在这一瞬间,她忽然惊呆了——爷爷脑部的超声波图像上有一圈极其明显、极其整齐的纹路,正因为太明显太齐整,她才在下意识中把它当成了图像处理的技术错误,几乎把它忽略了。她定定神,仔仔细细地又看了一遍,没错,是一圈异常清晰的接口,或者说,爷爷的颅骨被人掀开了,现在只是"黏"在头颅上。接口处的光谱分析表明,黏合剂是一种从蛤贝中提取的生物胶。

看来爷爷对此毫无觉察。这不奇怪,虽然大脑是人的感觉中枢,但大脑本身并无痛觉,它是人体上最大的感觉盲区。如仪觉得牙齿打战,脊背上有冷汗在缓缓往下滚落。她在地球时也查过爷爷的健康档案,当时没有发现这一点,那么,要么是当时忽略了,要么是有人捣鬼,向网上输入了作假的资料。

是谁?答案再明显不过。她想起 RB 基恩亲切的笑容,实在不愿承认他是凶手。但具有讽刺意味的是,这个作案环境太封闭了,容不得对他进行任何辩护,在如此封闭的太空球内,绝不可能是外来者作案。如果忠仆基恩的确是一个阴险的凶手,那么他的伪装手段实在高明。

如仪又回过头检查了脑组织的图像,没有发现异常,仅在额叶部发现了一条极细的接痕,非常细,几乎难以觉察。关上电脑,她沉重地思索着,RB 基恩究竟要干什么,像某些科幻小说中写的,一个机器人阴险地解剖和观察人类? 当然不会。在研制 B 型人的这五十年间,作为模本的人类大脑已经被彻底研究过了,所有资料都可以在任何一台电脑终端中轻易地索取到,用不着去干"揭开头盖骨"的傻事。就拿基恩来说,他的身体就是对人类的逼真仿制。这种仿制是如此逼真,以至不得不制定那项关于指纹的严格立法。

也许这就是作案者的动机——一种反抗意识。类人在智力、体力上都不弱于人类,却生来注定做驯服的仆人,如果再摊上一个孤僻怪诞的老人做主人,这个 B 型人就更不幸了。如仪又想起基恩的病情,几天之后就会有一个新类人来接替他,而基恩则要走进气化室。也许他想在死前作最后一搏？如仪不敢在电脑里长期查寻下去。像揭开头盖骨这么大的动作,很难说主电脑尤利乌斯有没有参与其中。这很有可能是一桩险恶的合谋犯罪,如果他们知道秘密已经暴露,说不定会铤而走险的。

她步履沉重地来到爷爷的书房。爷爷正在写作,仰在高背座椅上,闭着眼,太阳穴上贴着两块脑电波接收板,大脑中的思维自动转换成屏幕上蹦蹦跳跳的文字。跳动的速度很快,如仪勉强看清了其中几句:

"……即使在蒙昧时代,人类也知道自身的不凡:他们是上帝创造的,是万物中吃了智慧果的唯一幸运者。从达·芬奇、伽利略到牛顿和爱因斯坦,人类更是沉迷于美妙的智慧之梦、科学之梦中,科学使人类迅速强大,使人类的自信心迅速膨胀。

"伟大的中国哲人庄周曾梦见化身为蝶,醒来不知此身是蝶是我。人类从科学之梦中醒来,才发现自己甚至不理解一个最基本的概念:什么是人？

"人类是地球生命的巅峰,秉天地日月之精华,经历亿万年的机缘、拼搏和生死交替,才在无生命的物质上升华出了智慧的灵光。但现在,恰恰是人类的智慧腐蚀着人类的自尊。这会儿,人类智慧的产物——一个叫RB基恩的B型人正垂手侍立于我的身旁,除了没有指纹外,上帝也无法分辨他和人类。但他却是一堆无生命的物质在生物工厂里合成出来的,他在三个小时的制造周期里获得了生命四十亿年进化的真蕴。他会永远垂手侍立于我的身后吗？

"上帝,请收回人类的智慧吧!……"

看到爷爷的独白,她才知道,原来爷爷在内心一直对B型人怀着深深的戒备和敌意,难怪他对基恩一直疾颜厉色。这使如仪的心情更加沉重。爷爷一直没有发现她,她俯下身,悄悄观察爷爷的脑后。没错,爷爷的头骨上有一圈隐约的痕迹,掩在头发中,不容易发现,但仔细观察还是能够看见的。如仪想起爷爷说八九年来头皮一直发麻发涨,止不住揪心地疼。这个可怜的老人,只知道在思维天地里遨游,对这桩险恶的阴谋竟然毫无所知。她不能对爷爷说明真相,忍着泪悄悄退出书房。

第二天早餐时,RB基恩关心地问:"小姐,你昨晚没睡好吗?你的眼睛有点浮肿。"

这句问话使如仪打了一个寒战,她昨晚确实一夜没睡,一直在考虑那个发现。她觉得难以理解基恩的企图,他想加害主人?但爷爷的身体包括大脑都很健康。她使自己镇静下来,微笑道:"是啊,一夜没睡好,一定是不适应太空球里的低重力环境。"

爷爷也看看她的眼睛,但没有说话,基恩摆好早餐,仍像过去那样垂手侍立。如仪笑着邀请他:"基恩叔叔,你也坐下吃饭吧。"爷爷不满地哼了一声,基恩恭敬地婉拒道:"谢谢,我随后再吃。"

在基恩面前,如仪仍扮演着毫无心机的天真女孩。她撒娇地磨着爷爷,"爷爷,随我回地球一趟吧,你已经十五年没有回过地球了,剑鸣说无论如何一定要把你拉回去。"

爷爷摇摇头,"不,我在这儿已经习惯了。再说我想抓紧时间把这部书写完。十年前,我就感到衰老已经来临了,还好,已经十年了,死神还没有想到我。"

"爷爷,我昨晚检查过你的健康资料,你的身体棒极了,至少能活到一百岁。爷爷,只回三天行不行?你总得参加我的婚礼呀。"

爷爷冷淡地说:"我老了,不想走动,你们到这儿来举行婚礼也是可以的。"

如仪苦笑着,对老人的执拗毫无办法,你总不能挑明了说这儿有人在谋害你!想了想,她决定把话题引到爷爷的头颅上,以便观察一下基恩的反应,"爷爷,你不要硬装出一副老迈之态。你的身体确实不错,尤其是大脑,比四十岁的人还要年轻!"

她在说话时不动声色地瞄着基恩,在基恩的眼神中,她捕捉到了一丝得意。爷爷不愿和她纠缠,便把话题扯开:"你在医学院里学的是脑外科,最近几年这个领域里有什么突破性的进展吗?"

"何止突破性进展,脑外科技术几乎已发展到顶峰了。在研制 B 型人时,对人类大脑的研究已经足够透彻。脑外科医生早就发明了'无厚度的'激光手术刀,能够轻易地对脑组织做无损移植;发明了能使被移植脑组织快速愈合的生长刺激剂,等等。从技术上说,对人类大脑进行修复改造的手段已经尽善尽美。任何一家县级医院的实习医生都能在计算机的帮助下做一个复杂的大脑手术——可惜,这是法律不允许的,所以,这个领域的发展实际已经停滞了。作为脑外科医生,我也常常感到郁闷,我们空有屠龙之技却找不到实际用处。"

爷爷不满地纠正道:"法律从没有限制大脑的修复,法律只是不允许在手术中使用人造神经元。就我来说,我宁可让大脑萎缩,也绝不同意在我的头颅里插一块廉价的人工产品。"

如仪不愿同爷爷起冲突。不仅爷爷,即使在医学院里,这样执拗的老人(他们都是各个专业中德高望重的宗师)也为数不少。在他们心目中,作为万物之灵的人类,作为物质最高形态的人类大脑,是最神圣的东西,是丝毫也不能被亵渎的。他们不一定信奉上帝,但他们对大脑的崇拜可以媲美于最虔诚的宗教信仰。现在,对大脑的修补完善已经是垂手可得的事情,可是由于生物伦理学的限制,没有人敢于实施。这情形非常类似于在 20 世纪末期,社会对待堕胎和安乐死的态度。如仪不是保守派,不过她知道凡事都得循序渐进,堕胎和安乐死也是经过两百多年的潜移默化,才在全世界取得合法地位的。

如仪悄悄转移了话题:"爷爷,大脑确实是最神妙的东西,是一种极其安全有效的复杂网络。我经手过一个典型病例,一个女孩在 1 岁时摘除了发生病变的左脑,20 年后来我这儿作检查时,发现她的右脑已经大大膨胀,占据了左脑的大部分空腔,也接替了左脑的大部分功能。大脑就像全息照相的底片,即使有部分损坏,剩余部分也仍能显示相片的全貌,只是清晰度差一些。"

但爷爷仍不离开刚才的思路。他冷冷地说:"我知道医学界的激进者经常在论证大脑代用品的优越性。他们现在大可不必费心。如果他们愿意把自己降低到同机器一样的身份,等我们这一代死光再说吧,我们眼不见为净!"

如仪只好沉默了。她看看基恩,基恩一直面无表情,他收拾了碗盘,然后默默退下。但如仪觉得自己已经了解他的作案动机了,换了她,也不能容忍别人每时每刻都在锯割你的自尊!她忽然听到几声脆响,原来是步履蹒跚的基恩打碎了一摞瓷碗。盛怒的爷爷立即抓起电话机,"是类人交易中心吗?⋯⋯"

如仪立即按断电话,轻轻向爷爷摇了摇头。吉野臣也悟到自己过于冲动,便勉强抑住怒气,回到书房。如仪来到厨房,心绪复杂地看着基恩。她在昨晚已经肯定基恩正对爷爷施行着什么阴谋,她当然不会任他妄为;但她在心底又对这名作案者抱有同情,她觉得那是一名受压迫者正当的愤怒表现。

基恩默默地把碗碟放到消毒柜中,如仪拍拍他的肩膀,安慰他道:"基恩叔叔,不要为我爷爷生气。他老了,脾气太古怪。如果⋯⋯你到我那儿去度晚年,好吗?"

基恩平静地说:"不,B型人不允许'无效的生命'存在。不过我仍要谢谢你。你不必难过,你爷爷其实是个很好的人,是一个思想的巨人。他能预见到平常人看不到的将来,因此也具有常人没有的忧烦。不要紧,这些年来我早已习惯了。"

资料之七:

1999 年 3 月,中国科学家朱圣庚进行了一项饶有趣味的研究:在细胞水平上模拟生物界的进化。他使用的是一种模拟水蛭素,这是一种小的蛋白质结构,分子量为 65 个氨基酸,在自然界有许多变异体。水蛭素原本有抗血栓功能,朱圣庚设计了一种实验室条件,使水蛭素能自由地产生变异,抗血栓性强的自动保留,抗血栓性弱的自动淘汰。他想以此验证,水蛭素药物在定向的进化中,最终能否产生抗血栓性强的变异体。

——摘自《在细胞水平上模拟生物界的进化》(《科学世界》1999 年第三期)

6. 真 相

B系统的工作就像是夏天的暴雨，来时铺天盖地，去时万里无云。这两天就属于淡季，没有什么案件。趁着闲暇，剑鸣又查阅了老鲁那边的情况通报。他们的进展很不顺利，曾经寄予很大希望的放蜂人找到了，但没有发现任何疑点。那么，司马林达电脑屏幕上的留言到底是怎么回事呢？剑鸣努力思索也找不到眉目。也许是因为他没有亲临现场——破案时，有些比较微妙的感觉必须在第一线才能体会到。

他离开电脑，伸伸懒腰，拨通了太空球的电话。昨天他曾取笑如仪的多疑，不过，经历了上次的太空球血案，又接到齐洪德刚的复仇警告，剑鸣心中一直不踏实。他倒不为自己担心，只是担心噩运会降临到如仪头上。在电话中他问："如仪你好吗？爷爷和基恩都还好吗？我的工作已完成了，要我去太空球陪你吗？勇敢的骑士时刻听从公主的召唤。"

如仪在回话前犹豫了片刻。她很想让剑鸣来，让自己依靠在一个男人的肩头，但她觉得事情尚未明朗，不想让剑鸣操心，便笑着说："你等等吧，谁知道爷爷会不会欢迎你？我还得在爷爷那儿为你求情。"

"这么好的孙女婿，他怎么可能不欢迎呢？喂，我要为爷爷带一点小礼物，你说吧，是鲜花，还是波斯猫？"

"鲜花,当然是鲜花。"

这个安全信号让剑鸣放了心,道别后挂上电话。

队里的伙计们正在扎堆聊天,这会儿大纪是主角,"……女主人死后,这个类人男仆向法院提交了一份申请,坚决要求对他进行提前销毁。"

明明问:"怎么? 两人有私情?"

大纪撇撇嘴,"以小人之心度君子之腹呀。那个类人早就料到有你们这种人,在遗言中事先就写明了。他说,希望我这份申请不会引起对我女主人的亵渎。我只是一个卑微的类人,女主人是我心中的神祇,是我心中的太阳。她去世后,我的生活里就没有了阳光。我要随她而去,如果这份申请得不到批准,我只好自我销毁了……法院后来批准了他的申请。"

明明奇怪地问:"这件事我怎么没有听说? 是发生在你的辖区? 什么时候?"

"就在昨天发生的,至于辖区……这是印度的报道,我刚才在网上查到的。"

明明呸了一声,"你说得这么真切,我还以为是南阳的事呢。"

大纪看看圈外的队长,坏笑道:"明明,如仪这两天不在家,你不抓紧时间关心关心队长?"

明明骄傲地说:"还用得着你提醒! 昨晚我俩才约会过,不信你问队长。"

"队长,真的?"

剑鸣对明明的态度感到欣慰,看来她确实已走出了心理上的阴影。他笑着说:"千真万确——去去去,都去干点正经事儿,再扎堆聊天我可不客气了。"

队员们笑着散开,趴到各自的电脑前。剑鸣也回到电脑前,开始了对齐洪德刚的反侦察。这些天,齐洪德刚到处搜集他的资料,不过他也没有闲着。他利用警方的仪器在自己的信息库上设了埋伏,闯入者二度闯入时马上就会被锁定。他不动声色地追踪到德刚的信息库里,浏览着那位老兄辛辛苦苦搜集到的有关自己的资料。有些资料他甚至是头一次读到呢，比如说，他知道父亲退休前曾是"二号"工厂的老总，但他没想到父亲当时曾是那么叱咤风云。而退休后的30年他甘于平淡，闭门不出，两者的反差太强烈了。他看到了记者董红淑所拍的爸爸照片，很奇怪爸爸还有过大腹便便的时候。在他的印象中，爸爸一直保持着健美的体形，从未挺着大肚子。

不过，这三天齐洪德刚的电脑一直关闭着，他又在忙什么呢？

剑鸣没料到，齐洪德刚此时已来到父亲的山中住宅。

何不疑的山中住宅是典型的农家院落，房后是两棵大柿树，葳蕤茂密，青柿子已挂满枝头。房前是几畦菜地，白菜和菠菜长得绿油油的。房侧是个水潭，几十只鸭子在水中嬉戏，它们排队游着，在身后留下三角形的波纹。后院还有一个畜栏和一个鸡圈，有两头猪、两只羊和十几只母鸡。何家的住宅是青瓦房，院墙上爬满了刺玫和爬墙虎。家中除了电视、电话和一台电脑外没有其他高科技玩意儿。这位在科技象牙塔中奋斗了30年的顶尖科学家完全返璞归真，退休后只是看看书，侍弄侍弄菜园。连他的外貌也已老农化了：满头银发，身板硬朗，体态匀称，步伐矫健。他娇小的爱妻也变成了一个满头银发的农妇。

吃过早饭，女主人去鸡圈里喂鸡时，听见汽车开来的声音，少顷，有人敲院门。宇白冰一边往圈里倒饲料一边喊："门没关，请进！"有人推开虚掩的院门，是一名高个子青年，背着背包，面相敦厚和善。宇白冰在围裙上擦擦手迎过去。青年问："这是何不疑先生的家吗？我是南阳理工大学校刊的记者白凌，特意慕名前来拜访的。"屋内的何不疑听到外边的说话声，背着手踱出来，在朝阳的光芒下眯着眼打量来人。听见妻子说："请进，请进，欢迎远方来的客人。"

化名白凌的齐洪德刚跟着主人走进客厅，在沙发上坐下。一只白猫慵懒地抬起头看客人一眼，又蜷曲身体躺下去。女主人为客人沏了一杯绿茶,茶具是古朴敦厚的景德镇瓷器。德刚道过谢,捧着茶杯,饶有兴致地打量着屋内的陈设。他绝对想不到,"二号"工厂的老总,当年叱咤风云的何不疑,会生活在这样一个远离现代的环境里。何先生穿着中式衣服,脚穿布鞋,留着短发,像一个标准的老农。当然,他的风度中也含着从容和威势,这种骨子里的东西是改变不了的。

德刚笑着问:"何伯伯,何伯母,儿子常回来吗? 我认得剑鸣,一个精明能干的好警官,是 B 系统的,可能最近要结婚吧。"

剑鸣妈说:"对,他已经通知我们了。他工作太忙,有几年没回来了。"

"何伯伯,我是慕名前来拜访的。我知道 30 年前你是'二号'工厂的灵魂,'二号'工厂可以说是你一手创建的,你怎么会舍弃一切,在山中隐居?"

何不疑淡然一笑,含糊地说:"人的思想是会变的,正像美国原子弹之父奥本海默晚年却坚决反对使用原子弹——不不,我并不是暗指类人的生产是像原子弹那样的罪恶,但生产人造人——这件事的影响太大、太重要、太复杂,超出了人类的控制能力。50 岁那年,我才知道了天命所在,所以就退下来了。"

"何伯伯,有人说 B 型人应与自然人拥有同样的权利,他们也有权恋爱、结婚、生育,不知你对此如何看待?"

"B 型人同自然人在生理结构上没有任何区别,不过原作与赝品毕竟不一样吧。如果不承认这个区别,卢浮宫和大都会博物馆都没有存在的必要了,因为用现代科技手段,任何凡·高、伦勃朗的名作都可以轻易复制出来,而且是完全不失真的复制。"

"那么,你赞成时下那些严厉的法律?"

何不疑把妻子揽在身边,温和地说:"年轻人,不要逼我回答这个问题。我躲到山里,正是为了逃避它。这个问题,留给咱们的后代去回答吧。"

"可是,是你和你的同事亲手把魔盒打开的呀。"

"对,是我们亲手打开的,不过,这个魔盒'本来'就会打开的,科学家的作用只是让这个时间早两年或晚两年来到而已。"

"那么,你觉得自己在历史上起的作用是该自豪,还是该忏悔呢?"

何不疑皱着眉头看看妻子。显然,这不是一个心怀善意的崇拜者,也许他心里受过什么伤,他的愤懑之情几乎掩饰不住。不过,何不疑不愿和年轻人作口舌之争,仍温和地说:"30年前,我从'二号'工厂老总的位置退下来,就是为了思考这件事。我想,在我去见上帝前,应该会有答案吧。"

齐洪德刚也察觉到了自己的冲动。他告诫自己,你是来探察情报,并不是来和主人辩论的。"对不起,我的问题太坦率了吧。你知道,在年轻人中,关于这些问题争论得很激烈,我今天千里迢迢到这儿,就是想请一位哲人给出答案。"

"我可以给出一个哲人式的回答,那就是,永远不要自封为哲人,永远不要认为你已经全部了解和掌握了自然。"

德刚莞尔一笑,"一个悖论,是吗?"他打算结束采访了,"何伯伯,给剑鸣和如仪捎什么东西吗?我和他常常见面的。"

"不用,谢谢。"

"噢,对了,"他似乎突然想起,"顺便问一下,剑鸣小时候没有受过外伤或得过什么病吧?"

何夫人迟疑地说:"你……"

"是这样,你知道剑鸣已与如仪同居两年,不过他们的性生活……剑鸣只是含糊地向我说过,他不大好向你们启齿。"

齐洪德刚注意地看着两人,见他们的面色刷地变了。他想这里面一定有蹊跷,何不疑在电子邮件中那些奇怪的问话果然有原因。但何不疑口气坚决地回答:"没有,没有受过伤或得过什么大病,他的身体非常健康。"

"那我就放心了。"

何夫人想扭转话题:"小伙子,时间不早了,中午请在舍下用饭,尝尝山野农家的饭菜。"

齐洪德刚起身告辞："谢谢何妈妈,我是赶班车来的,还要赶回去的班车。走前请允许我为你们留个影,好吗?"

何不疑坚决地拒绝了："对不起,隐居30年来,我们一直躲避着媒体,我们不想把自己摆出去展览。"

德刚恳求道："我不会把你们的照片登到任何媒体上,我以人格担保。何伯伯,答应我的请求吧。"

何不疑不好让他太难堪,勉强答应了。德刚为二老拍了照,乘着租来的汽车,匆匆离开。何不疑夫妇没有多加挽留,因为来客的那句话打乱了他们的心境。

送走了客人,妻子沉默良久,喃喃地问："鸣儿真的……"

何不疑断然说："不会的! 他的身体同正常人没任何区别! "

"也许我们该去见见儿子,或者如仪。"

"行啊,或者让他俩抽空回来一趟。"

妻子去准备午饭,何不疑躺在摇椅上动着心思。慢慢地,他对今天的来访者产生了怀疑。这个年轻人心中似乎有无法压抑的愤懑,言谈举止中多有流露。也许他并不是儿子的朋友? 他想给儿子打电话问一下,但这个电话比较难以措辞。他是否还要再问问儿子的性生活? 他已在电子邮件中问过,儿子也给过肯定的回答,但也许有些话儿子不愿告诉父亲。

尽管难以措辞,他还是要问,这是他对儿子存留的唯一担心。不过,这个电话只能等到晚上再打。正在这时电话铃响了,屏幕上是一个陌生的女士。

"你好,何总。还记得我吗? 我是董红淑。"

"董……红……淑。"何不疑在脑中搜索着这个熟悉的名字,"我想起来了,你是30年前采访过'二号'工厂的那位女记者?"

"对,在你退休的那一天。"

"是的是的,真高兴能接到你的电话,年纪大了,记性不行了。"他不由得陷入了对往事的回忆:30年前,他在"二号"工厂里扮演着上帝的角色,流水线上频频产出的 B 型人婴儿,临退休那场惊心动魄的实战演习。"小董,我看过你随后的那篇报道。文中对我既有溢美之词,也有含蓄的指责,对吧? 斯契潘诺夫那头老熊呢? 他曾和我通过几次话,近十几年没联系了。你们有联系吗?"

"联系不多,听说他定居在旧金山。你的电话我是好不容易才查到的,这些年你真的彻底隐居了? 当年你宣布时我还不相信呢。"

何不疑笑着说:"我用后半生的寂寞来回味前半生。"

两人闲聊了一会儿,何不疑想,小董不会为了闲聊特意打来电话吧,果然,董红淑转到了正题:"你儿子——我记得他的生日恰好是你的退休日——是否是一名警察?"

"对,在警局 B 系统。"

"何总,有件事我想通知你。你儿子——作为一名尽职尽责的警察——曾直接导致一个 B 型人姑娘被销毁,她的男友则发誓要复仇,不久前到我这儿调查过令郎的情况。这件事本身的是非我不想评判,我只是不希望冤冤相报,仇恨越结越深。请向令郎警告一声。"

"谢谢。那位 B 型人姑娘的男友是否是高个子、长脸盘、面相敦厚和善? 对,我见过,他刚刚来过这儿。当然,他报的是化名。"

董红淑叹息一声,"已经来过了? 他时间抓得可真紧呀。那是一个真情汉子,请注意不要伤害他。不过必须制止他的复仇行为,否则会伤害令郎,也伤害他自己。"

"当然,我不会伤害他。再次谢谢你的关心。小董,我已经退休 30 年,有时还难以忘怀当年的生活:处于科技权力的顶峰,才华横溢的同事,每一项决定都会扩写或改写历史……不过,我现在已彻底抛弃了这一切,变成了一个地道的老菜农。欢迎你来作客,品尝我亲手种的蔬菜。"

"有机会我一定去,再见。"

"再见。我也要赶紧把那位复仇者的事情处理一下。"

齐洪德刚没有返回南阳。"二号"工厂离这里只有 80 公里,那是雅君的出生地,他要去看一看,替雅君看看。6 点左右,他到了"二号"工厂,正赶上工厂下班,身穿白色工作服的职工络绎不绝地向门口走过来,沐浴更衣后走出大门。夕阳如血,映照着"二号"工厂那庞大的圆壳屋顶——这个孵化 B 型人的巨大子宫。微风吹来,白色的软屋顶在轻轻摇曳。下班的人群走尽了,夕阳也慢慢沉下,齐洪德刚还在门口默默凭吊。读了董红淑的文章,他对"二号"内的情况已如目睹。他想象着,无生命的碳、氢、氧、硫、铁等原子进入生产线,经过激光钳的排列,变成一种精巧的组织。于是,上帝的生命力就自动进入"组织"之中。它会自动分裂、增殖,变成一团有生命力的血肉之躯,变成了可爱的雅君。他的耳鼓里还回响着雅君的炽热情话,手指末端还保留着雅君肉体的温暖,但雅君已被气化,恢复成无知无觉的原子。

为了雅君,他一定要复仇!

"二号"工厂的警卫依然如 30 年前那样森严,齐洪德刚在门前逗留时,警卫室里的警卫一直盯着他,可能那人又向上边作了通报,少顷,两名穿着笔挺的警卫从大门里出来,走近德刚,"先生,有什么需要帮忙的吗?"

德刚笑着说:"我是慕名前来的游客,我想参观'二号',亲眼看看类人是如何从生产线上诞生的。请问如何才能办理进'二号'的参观证?"

警卫很有礼貌地说:"必须到中央政府去办。这种证件的办理是非常严格的。"

德刚遗憾地说:"太可惜了,没有一点通融余地?"

"很遗憾,没有。"

"是吗,那我只能在外边看看了。"他向"二号"投去最后一瞥,上车离开。

晚上,他就住在附近的一家小旅馆。虽然这儿有世界闻名的"二号"工厂,但由于严格的保密措施,这里没有得到发展,仍是一个很小的集镇。集镇之夜很安静,只有一两盏霓虹灯静静地闪亮着。这儿的天空没有被灯光污染,月亮在浮云中穿行,把银辉洒向沉睡的山峦。星星意味深长地眨着眼睛。夏天的风穿过杂木林,一条山溪在不远处沙沙地低语着。旅店虽然小,但很整洁,老板娘是一位腿有残疾的大妈,她为德刚整理好床铺,听说他还没有吃饭,忙给他下了一碗鸡蛋挂面,一跛一跛地送到二楼,笑眯眯地看着他吃完。德刚向大妈道了谢,在卫生间的太阳能淋浴器下冲了澡,躺在床上。这两天走访了董妈妈、何不疑,对宇何剑鸣的情况有了直观感受。他要全面捋一下,捋出对他有用的内容。他从电子记事本中调出董红淑的文章又看了一遍。这篇报道很真切,很客观,不过从第一次看到这篇文章时,他就有一种奇怪的感觉,似乎里面隐藏着某种东西。现在,这种感觉更强烈了。

也许是某些事过于巧合:何不疑的退休日,安全大检查,一个有指纹婴儿的销毁,宇何剑鸣的生日。

当齐洪德刚躺在简陋的小木床上,努力理清自己的思路时,他不知道,实际上他是在重复着30年前斯契潘诺夫的推理。采访何不疑时,他曾谎称剑鸣的性生活不和谐,那并不是为了猎取一些污秽的秘密去要挟剑鸣,而是因为在下意识中他已对剑鸣的出身有了模糊的怀疑。

从何不疑家里出来,他的脑子中又增添了一个新疑点——是什么疑点?他不清楚。不过肯定他看见了什么东西,在潜意识中记下了它的可疑。究竟是什么呢?

屋里没有开灯,月光伴着山野的凉风从窗户里钻进来。小茶几上的电子记事本哔哔地响着,发出了低电量警告。他走过去想关机。这时,他又瞥见了那篇文章上所附的何不疑的照片,30年前的照片。他突然受到了触动。

照片上,50岁的何不疑肩膀宽阔,肌肉健壮,只是肚子过早地发福了。这个发福的肚子与他健美的身体似乎不大协调。当然这算不上疑点。不过,30年后的何不疑又恢复了健美的身材,腹部扁平,体形匀称。这就多少有些反常了,莫非他的减肥锻炼如此有效?

这些疑问搅成一团乱麻,堵塞在他的大脑中。他看出了这里边存在某种秘密,却不知到哪儿寻找它。在这个黑暗的思维迷宫里,哪儿才是出路? 忽然,一道亮光射进黑暗,有了这道亮光,一切的一切都变得十分清晰。

这些天,他已尽可能收集宇何剑鸣的材料,包括他的指纹。当然,那是自然指纹,他没打算从剑鸣的指纹中找到什么缺口,不过他清楚地记得,剑鸣是十个斗状指纹,这种指纹是比较罕见的。而董阿姨的文章中明明白白地记载着,那个有自然指纹的被销毁的婴儿就是个"十斗儿"!

而且,一个婴儿的死期恰恰是另一个婴儿的生日。

答案已经浮出水面。是何不疑,这个胆大包天的家伙从"二号"工厂偷出一个有自然指纹的婴儿,当成自己的亲生儿子。至于他是如何从"二号"工厂里把类人婴儿夹带出来的,有了何不疑50岁的照片,又见过80岁的本人,这个答案也很清楚了。

他在心中理清了何不疑作案的步骤:

其实何不疑并没有什么大肚子,但他在作案前几年就特制了一个足以乱真的"肚套"套在腹部,并逐渐使"二号"的人司空见惯;

他借口安全检查,制造了一个具有自然指纹的B型人婴儿;

他用特别的药物使婴儿假死,并用早已备好的死婴掉包,把死婴拿去销毁;

他在卫生间里取出假肚子里的填充物,装上假死的婴儿,又堂而皇之地挺着假肚子把婴儿带出了"二号"。

这个方法很巧妙,妙就妙在他利用了人们的思维定式:大腹便便的何不疑肚子里是不会有胎儿的。

德刚无意中重复了斯契潘诺夫的推理过程,而且比斯契潘诺夫更容易地得出了结论,这是因为他掌握着斯氏不知道的两个重要证据:宇何剑鸣恰恰也是十斗指纹,何不疑的大肚子后来变平了。这是两个过于明显的疑点。

德刚不由得冷笑。他没想到这么容易就抓到了剑鸣的把柄,这真是天理循环报应不爽啊,一名尽责尽力的自然人警察害死了一个 B 型人姑娘,原来他本人也是 B 型人!

现在可以为雅君复仇了,天理昭昭啊,复仇简直太容易了。德刚没有片刻犹豫,便把电子记事本连上网线,在网络中查到南阳市警察局的网站,向那里发送了两个文件。一个是董红淑的文章,连同那张大腹便便的何不疑的照片;另一个是何不疑现在的照片,是今天上午他用数码相机拍下的。然后他加了一句评论:

"B 型人婴儿销毁了,宇何剑鸣出生了,何不疑的肚子变小了。另外,宇何警官的指纹也是十斗。这里面有什么秘密,请你们自己去推断吧。

一个复仇者"

在电子记事本的电量用完之前,信息已全部发走。一直以来横亘在心中的仇恨终于得到释放,德刚感到从未有过的轻松。雅君在九泉之下可以瞑目了——可是哪儿来的九泉之下? 雅君的身体已经变成普普通通的原子,返回到大自然中,或者已回到 "二号" 生产线的入口。她永远消失了,不存在了。生活在 22 世纪,恋人们无法再用来生来欺骗自己,麻醉自己,他们只能清醒地体味着心中的伤痛。德刚在床上辗转反侧,很久才蒙眬入睡,在梦中品尝着复仇的快意。

资料之八：

在 20 世纪末，转基因工程取得了飞速的发展。科学家已经能很方便地将某种基因植入其他动物、植物或细菌体内，达到工业化生产的目的。比如医学中宝贵的凝血因子Ⅷ，全美国一年需要 120 克，需从 600 万人所献的 120 万升血浆中提取。但若把凝血因子Ⅷ的基因植入乳牛乳腺基因当中，只需 1 到 2 头转基因牛的牛奶就能提取出上述数量的凝血因子。

产生转基因大致有三种办法：显微注射、胚胎逆转录病毒感染和胚胎干细胞介导。

显微注射，就是在精卵细胞即将结合成受精卵前非常短暂的一瞬，将目标基因用微注射器注入精子细胞核内。此法的成功率是 3‰。

逆转录病毒法是用某种逆转录病毒去感染早期胚胎。所谓逆转录，是指以核糖核酸（RNA）为模本构建出脱氧核糖核酸（DNA）。早在 1976 年，科学家就以鼠的白血病毒感染早期小鼠胚胎，使其整合了外源基因并同样能遗传。

胚胎干细胞是功能尚未特化的细胞，它可以发育成动物任何一个器官，它能在体外培养，代代增殖。科学家用逆转录病毒感染干细胞，使干细胞整合了外源基因，再植入动物的囊胚腔，便可以参与各种组织的形成。用这种方法制造转基因小鼠几乎有 100% 的成功率。

——摘自《转基因生物》（《科技日报》1999 年 12 月 1 日）

7. 生死之间

快到晚上 10 点了。每天晚上 10 点到凌晨 1 点是爷爷的睡眠时间。毫无疑问, RB 基恩如果要对爷爷做手脚的话, 只能在这个时间。如仪决定今晚通宵守在强力睡眠机旁。

爷爷和基恩进来了, 爷爷的心情已经好转, 笑着问孙女:"夜猫子, 怎么不去休息?"

"爷爷, 我想看你使用强力睡眠机的情况。在地球上, 这种机器已经没人使用了, 连那些曾经热衷于此道的人也放弃了。现在的时尚是'按上帝定下的节奏'走完一生。"

爷爷黯然道:"他们是对的。但我是在与死神赛跑, 我只能这样。"

他在睡眠机的平台上躺好。基恩熟练地安装好各种传感器和催眠脉冲发送器, 然后启动机器。爷爷闭上眼睛, 机器均匀地嗡嗡着, 两分钟后, 老人就进入了深度睡眠。他的面容十分安详, 嘴角挂着笑意。如仪不禁想到, 这个毫无警觉的老人就是在这样的安详中被残忍地揭开头骨、注入什么毒素或者遭遇了别的什么勾当, 她不由得对身边这位"亲切"的基恩滋生出极度的仇恨。

基恩已经把该做的程序都做完了, 他笑着劝如仪:"小姐, 我会在这儿守护到他醒来,请你回去休息吧。"

"不,我想观察一个全过程,今晚要一直守在这儿。"

"好吧。"基恩没有勉强,在如仪对面坐下,眯起双眼。如仪警惕地守护着,但她很快觉得脑袋发麻,两眼干涩。她艰难地抵抗着睡意,不让自己睡着,但眼皮越来越沉重。她在朦胧中意识到是基恩在捣鬼,他把本来指向爷爷的催眠脉冲指向了自己。但已经来不及了,无声无息的催眠脉冲很快把她送入黑甜乡。

如仪从睡梦中醒来,立刻接续到睡前那一刻的意识:基恩对她做了手脚!警觉立即把她的睡意赶走了。她睁开眼,见时钟指向凌晨 1 点,RB 基恩正对老人输入唤醒程序。他看看正在揉眼睛的如仪,笑着问:"小姐,睡醒了?我看你太困,没有唤醒你。"

他的笑容仍然十分真诚,但此时此刻,这种"真诚"让如仪脊背发凉。她看见自己身上搭着一张毛毯,便勉强笑道:"是的,昨晚我太累了,谢谢你为我盖上毛毯。"

她想,基恩也许知道她发现了异常,但他并没打算中止行动。如仪开始后悔没有让剑鸣同行,至少昨天该把危险信号发回去。现在,谁知道基恩是否切断了同外界的联系渠道?爷爷的身体开始动弹,他睁开双眼,目光立即变得十分清醒,显得精神奕奕。他从平台上坐起来,笑道:"如仪你真的守了 3 个小时?快去休息吧,我要去工作了。"

如仪顺势告辞:"好的,我真的困了,爷爷晚安,不,该说早安了。"

她走近房门时,爷爷唤住她:"噢,还有一件事。你准备一下,今天我同你一块儿回地球。"

如仪瞪大了眼睛,"真的?"爷爷笑着点点头。这本来是件高兴事,但如仪却笑不出来。执拗的爷爷这次很难得地答应了孙女的要求,问题是基恩会不会顺顺当当放他们走。她回到自己的房间,在忐忑不安中睡着了。

早饭时,爷爷仍然神采奕奕,一点不像通宵工作过的样子。他边吃边吩咐基恩:"帮我准备一下,饭后我们就走,明天返回。"

如仪悄悄观察着基恩,在他沉静的表情中看不出什么蛛丝马迹。她笑着问爷爷:"爷爷,你怎么突然改变了主意?"

"没什么,我只是突然想见见那个骗走我孙女的家伙。"

如仪红着脸说:"爷爷不许乱说!"虽然表面上言笑晏晏,但她心里一直坠着沉重的铅块,她想基恩恐怕不会让主人带着头上的伤痕回地球的。这两天,尽管对"基恩在进行某种阴谋"这一点已确认无疑,但如仪实际上一直百思不解。基恩到底要干什么?如果是想报复乖戾的主人,他似乎不必如此大费周折吧。而且,主电脑尤利乌斯——它只是一台冷静客观的机器——怎么会同基恩勾结在一起呢?这里边谁是主犯谁是胁从?是否还包含着更深层次的原因?

这些问题她都不能回答。推理的链条中有一环巨大的缺失。

这会儿基恩平静如常,收拾好餐具,把主人的随身物品放进一只小皮箱内,"吉先生,现在就出发吗?"

"嗯,早点走吧,联系过太空站了吗?"

"联系过了。"

基恩服侍老人穿好太空服,又仔细地检查了太空帽及衣服的密封性,然后把镀金面罩翻下来。他的手脚显得迟钝,但干得很尽心。如仪冷眼旁观着,心中不由得对这位"忠心的仆人"生出惧意。

三人通过减压舱走出太空球。外舱门一打开,如仪立即惊叫一声,系缆在舱门外的双人太空船已经无影无踪了!愤懑立刻在心中膨胀,她记得很清楚,前天在泊船时,她非常仔细地扣好了锚桩上的金属搭扣。何况太空并不是海湾,这里没有能冲走船只的海流。毫无疑问是基恩捣了鬼。问题还不止于此,问题在于,基恩不会不清楚自己的这个把戏很容易被人识破,但他并不在乎这一点!

如仪愤怒地盯着基恩,语调冰冷地问:"基恩叔叔,你知道这是怎么一回事吗?"

基恩真诚地连连道歉："都怪我,是我的失职,我昨晚该帮小姐检查的。请先回去,我马上为你们联系一艘新船。"他对着通话器说,"尤利乌斯,请打开气密门,我们要返回。"

气密门慢慢打开了,基恩扶着老人进去。在增压的过程中,如仪沉着脸一声不吭。基恩满面歉意,爷爷看看他们两人,没有说话。回到太空球内,当基恩忙着同地球联系太空船时,吉野臣盯着如仪的眼睛问:"如仪,出了什么事?"

如仪在心中叹息着"可怜的老人",他虽然是一名博古通今的学者,但在日常生活中却十分低能——他连自己的头骨被人掀开都毫无所知,你还能指望他什么呢?她不想把实情告诉爷爷,谁知道呢,也许基恩(或尤利乌斯?)早已在这小小的太空球内布满了窃听器。她勉强笑道:"没什么,我是生自己的气,前天泊船时太马虎了。爷爷,你的行程只好推迟两天了。太空港还得等候合适的发射窗口呢。"

剑鸣闲了两天,又忙开了。警察局的 B 系统在初建时曾被认为是多余的配置,因为从生物工厂里生产出来的 B 型人个个是忠诚的典范。不过现在风向有点变了,这些忠仆开始出现小小的麻烦。今天剑鸣处理了一桩类人仆人擅自出走案,快中午时,他才腾出时间给太空球拨了电话,听见如仪急迫地说:"我的上帝! 可盼到你的电话了!"

剑鸣吃了一惊,昨天她不是还发来了平安信号吗,今天却突然变成了"极端危险"! 表面上他仍不动声色地开着玩笑:"你才是我的上帝呢,我已经请好假,准备去太空球陪伴你。"

"你今天就来吧。你知道吗,我的太空船飘走了,我正发愁怎样回去哩。剑鸣,你要坐四人太空艇来,爷爷也要回地球看看,还有基恩。"

剑鸣听出了她的弦外之音,太空船当然不会无缘无故飘走的。屏幕上,爷爷仍在伏案写作,RB 基恩在居室里忙着什么;如仪表面上还算镇静,但眸子深处藏着焦灼。他凝视着如仪的眼睛说:"好的,我马上订船票。

你不要着急,耐心等着我,听见了吗?"

如仪也凝视着他,用力点头。剑鸣挂断电话后紧张地琢磨了一会儿,立即拨了高局长的电话,对着话筒说:"宇何剑鸣有急事求见。"那边很久没有摁下同意通话的按钮,剑鸣着急了,他想直接上楼去敲局长的门。这时屏幕亮了,老局长微笑着问:"剑鸣,有什么事?"

剑鸣三言两语说明了情况:"局长,我不知道那儿是否真的出了什么事,但按我们走前的约定来看,我的未婚妻一定是发现了某种危险。我想立即去看一看。"

"也是因为类人仆人?"

"很可能。"

局长犹豫了一会儿,还是爽快地答应了,"好吧,我让秘书为你联系最近的航班,你是否需要带上几个人?"

"谢谢局长,我想我一个人能应付。"

"这样吧,你先一个人去,到达太空球立即给我来个电话。这边我同太空警署联系,如果抵达后两个小时内接不到你的电话,他们就派警用飞船去接应你。"

"谢谢局长,你考虑得真周到。"

局长笑道:"什么时候学会客气啦? 我当然要考虑周到,我可不想失去一个能干的部下。"

在局长办公室里,高郭东昌结束了通话,宇何剑鸣的面孔从电话屏幕上消失了,但另一块电脑屏幕上仍然有剑鸣的头像,还列着他的详细资料。一名矮胖的中年警官刚才中断了谈话,这会儿正在等候着。等局长回过头,他怀疑地问:"怎么这样巧? 会不会是他听到了风声想逃跑?"

局长摇摇头,"不会的,两天前他就给我打过招呼。你继续说吧。"

"刚才已经说过,这种错误是极为罕见的。咱们都知道,B 型人是用人造 DNA 制造的,但在制造初期就仔细剔除了有关指纹的基因密码,在制造的各个阶段更是层层设防,严格检查。所以,30 年来所制造的 3 亿 5 千万 B 型人中,从未发现带有指纹的例外。宇何剑鸣是迄今为止发现的唯一一例。"

局长沉思着,"提供情报的齐洪德刚是什么背景?"

"局长,你肯定还记得那桩类人伪造指纹案。指纹被伪造得天衣无缝,多亏宇何剑鸣把它戳穿了,女犯人已被销毁。齐洪德刚就是那个类人女性的未婚夫。"胖警官知道局长此时的思路,主动解释道,"齐洪德刚当然是挟嫌报复,这点不用怀疑。但不幸,他揭发的事情是真的,我们反复验证过,确实是真的。现已查明,宇何剑鸣的父亲是 RB 工厂的总工程师,他喜爱自己的产品到了丧失理智的地步,所以利用自己的专业知识和对工厂警戒系统的熟悉,精心策划,制造了一个有天然指纹的 B 型人婴儿,并骗过各级检查程序,把他秘密带回家中。又用妻子假分娩的办法,为他伪造了合法的身份。"

高局长沉默良久,在手中把玩着一支钢笔,胖警官耐心地等待着。很久局长才问:"宇何剑鸣本人不知道吗?"

"他不知道。从各种迹象判定,他的父母从未告诉过他。"

"他父亲呢?"

"在西峡山中隐居,我们正考虑对他实施监控。局长,我也不忍心。宇何剑鸣是一名好警察,工作能力是出类拔萃的。要不是他,那个女类人的假指纹就不会被揭穿——剑鸣本人的身份也就不会暴露。妈的,这都是什么事呀!"

局长轻轻叹息道:"是啊,一名好警察。"他在屋里踱着步,长久地思索着,胖警官的脑袋随着他转来转去。

很久之后,局长停下来,一边思考,一边缓缓说道:"人类和 B 型人之间,除了指纹,身体结构没有任何区别。换句话说,如果某人确有天然指纹,即使明知道他是 B 型人,我们也无法从法律上指认他。对于他,只能实施'无罪推定'的法律准则。虽然到目前为止还没有类似的案例,但从法律条文上说是没错的。我说得对吗?"

胖警官心领神会地说:"对,一点儿没错。"

局长的思路已经理清,说话也流畅了,他果断地一挥手,"这桩案子仍要按正常程序审理。谁都没有胆量、也没有权力对一个 B 型人徇私。但你得找一个高明的律师好好合计一下,既然宇何剑鸣是 3 亿 5 千万 B 型人中唯一的幸运者,而且,他本人主观上又没有隐瞒身份,那就让他从法网之孔中逃得一条性命吧。当然,即使活着,他也不能再在警察局里待下去了。"

"好,我这就去办。宇何警官那儿……"

"暂时保密。等他返回地球后我亲自告诉他。另外,同太空警署联系,对那个太空球实施 24 小时监控,一旦他遇到麻烦好去及时接应。从另一方面说,如果他本人……我们也可预作防备。"他心情沉重地说,"这是 30 年来在 B 系统发现的第一个类人,我们不得不多往坏处想想,目前正是多事之秋。"

胖警官很佩服局长的细致周到,"好,我马上去找律师,我估计保他一条命没问题。"

他站起来,局长又伸出一根手指止住他,"还要烦你做一件事。"

胖警官咧咧嘴,"咋? 局长跟我讲啥客气?"

"烦你做一件事。"局长重复着,"你去为宇何剑鸣送行,想办法在他身上装一个窃听器。"局长沉重地说。

胖警官为难地皱着眉头。并不是这事难办,而是……昨天还是推杯换盏的哥儿们,今天却要倾轧防范了! 这个弯转得太陡。他牙疼似的咧着嘴,"行,我去。谁让咱吃这碗饭呢,谁让他是类人呢。妈的,这是什么事儿!"

吉野臣很快又把世俗烦恼抛却于脑后,专心写作。他看出孙女和基恩有些小矛盾,不过他想,即使有些小麻烦,机灵的孙女也会处理的。吉平如仪尽力保持着表面的平静,她为爷爷煮咖啡,同他闲聊,到厨房帮基恩准备饭菜。基恩有条不紊地干着例行的家务琐事,他同如仪交谈时仍然十分坦诚亲切。这种伪装功夫让如仪十分畏惧。

自始至终,她一直把爷爷锁定在自己的视线范围里。她要保护好爷爷,直到未婚夫到来。她当然不相信阴险的基恩会中止阴谋——可惜她至今没猜到,他到底是在搞什么鬼把戏——但是,既然已经同剑鸣通了信息,既然剑鸣很快就要抵达,相信基恩也不敢公然撕破脸皮,对他们下毒手。

剑鸣每隔两个小时就打来一次电话,他告诉如仪,现在他正在地球的另一侧,8 个小时后才能赶上合适的发射窗口,大约在明晨 2 点可以赶到太空球。他在屏幕上深深地看着如仪那双隐含忧虑的大眼睛,叮咛道:

"好好休息,等我来。"

爷爷仍在旁若无人地写作。RB 基恩这会儿正在对太空球生命维持系统作例行检查,包括空气循环、食物再生和温度控制。如仪不禁想到,如果他想在生命维持系统上搞点鬼,那是再容易不过的事。人类从烦琐劳动中解脱出来,将自己交给机器奴隶和类人奴仆,在养尊处优的同时必然会丧失某些至关重要的权利和保障,如不得不把自己的生存依托在机器和类人的忠诚上。这种趋势是必然的,无可逃避的。

她很奇怪,基恩为什么这样平静? 他既然冒着被识破的危险把太空船放走,说明他的阴谋已经无法中止了,但他为什么不再采取进一步动作了? 太空球里弥漫着怪异的气氛:虚假的亲切、心照不宣的提防、掩饰得体的恐惧。这种气氛令人窒息,逼人发疯,只有每隔两小时与剑鸣的谈话能使她回到正常世界。下午两点,剑鸣打来见面前的最后一次电话,说他即将动身去太空港,"太空球上再见。我来之前,你要好好休息啊。"

她知道剑鸣实际说的是: 我来之前一定要保持镇定啊。现在,她一心一意地数着时间,盼着剑鸣早点到这儿。

变光玻璃慢慢地暗下来,遮住了强烈的日光,为球内营造出夜晚的暮色。10点钟,爷爷和基恩照旧走向睡眠机。在这之前,如仪已经考虑了很久,不知道今晚该不该仍旧让爷爷使用强力睡眠机。如果突然要求他们停止使用,她无法提出强有力的理由,也怕爷爷心生疑虑。最后她一咬牙,决定一切按原来的节奏,看基恩在最后4个小时能耍出什么把戏。她拿起一本李商隐的诗集跟着过去,微笑着说:"爷爷,基恩叔叔,我今晚没有一点儿睡意,我还在这儿陪你们吧。"

基恩轻松地调侃着:"你要通宵不睡,等着剑鸣先生吗? 分别三天,就如隔三秋啦? "

如仪紧咬牙关,把恨意隐藏起来,甜甜地笑着说:"他才不值得我等呢,我只是不想睡觉。"

基恩熟练地做完例行工作,爷爷立即进入深度睡眠。如仪摊开诗集,安静地守在一旁。实际上,她一直拿余光瞄着爷爷和基恩。几分钟后,昨晚那种情形又出现了,她感到头脑发麻,两眼干涩,眼皮重如千斤。她坚强地凝聚着自己的意志力,努力把眼皮抬上去,落下来再抬上去……她霍然惊醒,看见面前空无一人。基恩不在,爷爷连同他身下的平台也都不见了。如仪的额头立即冷汗涔涔,她掏出手枪,轻手轻脚地检查各个房间。

她很容易便找到他们了。不远处有一间密室,这两天她没有进去过,但此时门虚掩着,露出一线雪白的灯光。她小心翼翼地走过去,从门缝里窥视,立时像挨了重重一击,恐惧使她几乎呕吐:在那间小屋里,爷爷——还有基恩——全被揭开了颅骨,裸露着白森森的大脑!两人的眼睛都紧闭着。伴随着轻微的嗡嗡声,一双灵巧的机械手移到爷爷头上,指缝间闪过一道极细的红光,切下额叶部一小块脑组织,然后极轻柔地取下来。

作为医生,她知道自己正在目睹一次典型的脑组织无损移植手术,那道红光就是所谓的"无厚度激光"。现在手术刀正悬在爷爷头上,她不敢有所动作,眼睁睁地看着机械手把这块脑组织移过去,放在一旁;又在基恩大脑的同样部位切下相同的一小块;然后,机械手把爷爷那块脑组织嵌在基恩大脑的那个缺口上;接着,机械手又把基恩的那块脑组织移过来,轻轻地嵌在爷爷的大脑上；随后，机械手在两人的颅骨断面涂上生物胶，最后盖上，理好被弄乱的短发。这一切都做得极为熟练，得心应手。

到这时，如仪才知道这次手术的目的。原来，他们是在用爷爷的健康脑组织为基恩治病！如仪仇恨地盯着那双从容不迫的机械手，嘴唇都咬破了。她想，从手术情况看，毫无疑问，主电脑尤利乌斯也是阴谋的参与者，类人和电脑智能勾结起来，联手对付一个毫无戒心的老人。手术结束了，如仪想自己可以向凶手开枪了。就在这时，基恩睁开了眼睛，目光十分清醒，一点不像刚做了脑部手术的样子。基恩站起身，蹒跚地走近仍在睡梦中的吉野臣，端详着他的脑部，满意地说："好，这是最后一次了。谢谢你，尤利乌斯，这个历时10年的手术可以画一个圆满的句号了。"

屋里响起尤利乌斯悦耳的男低音："我也很高兴看到今天的成功。如仪小姐是否在门外？请进来吧。"

如仪一脚踹开房门，冲了进去。她的双眼喷着怒火，黑洞洞的枪口指着基恩的胸口。基恩没有丝毫惧意，相反，他的表情显得相当得意。他微笑着说："如仪小姐，你睡醒了？手术也正好结束了，现在，我可以向你讲述整个故事了。"

如仪再也忍不住了，她狂怒地喊道："我要杀死你这个畜生！"在喊声中，她扣动了扳机。

KW0002号太空球在炫目的阳光中慢慢旋转着，所有舷窗玻璃都已变暗，远远看去像一个个幽深的黑洞。宇何剑鸣乘X30三号太空摩托艇抵达这里，打开反喷制动，轻轻停靠在减压舱外，打开通话器呼叫：

"爷爷，如仪，我已经到达，请打开舱门。"

通话器里沉默了几秒钟，然后传来一个悦耳的男低音："是宇何剑鸣先生吗？我是主电脑尤利乌斯，太空球内刚刚发生了一些意外，吉先生和如仪小姐这会儿都不能同你通话。现在我代替主人做出决定。"

剑鸣的心猛地一沉，脱口问道："他们……还活着吗？"

"别担心,他们都很安全。请进。"外舱门缓缓打开,剑鸣泊好船,进入减压舱。外舱门缓缓关闭,气压逐渐升高。在等待内舱门打开时,剑鸣竖起了全身的尖刺。太空球内部情况不明,无法预料有什么危险在等着他;而在脱下太空服之前,他几乎是没有还手之力的。内舱门打开了,按太空球的作息时间现在正是凌晨,球内晨光微曦。剑鸣迅速脱掉太空服,打开灯开关,在雪亮的灯光下,面前没有一个人影。他掏出手枪,打开机头,开始寻找,一边轻声喊着:"如仪,爷爷,你们在哪儿?"

一间小屋里有动静,透过半开的房门,剑鸣看见如仪平端着那把小巧的手枪,指着面前的两人,一个是基恩,一个是……爷爷!吉先生目中喷火,但在手枪的威胁下被迫呆坐不动。基恩左胸贴着雪白的止血棉纱,斜倚在墙上,似乎陷入了昏迷状态。

剑鸣急忙喊着如仪,跨进屋子,如仪立即把枪口对准他的胸口,"不准动!你是什么人?"

剑鸣一愣,焦灼地说:"是我,宇何剑鸣,如仪你怎么了?"

"说出暗号!快,要不我就要开枪了!"

剑鸣迅速回答:"植物表示安全,动物代表危险,极端危险就说我的上帝!"

"我俩的第一次约会是在什么时间?快说!"

剑鸣苦笑着,"具体时间我一时想不起来,但我记得是在医院第一次碰见你的三个星期后,约会地点是公园凉亭里。"

如仪这才放心,哭着扑入剑鸣的怀抱。吉野臣站起来,怒冲冲地骂道:"这个疯子!"

如仪立即从未婚夫怀里抬起枪口,命令道:"不许动!爷爷你不许动!"

剑鸣纵然素来机警敏锐,但这时也被彻底搞糊涂了。他苦笑着问:"如仪,究竟是怎么一回事?谁是敌人?"

如仪的眼泪如开闸的洪水。她抽噎着说:"剑鸣,我不知道,我没办法弄明白。尤利乌斯和 RB 基恩勾结起来，为基恩和爷爷换了大脑，现在他——"她指指爷爷，"是爷爷的身体和思想，但却是基恩的大脑。他——"她指指基恩，"头颅里装的是爷爷的大脑，却是基恩的思想和身体。我真不知道该打死谁，又该保护谁。你进来时，我连你也不敢相信。剑鸣，你说该怎么办？"

吉野臣已经忍无可忍了，他厉声喝道："快把这个疯子的枪下掉！我是吉野臣，是这个太空球的主人！"

剑鸣皱着眉头，一时也不能做出决定。这时，尤利乌斯的声音响起来："你好，宇何剑鸣先生，让我告诉你事情的真相吧。"

如仪狂乱地说："剑鸣，千万不要相信他！他是帮凶，是他实施的手术！"

尤利乌斯笑道："不是帮凶，是助手。宇何先生，如仪小姐，还有我的主人，请耐心听我讲完，然后再做出你们的判断，好吗？"

吉野臣和剑鸣互相看看，同时答应："好吧。"

"那么，请允许我先替基恩处理好外伤，可以吗？"

10 分钟后，机械手为基恩取出子弹，包扎好，又打了一剂强心针。子弹射在心脏左下方，不是致命伤。在机械手做手术时，宇何剑鸣的枪口一直警惕地对着基恩和爷爷。如仪靠在爱人肩上，哽咽着告诉爱人，刚才当她满怀仇恨地对基恩开枪时，猛然想起基恩刚说过的话："这是最后一次。"也就是说，基恩和爷爷的大脑至此已全部互换完毕。如果以大脑作为人格最重要的载体，那么她正要开枪打死的才是她的爷爷，所以，最后一瞬间她把枪口压低了。

"那时我又想到，我全力保护的那个爷爷实际已被换成了敌人。可是，他虽然已经换成了基恩的大脑，但他的行为举止、他的思想记忆明明是爷爷的。我真不知道该怎么办！"她的泪水又刷刷地流了下来。剑鸣为她擦去泪水，皱着眉头思考着，同时严密监视着那两个不知是敌是友的人。

这时，屋内的一块屏幕自动打开了，一个虚拟的男人头像出现在屏幕上，向众人点头示意。

"我是尤利乌斯。你们已经准备好了吗？我要开始讲述了。10年前，我的主人吉野臣先生已经患了老年痴呆症，他的大脑开始发生器质性的病变，出现了萎缩和脑内空腔。这种病发展得很快，5年以内他就会失去工作能力。现代医学对此并非无能为力，可惜人类的法律和道德却不允许那么做。因为，"他在屏幕上盯着主人的眼睛，"正如吉先生所信奉的，衰老和死亡是人类最重要的属性，绝不能使其受到异化，更不能采用人造神经组织来修补自然人脑。我说得对吗，我的主人？"

吉野臣显然抱着"姑妄听之"的态度，这时他冷冷地点点头，"对，即使人造神经组织在结构上可以乱真，但它的价值同自然人脑永远不可相比，就像再逼真的赝品也代替不了王羲之或凡·高的真品。"

对主人的这个观点，尤利乌斯只是淡淡一笑，接着说下去："那时基恩来同我商量，他说吉先生的著作尚未完成，他不忍心让吉先生这样走向衰老死亡，但用人造脑组织为他治病显然无法取得他的同意。于是，他说服我对主人实施秘密手术，用基恩的健康脑组织替换主人已经衰老的脑组织。这次手术计划持续10年，每天只更换三千分之一。为什么这样做？为什么不一次换完？个中原因我想如仪小姐一定清楚。因为，根据医学科学的最新研究结果，只要新嵌入的脑组织不超过大脑的三千分之一，原脑中的信息就会迅速漫过新的神经元，冲掉新神经元从外界带进来的信息，而后，原脑中的信息会在一两天内恢复到原来的强度。这种情形非常类似于人体在失血后的造血过程。虽然人脑各个区域的功能是特化的，但大脑总的来说是一个统一体，是复杂的立体网络，失去三千分之一的信息并不影响记忆的总容量。这就像全息照片——全息照的底片即使掉了一个角，仍能洗出一张完整的照片。总之，每天更换三千分之一脑组织，这样循环不息，换脑的两人都能保持各自的人格、思想和记忆。如仪小姐到达这儿时，手术只剩下最后两次，为了做完手术，基恩只好偷偷放走了太空艇。现在这个手术终于结束了，也取得了完全的成功，正如你们亲眼看到的。"

吉野臣勃然大怒，"一派胡言！你们不要听信他的鬼话，我即使再年老昏聩，也不会对自己脑中嵌入异物一无所知！"

剑鸣和如仪交换了一下目光，如仪苦笑着说："尤利乌斯所说的可能是真的，我亲眼看见了最后一次手术。现在，既然爷爷非常健康而基恩却老态龙钟，那么他们就真的是在为爷爷治病而不是害他。对了，还有一点可以作旁证：前天我刚来就感到了某种异常，但一直不知道究竟是什么。刚才我才悟出来。这是因为爷爷改掉了一些痼习，如说话时常常扬起眉毛，走路左肩稍高等，偏偏这些痼习都跑到基恩身上！这说明他们确实已经换过脑了，不过，换脑后外来的记忆并不能完全被冲掉，多多少少还要保留一些。"

吉野臣不再说话，他的目光中分明出现了犹疑。剑鸣思索片刻，突然向尤利乌斯发问："那么，你们为什么一定要用基恩的脑组织来更换？B型人的身体部件是随手可得的商品，你们完全可以另外买一个 B 型人的大脑，那样手术也会更容易。"

尤利乌斯微微一笑，"你说得完全正确，这正是我最初的打算。但基恩执意要与主人换脑，即使这样显然要增大手术难度。你们知道这是为什么吗？"

他有意停下来让他们思考。如仪惶惑地看着剑鸣，轻轻摇摇头。剑鸣多少猜到一些，但他也保持沉默，等尤利乌斯说出来。少顷，尤利乌斯继续说："我想基恩的决定有两方面的原因，其一是顽固的忠仆情结，他一定要'亲自'代替主人的衰老死亡；其二，"屏幕上的尤利乌斯头像富有深意地微笑着，"基恩是用这种自我牺牲来证明他的价值，证明 B 型人的价值。关于这一点不用我多说了吧。"

如仪和剑鸣都把目光投向爷爷，又迅即转开视线，不敢让爷爷看见他们的怜悯目光。尤利乌斯说得够清楚了，现在，这个固执的老人，这个极力维护自然人脑神圣地位的吉野臣先生,正是被 B 型人的脑组织延续了生命。从严格意义上讲,尽管他仍保持着吉野臣的思维和爱憎,但他实际上已经变成了他一向鄙视的 B 型人。

屋里很静,只能听见伤者轻微的喘息声。基恩失血后很疲惫,闭着眼,斜倚在墙壁上。

剑鸣严厉地说:"尤利乌斯,你和基恩没有征得主人的同意,擅自为他做手术,你们难道不知道这是完全非法的? 按照法律中对电脑和 B 型人有'危险倾向'的界定,你和基恩都逃脱不了被销毁的命运。"

尤利乌斯笑道:"在我的记忆库中还有这样的指令:如果是涉及主人生命的特殊情况,可以不必等候主人同意甚至可以违抗主人的命令。比如说,如果主人命令我协助他自杀,我会从命吗?"

宇何剑鸣沉默了。RB 基恩已经恢复过来,他艰难地支起身子,用目光搜索到了主人,扬了扬眉毛想同主人说话。这个熟悉的动作使吉野臣身上一抖,目光中透出极度的绝望和悲凉。他猛然起身,决绝地拂袖而去。如仪和剑鸣尚未反应过来,基恩已经急切地指着他的背影喊道:"快去阻止他自杀! ……"

两人赶到书房,看见爷爷已经从抽屉里取出一把手枪,顶在太阳穴上。

如仪哭喊着扑过去,"爷爷,爷爷,你不要这样!"

在这一刻,她完全冲破了心中的防线,忘掉了对老人真正身份的疑虑。爷爷立即把枪口转向她——他的动作确实如中年人一样敏捷,怒喝道:"不许过来,否则我先开枪打死你!"

他又把枪口移向额头,如仪再度哭着扑过去。一声枪响,子弹从她头顶上飞过。如仪一惊,收住脚步,但片刻之后仍然坚定地往前走,"爷爷,你要自杀,就先把我打死吧!"

她声泪俱下地喊着,爷爷冷淡地看了她一眼,不再理她,自顾自把枪口指向额头。

剑鸣突然高声喝道:"不要开枪!……如仪你快停下,不要再往前走。爷爷,你的自杀是一个纯粹的、完完全全的逻辑错误,请你听完我的分析,如果那时还要自杀,我们绝不拦你,行吗?"

他神色自若地说。他的指责太奇特了——逻辑错误!也许正是这种奇特的指责起了作用,素以智力自负的老人脸上浮现出疑惑。他没有说话,但枪口分明偏了一点儿。

剑鸣笑道:"我知道你是想以一死来维护人类的纯洁性,我对爷爷的节操非常钦佩。但你既然能做出这样的决定,就说明你仍保持着自然人的坚定信仰,保持着自然人的爱憎,你并没有因为大脑的代用就蜕变为类人。我想你知道,每个人从呱呱坠地直到衰老死亡,他全身的细胞(只有脑细胞除外)都在不断地分裂、死亡、以旧换新,他的身体在一生中实际上已经更换多次。比如皮肤吧,一个人在 70 年中能更换 48 公斤!所谓今日之我已非昨日之我,但这并不影响他作为一个特定'人'的连续性和独特性。每个生命都是一具特殊的时空构体,它基于特定的物质架构又独立于它,因此才能在一个'变动'的身体上保持一个'相对恒定'的生命。既然如此,你何妨达观一点,把这次的脑细胞更换也看做是其他细胞的正常代谢呢?"

他看见老人似有所动,便笑着说下去:"换个角度说,假如你仍然坚持认为你已经被异化——那好,你已经变成了 B 型人,请你按 B 型人的视角去考虑问题吧——你干吗要自杀?干吗非要去维护'主人'的纯洁性?这样做是否太'自作多情'了?

"所以,"他笑着总结道,"无论你认为自己是否已被异化,都没必要自杀。我的三段论推理没有漏洞吧?"

在剑鸣镇定自若地神侃时,如仪非常担心,她怕这种调侃不敬的态度会对爷爷的狂怒火上浇油。但是很奇怪,这番话看来是水而不是油,爷爷的狂躁之火慢慢减弱,神色渐归平静。她五味杂陈地跑过去,扑进爷爷的怀里,哽咽着说:"爷爷,你仍然是我的好爷爷。"

爷爷没有说话,但把她揽入怀中,他的情绪分明有了突变。剑鸣偷偷擦了把冷汗——刚才他心里并不像表面那样镇静自若——也嬉笑着凑过去,"爷爷,不要把疼爱全给了孙女,还有孙女婿呢。"

如仪佯怒地推他一把,"去,去,油嘴滑舌,今天我才发现你这人很不可靠。"

剑鸣笑着说:"你这不是过河拆桥吗?"

两人这么逗着嘴,爷爷的嘴角也绽出笑意。忽然,他把如仪向外推开一点,用目光示意。原来基恩正扶着墙,歪歪倒倒地走过来。他的伤口挣开了,鲜血染红了绷带。如仪和剑鸣急忙过去扶他进来,把他安顿在座椅上。RB 基恩仰望着主人,嘴唇颤抖着说不出话来。吉野臣冷漠地看着他,他对基恩擅自为他换脑仍然极为恼火,那将使他今后处于极为尴尬的境地。但基恩的用心是好的,如果没有这个手术,恐怕死神已找上门了。这里的是是非非是没法子掰清楚的。他看了很久,终于走过来,把这位忠仆揽入怀中。

如仪和剑鸣你望望我,我望望你,忽然大笑着拥在一起,热烈地吻着对方。如仪喃喃地说:"剑鸣,我太高兴了,我真没料到是这样圆满的结局。"

她笑靥如花,但两行清泪却抑制不住地淌了下来。

资料之九：

1999 年 6 月，科学家开发出首部生物电脑。他们将水蛭的神经元放在培养皿中培养，再将微小电极插入各神经元内，组成一条回路。每一个神经元都以自己的方式对电流刺激产生反应，给出相应的神经脉冲，让每一个神经元代表一个数字，连接起来就可进行求和运算。

他们的目标是发明快速灵活的新一代电脑。领导此项研究的美国佐治亚理工学院的比尔·迪托教授说："今天的计算机实际非常愚蠢，为了得到正确的结果，它们需要绝对正确和完善的信息。生物计算机只依靠部分信息就做到了这一点，换言之，它们可以像人脑那样进行模糊思考。"

——摘自《生物计算机》（英国广播公司 1999 年 6 月 2 日报道）

8. 上　帝

　　从枣林峪无功而返,鲁段吉军和小丁又匆匆赶回北京。这件案子越深入调查则离答案越远。老警官感觉到,司马林达似乎是另一颗星球的人,他的许多言行都是自己无法理解的! 这使他感到一种无能为力的愤怒。

　　司马林达最后一次社会活动是去北大附中作报告,那是他自杀前两天。本来,公开活动不大可能调查出什么线索,但现在束手无策的吉军决定还是去碰碰运气。

　　他们找到了当时负责接待的教导处陈张主任,陈张主任困惑地说,这次报告是司马林达主动来校联系的,也不收费。这种毛遂自荐的事学校还是第一次碰上,对司马林达又不熟悉,原想婉言谢绝的,但看了那张中国科学院的工作证,就答应了。至于报告的实际效果,陈张主任开玩笑说,"不好说,反正不会提高这次期中考试的成绩。"

　　他们用随机抽样的方法喊来了 5 个听过报告的学生,两男三女,嘻嘻笑着,并排坐在教导处的长椅上。这是学校晚自习时间,一排排教室静寂无声,窗户向外泻出雪亮的灯光,光怪陆离的霓虹灯在远处的夜空中闪亮。学生们的回答不太一致,有人说司马先生的报告不错,有人说印象不深,但一个戴眼镜女生的回答比较不同。

"深刻,他的报告非常深刻,"她认真地说,"不过并不是太新的东西。他大致是在阐述一种近代的哲学观点:整体论。我恰好读过一两本有关整体论的英文原著。"

这个女孩个子瘦小,尖下巴,大眼睛,削肩膀,满脸稚气未脱,无论年龄还是个头显然比其他人小了一圈。陈张主任低声说:"你别看她其貌不扬,她可是全市有名的小天才,已经跳了两级,成绩一直是拔尖的,英文水平也最棒。"吉军请其他同学回教室,他想,与女孩单独谈话可能效果更好些。

果然,小女孩没有了拘谨,两眼闪亮地追忆道:"什么是整体论? 司马先生举例说,单个蜜蜂的智力极为有限,像蜂群中那些复杂的道德准则啦,复杂的习俗啦,复杂的建筑蓝图啦,都不可能存在于任何一只蜜蜂的脑中。但无数只蜜蜂聚合成蜂群后,这些东西就自然而然地产生出来了——为什么如此? 不知道。人类只是看到了这种突跃的外部迹象,但对突跃的深层机理毫无所知。又比如,人的大脑是由140亿个神经元组成的,可以储存4100万亿比特的信息。单个神经元的构造和功能很简单,不过是根据外来的刺激产生一个冲动。那么哪个神经元代表'我'? 都不代表,只有足够的神经元以一定的时空序列组合在一起,才会产生'窝石'……"

吉军又听到了"窝石"这个词,他忙摆摆手,笑着请她稍停一下,"小姑娘,请问什么是'窝石'? 我们在调查中已经听过这个词,不会是肾结石之类的东西吧,从没听过脑中也会产生结石。"

小女孩侧过脸看看他们,有笑意在目光中闪动。她忍住笑意,耐心地说:"不是'窝石',是'我识'。'我识'就是'我的意识',就是意识到一个独立于自然的'我'。人类婴儿不到1岁就能产生'我识',但电脑不行,即使是战胜国际象棋冠军卡斯帕罗夫的'深蓝'电脑,也不会有'我'的成就感。这是说数字电脑的情形,自从光脑、量子电脑、生物元件电脑这类模拟式电脑问世以来,情况已经有了变化。司马林达先生在报告中也提到了'标准人脑'和'临界数量'……"

吉军和小丁相对苦笑,心想这小女孩又是一个外星人!这些天他们听的尽是这些外星语言,公姬教授的、司马林达的(由张树林转述),听着这些话,吉军总也摆脱不了这么一个幻觉,似乎自己在一个黑洞洞的牛角尖里使劲往外钻,却怎么也钻不出去。他再次请她稍停,"解释一下什么是'标准人脑'吧,这个名词听上去带点凶杀的味道。"

女孩说:"很简单啰,这只是智力的一种度量单位,就像天文距离的度量可以使用光年、秒差距、地球天文单位一样。过去,数字电脑的能力是用一些精确的参数来描述的,像存储容量(比特)、浮点运算速度(每秒次)等,对于模拟电脑这种方式已不尽适合,所以,有人新近提出用人脑的标准智力作参照单位。这种计算方法还没有规范化,比如对世界电脑网络总容量的计算,有人估算是 100 亿标准人脑,有人则估算为 10000 亿,相差悬殊。不过,司马先生有一个精辟的观点,他说,精确数值是没有意义的,不管是多少,反正目前的网络容量肯定超过了临界数量,肯定已引发智力暴涨。暴涨后的电脑智力已超越了我们所能理解的层面……"

鲁段吉军很有礼貌地打断了她的话,说很感谢她的帮忙,但是不能再耽误她的学习时间了。与小女孩道别后,他们苦笑着离开了学校。

出去后,两人在大排档吃了一碗烩面,吉军闷声不响地吃着。这两天他心里越来越烦躁,以往在案情侦查中还从没有这种力不从心的感觉。几个嫌疑人的疑点基本都排除了,司马林达死于他杀的可能性已经很小,但要说他自杀,又没有说得过去的理由。下面的工作该怎么做?总不能拿这些似是而非的东西去糊弄高局长。

小丁也悄悄吃着饭,知道搭档这两天情绪不好,生怕惹着他。饭毕,小丁小心地建议:"老鲁,再到公姬教授那儿去一趟,行不?上次调查没把话说透。这会儿是晚上 8 点,还不算晚。"

"好吧。"吉军正打算去那儿,算起来,几天的调查中只有公姬教授的话多少接触到实质。他说司马林达死前有精神崩溃的迹象,还提到他在死前那次电话中说过什么"确认上帝的存在"和"对上帝的愤懑"。这次不管老头多么傲慢，他们也要把话问清楚。

这次拜访和上次完全不同。客厅里挤满了人，全是五六十岁的老太太，头上顶着白手巾，极虔诚极投入地哼哼着：仁慈的主，感谢你的关爱和仁慈，请你伸出双手接纳不幸的羔羊……其中一位看见来了客人，在百忙中起身向客人致意，用手指了指书房，随即又加入了这场合唱。显然这是女主人。

两人按照指点，穿过人群径直走向书房。公姬教授在书房里关着门读书，大有"躲进小楼成一统，管他春夏与秋冬"的味道。听见敲门声，他打开门把两位客人引进去，很快关上书房门。他请客人入座，多少带点难为情地解释：外边的老太太们是妻子的教友，她们知道了司马林达的死讯，便集合起来为这个可怜的年轻人祷告。他说，他妻子留学英伦时曾皈依天主教，归国后改变信仰，成了无神论者，但不知为什么，退休后老伴又转而信奉年轻时的信仰。"人各有志，我没有过分劝她。我觉得在精神上有所寄托未尝不是好事。可惜我妻子接触的这些教友都是文化层次较低的人，她们的信仰也是低层次的，不是追求精神的净化，而是执迷地相信天主会显示奇迹，这就未免把宗教信仰庸俗化了。老实说，我没想到我妻子到了晚年竟和这些老太太搅到一起。"

鲁段吉军今天见到的，不是孤傲乖僻的公姬教授，而是多少有些心烦意乱的老人。他想这点变化可能对他的调查更有利一些吧。话头扯到司马林达身上，老人说，林达是一个天才，他一直在构筑代号为"天耳"的宏大体系，用以探索超智力，探索不同智力层面间交流的可能性，比如：人和蜜蜂的交流，人和上帝（不是宗教中的上帝，而是某种超智力体系）的交流。从他平常透露的情况看，他的研究已取得了突破性进展，但这些都因为某种心理崩溃而终止了。"他肯定是自杀。这点不用怀疑，你们不必为此耗费精力了。林达死前打给我的电话中，很突兀地谈到了他的宗教信仰。可惜我没听出他的话外之音，我真悔呀！"

吉军小心地问:"司马林达经常来这儿吗?他的宗教信仰会不会和夫人有关?"

教授摇摇头说:"绝无关系,林达不是那个层面的人。没错,我夫人倒是一直在向他灌输宗教信仰,常向他塞一些可笑的宗教小册子。看得出来,林达只是囿于礼貌才没有当面反驳她。但是在那晚的电话中,林达突兀地向我宣布,他已经树立了三点信仰:1.上帝是存在的;2.上帝将会善意地干涉人类的进程,但这种干涉肯定是不露行迹的;3.人类的分散型智力永远不能理解上帝的高层面思维。"

教授沉痛地说:"可惜我的思维太迟钝,当时没能理解他的话意,我只是觉察出,林达当时的情绪相当奇怪,似乎很焦灼,很苦闷,也相当激烈。他在电话里粗鲁地说,'正因为我确定上帝的存在,我才受不了他妈的这个鬼上帝!我不能忍受有一双冥冥在上的眼睛看着我吃喝拉撒睡,看着我与异性寻欢,就像我们研究猴子的取食行为和性行为一样。尤其不能容忍的是,我们穷尽智力对科学的探索,在他看来不过是耗子钻迷宫,是低级智能可怜的瞎撞乱碰,这样的人生有什么意义!'"教授摇摇头,无奈地说,"我当然尽力劝慰了一番,可惜我太迟钝,没听出他话中的真实含意,所以我的劝慰只是隔靴搔痒。我真悔呀。"老人摇着白发苍苍的头颅,悲凉地重复着。

听着这些弯弯绕绕的话,鲁段吉军的脑袋又胀大了,他努力追赶着老人的思路,但是无法追上。他苦笑着说:"公姬教授,看来上次你对我俩的评价是对的,我和小丁都不适合接手此案,我们的知识层面太低。我老实承认,听你的话很吃力,像你上次说的电脑'窝石',我还以为是大脑的结石呢,还是北大附中一名小女孩为我们解释清楚了。你刚才说了林达的宗教信仰、他的情绪变化,可我还是弄不懂他为什么自杀——难道就因为对上帝的愤怒?"

教授对他们的愚鲁多少有些不耐烦,不过吉军的坦率博得了他的好感,他宽容地说:"其实连我也没能马上理解他的话意。你提到北大附中一个小女孩,那是我的孙女,这会儿正在隔壁玩电脑,她向我转述了林达对学生做的最后一次报告。在那之后,我才揣摩到林达这些话的真正含意。我说你们的知识层面太低,其实,和林达的智慧相比,我也是低层面的人哪。"

两名调查人员急切地盯着他,等他说出最后的答案。

公姬教授的孙女此刻正趴在电脑屏幕前,这是爷爷刚刚为她购置的。一根缆线把她并入了网络,并入无穷、无限和无涯。光缆就像是一条漫长的、狭窄的、绝对黑暗的隧道,她永远不可能穿越它,永远不可能尽睹隧道后的大千世界。她在屏幕上看到的,只是"网络"愿意向她开放的、她的智力能够理解的东西,但她仍在狂热地探索着,以期能看到隧道中偶然一现的闪光。

司马林达在台上盯着她,司马林达盯着每一个年轻的听众。他的目光忧郁而平静。这会儿没人知道他即将去拜访死神,以后恐怕也没人理解他这次报告的动机。司马林达想起了创立"群论"的那位年轻的法国数学家伽罗瓦,他一生坎坷,有关"群论"的论文多次被法国科学院退稿——那时,世界上还没有一名数学家能理解它。后来他爱上一个不爱他的女人,为此陷入一场决斗。决斗的前夜他通宵未眠,急急地写出了群论的要点。至今,在那些珍贵的草稿上,还能触摸到他死前的焦灼。草稿的空白处潦草地写着:来不及了,没有时间了。来不及了,时间不够了。

在即将舍弃生命时,他还没有忘怀对科学的探索吗? 也许,伽罗瓦和他才能互相理解。

司马林达告诉年轻的听众,蜜蜂早就具备了向高等文明进化的三个条件:群居生活、劳动和语言(形体语言)。相比人类,它们甚至还有一个远为有利的条件:时间。在数亿年前,它们就已经建立了有效的蜜蜂社会。但蜜蜂的进化早就终结了,终结于一个很低的层面上(相对于人类文明而言)。为什么? 生物学家说只有一个原因,它们的脑容量太小,它们不具备向高等智力发展的物质基础。如此说来,我们真该为自己 1400 克的大脑庆幸——可是孩子们啊,你们想没想过,1400 克的大脑很可能也有它的极限? 人类智力也可能终结于某个高度?

没有人向小女孩转述司马林达的遗言: 不要唤醒蜜蜂。

资料之十：

20世纪末期，一些科学家提出"生态动力学"假说，他们认为，生物的进化是与热力学第二定律（熵增定律）背道而驰的。按照熵增定律，宇宙在不可逆转地日益走向无序；而生物进化却是高度有序化、组织化和复杂化的逆向过程。

生物进化得以实现的先决条件是能量流的存在，换句话说，生物机体的进化伴随着大量的能耗，伴随着其环境的无序化。这是不能豁免的代价。而且，这种逆势而行的复杂系统终究是脆弱的，是不稳定的。你可以把积木一块一块垒起来，加高再加高。但总有一次，当你把最后一块积木搭上去时，这个不稳定的结构会轰然崩解。同样，当生物演化到某种程度时必然会失控和崩溃，越是高度进化的生物，其崩溃周期就越短。恐龙的灭绝与其说是外因，不如说是内因（复杂化和高度特化的器官无法适应外界变化）所造成的。非常遗憾——我们真不忍心指出这一点——这条规律同样适用于人类。

不要幻想人类的智力和科学技术能够避免人类生态动力学的崩溃。要知道，科学和智慧，它们本身也是逆势而行的复杂系统啊。

——摘自《生态动力学》（互联网）

9. 两个谜底

何不疑已退休 30 年了, 30 年的闲散早已磨蚀了他的锋芒。不过, 知道儿子面临危险之后, 他浑身的弦立即绷紧了。

何不疑一生做了两件大事, 一件事是参与了人工 DNA 的研究, 亲历了那些震撼世界、震撼历史的过程: 无生命的原子在科学家的摆弄下被注入生命力, 最终变成类人工厂流水线上的婴儿。科学家一举取代了上帝。这种睥睨万古的感觉是别人体会不到的。另一件事则几乎是对上一件事的反叛, 50 岁那年, 他以 "二号" 工厂老总的身份偷出了一个具有自然指纹的 B 型人婴儿, 恐怕这是迄今为止全世界唯一的一例。

他和妻子十分喜爱这个十斗儿, 甚至放弃了生育, 把全部亲情灌注到剑鸣身上。现在危险已经来到剑鸣身边, 他当然要保护儿子。昨夜他一直在调查、搜集, 找到了那篇关于 RB 雅君被销毁的案件报道, 知道她的男友叫齐洪德刚, 是一位颇有造诣的电脑工程师。他又设法进入德刚的个人电脑, 浏览了那人所搜集的有关剑鸣的资料。总的来说事情还不算太糟, 看来德刚并不想用匕首或毒药来复仇, 他是想找出儿子个人历史上的把柄。但儿子这一生只有那一个 "把柄", 这个把柄不是一般人能猜破的。

事后回想起来, 恰在那天早晨收到斯契潘诺夫的来信实在是太巧合

146

了,只能归结为冥冥中的天意,但宗教上的天意和物理学中的必然性在很大程度上是相契合的。何不疑那天因为熬了夜,早上起床较晚。雷雨刚过,天蓝得那么深透,几丝羽状白云显得十分高远。地上汪着清澈的雨水,牵牛花在缓缓转动着卷须,寻找着可以攀缘的物体。他的心境不错,如雨后天空般空明。在这个热烈的夏天清晨,对儿子的担心不那么急迫了。

但他的自信很快就被打破了。

早饭后,妻子从私人邮筒中拿回一个小包裹,是从美国寄来的。打开包裹,里面有一个封皮精致的带锁日记本,钥匙挂在锁鼻上。打开锁,日记大部分为空白,只有前边用英文记了五六页。日记中夹着一封短信:

老朋友:

我是斯契潘诺夫,就是 30 年前你退休那天陪你进行安全检查的老家伙。这个包裹到你手里时,我肯定已不在人世了。是膀胱癌。不过你不必为我哀悼,这副使用了 105 年的臭皮囊已经不能给我带来快乐,我早就想放弃它了。

有一件小礼物是我 30 年前就准备好的,原想在令郎婚礼上让我的后代交给他,但没想到我能活到今天。而且,人之将死,有些想法有了改变。我何必去打扰年轻人的平静呢,这场游戏还是在你我之间进行吧。

老兄,我很佩服你。30 年前,你当着睽睽众目,包括一名一流侦探作家的面,干净利索地玩了一个大变活人的戏法。不过我也不算太笨,当天晚上我就拼出了事件的全貌,我的推理全部记在这本日记里,请你评判吧。

这些年,我一直忍着没去做一件事,那就是去调查令郎是否有十个斗状指纹。我坚信他是的。也许只有这一点使我迷惑:你在制造具有自然指纹的 B 型人婴儿时,为什么特意制造了十个斗纹?是否想让它成为"十全十美"的象征?但这么一来,你就为宇何剑鸣的秘密留下了一个明显的破绽。说实话,至今无人注意到两个十斗儿的巧合,那是你的运气太好了。

我猜——仅仅是揣测而已——你也许并不想把这个秘密永远埋在地下，所以故意留下一条小小的尾巴？

我很快就要辞别人世了，原不该再对尘俗中的小赌赛喋喋不休。不过本性难移，我还是写了这封短简。听说令郎马上要结婚，请向他和新娘送上我的祝福。

止笔于此，我的一生也该画上句号了。再见——我相信你不会忌讳和濒死之人说这句话吧。

斯契潘诺夫

2125 年 6 月 12 日

这封短简给何氏夫妇带来了真正的震惊。他们头挨着头，反复阅读这封短简，好长时间一言不发。"斯契潘诺夫……真没想到，30 年前他就洞悉了这个秘密。"宇白冰叹息着说，"我很佩服他。"

"是的，我也佩服他，尤其佩服他能把一桩惊人秘密藏在心里 30 年。这个心机深沉的老家伙。"

"鸣儿的秘密会被揭穿吗？"

"斯契潘诺夫绝不会泄露的，但齐洪德刚也许能猜到。只要他锲而不舍地追查下去，迟早会发现其中的疑点，比如两个十斗指纹的巧合。"

"我们该怎么办呢？"何妻沉重地问。

"不必为剑鸣的命运担心，"何不疑微笑道，"关于 B 型人的法律你是清楚的。一个出现在类人工厂之外的、具有自然指纹的 B 型人，在法律上只能被认为是自然人。所以，即使秘密泄露，剑鸣也不会有任何危险。面临危险的倒是我：背叛人类，监守自盗。不过，这些罪行也超过了追诉的时效。我不后悔，即使被砍掉脑袋也不会后悔。"他开着玩笑，"我们把一个类人放到人类家庭中养大，彻底证明了人造人和自然人完全相同，无论是性能力、心理素质和对人类的认同感。这件事太有意义啦，比个别人的脑袋要贵重。哈哈。"他收起笑容，"当然，我们要尽量保守住这个秘密，否则鸣儿和如仪就甭想过安生日子了,他们会被推到舆论的中心。"他沉思片刻,"我们去见见德刚吧,尽量化解他对剑鸣的仇恨。如果他已经猜到这个秘密——我们也好见机行事。"

"我觉得德刚是个好小伙子,只要把话说透,我想能够劝阻住他。"

"嗯,我对他的印象也很好。把你的鸡鸭猪羊安排一下,准备出发吧。"

灵堂里,雅君的照片在默默地看着德刚。这是她生前最后一张照片,也许拍照时她已经对命运有了预感,所以目光深处含着忧郁,带着凄楚。

德刚仰视着雅君,喃喃地说:"雅君,我已经为你复仇了。"

他已向特区警察局传去了宇何剑鸣的资料。昨晚他又越过警方的防火墙,看到他们正发疯般搜索宇何剑鸣的资料。奇怪的是,没有人同揭发者联系,不过这一点也说明,警局对宇何剑鸣的真实身份已没有任何疑问了。

但他心中已失去复仇的快感。他猜到了剑鸣父子惊人的秘密,但这也迫使他以新的视角去看他们。看来,何不疑并不是冷血者,所谓"谈笑自若地为 B 型人婴儿作死亡注射"(董红淑语),不,完全不是那回事。他是类人之父,所有类人包括任王雅君的生命可以说都是他赐予的。而且,在严酷的法律下,身为"二号"工厂的老总,他竟然敢背叛"二号",背叛自然人类,单枪匹马从"二号"工厂里偷出一个 B 型人婴儿,这需要何等的胆略和智慧!德刚无法再仇恨他,甚至无法抑制对他的钦佩。

宇何剑鸣呢? 这个 B 型人竟成了杀害 B 型人的刽子手,这真是一个莫大的讽刺。但平心而论,剑鸣本人并没什么过错,他只是在现行法律的框架下尽一个警官的职责。现在,自己已经把他的 B 型人身世捅了出去,他的下场可想而知。可是,这是正义的复仇吗? 为了一个 B 型人去伤害另一个 B 型人,如果雅君九泉有知,该怎么评价丈夫?

他在矛盾中煎熬着。也许,昨晚他在一时冲动下做出的举动是过于轻率了。有人敲门,他想,警察终于来了;打开门,竟然是何不疑夫妇,他们面容肃穆,手里捧着一束白色的鲜花,"齐洪先生,我们可以进来吗?"

德刚默默让开身,一句话也没问。他们能追踪到这儿,自然表明二人已经知道了自己的真实身份和动机。何氏夫妇看到了屋内的灵堂,他们走过去,把白花供在灵前,然后合掌默祷。他们真诚的痛苦化解了德刚的敌意,等二人从灵堂退出后,他低声说:"请坐。"

两人在沙发上坐下,德刚冲了两杯咖啡,默默地递过去。何不疑接过杯子,真诚地说:"我们昨天才知道你的经历。我知道任何安慰都太微不足道,但还是希望你节哀顺变。"

"谢谢。"

何不疑斟酌着字句,"我想……"

德刚皱着眉头说:"既然二位找到我这里——今天大家是否都扯下面具,只说真话?"

夫妇两人互相看看,何不疑说:"好,这正是我们的愿望。"

"那么我想先问一个问题。你是类人之父,你对人类社会对 B 型人的严厉法律,究竟持什么看法?"

何不疑微微一笑,"作为人工 DNA 技术的开拓者之一,我想我有资格做出评判。这些不人道的种族主义法律早晚要被淘汰的。"他毫不犹豫地断言,德刚略带惊异地看着他,"从科学的角度看,人造 DNA 和自然 DNA 没有任何本质的区别;B 型人若具有自然指纹,任何仪器也无法把他和自然人区分开。所以,B 型人当然应和自然人享有同样的权利。现在对 B 型人的歧视,就像印度人压迫贱民、美国白人压迫黑人一样,都只是暂时的历史现象。"他换了语气,"但你不要指望这种情况会在一天内改变。历史不会跳跃着向前发展,你可以回忆一下,美国从白人政权过渡到黑白共治花了多少时间!两个民族(种族)的融合,应着眼文化之大同,不应计较血统之小异。为了追求文化之大同,优势民族(种族)常常会采用某种带强制性的方法。我并不是说这种压迫是合理的,但它是不可避免的。不妨设想一下,假如 B 型人在一天之内占据了社会的主流——之后的一切就都合理吗？由于他们诞生于机器，所以普遍轻视死亡，不珍爱生命，至少这一点就是错误的。我认为，是否重视生命的尊严，是人和动物的根本区别之一。所以，年轻人，不要太性急，等着历史的车轮滚滚向前吧。"

这番谈话睿智通达，深刻尖锐，真正具有一代科学大师的气度，齐洪德刚不由得对他刮目相看。"不过你本人似乎没有等。"德刚直率地说，"我已经挖出了你的秘密。30 年前，你从'二号'工厂里偷出一个 B 型人婴儿，又给予了他自然人的社会地位。"

他看看何不疑扁平的腹部。何不疑与妻子交换着目光——儿子的秘密果真已经被德刚猜到了。何不疑微笑道："我只是尽己之力，轻轻地推了一下历史之轮。不过我做得很谨慎，30 年来守着这个秘密没让它泄露，我不愿过早挑战社会的心理承受能力。德刚，现在我们之间已经没有任何秘密了，我想问一句：你想如何对待剑鸣？我知道你受了很大的伤害，但冤冤相报不是好的做法……"

德刚打断了他的话："不必再劝我，我已经同意了你的观点，雅君的不幸应由社会而不是个人负责。"何氏夫妇脸上露出喜色，他们没料到对德刚的说服如此容易。"可惜晚了。"德刚沉重地说，"前天晚上在一时冲动下，我已把所有资料从网上发到警察局了。"

两人像挨了一记闷棍，愣住了。德刚不忍心看他们，尤其是何夫人惨白的面孔。他咕哝着说："对不起，我……"

何不疑首先平静下来，挥挥手说："既然事已至此，我们不会责怪你。放心，剑鸣不会有生命危险，不过他会掉到舆论的旋涡中，不会有安生日子了。德刚，我们要告辞了，还有好多事要去做。我真心希望你能原谅剑鸣对你的伤害，你们应是朋友而非敌人。"

德刚勉强地说："我尽量做到这一点。"

他送两位老人出门。打开门，两个人正守候在门口，他们都身穿便衣，不过一眼就可看出是警察。为首那人出示了证件，和气地说："你是齐洪德刚吧，谢谢你的电子邮件，局长想请你去一趟。而你，"他转向何不疑，"就是著名科学家何不疑先生吧。很遗憾,你的行为触犯了法律。当然,法院的逮捕令还没有签发,我这会儿无权逮捕你。但我想请何先生到警察局去闲聊一会儿,可以吗?或者,何先生应该不介意我们一直跟着你,直到逮捕证送达?"

何不疑神色自若地说:"何必麻烦呢,我跟你们到警察局,坐等逮捕证送达吧。"他转身对妻子说,"尽快见到剑鸣。我不担心别的,只担心他在心理上难以承受过于剧烈的变化,也要安慰安慰如仪。德刚,走吧,咱们一起走。"他同妻子拥抱,走出屋门。

鲁段吉军和小丁垂着头走进局长办公室,局长正在接电话,隔着巨型办公桌做手势让两人坐下,一边点头,"嗯……嗯……对,就这样,尽量不公开处理。牵涉到'二号'的创建人,社会影响太大。嗯……好的,就按这个思路办。再见。"

他挂了电话,绕过办公桌,看见了两人的表情,笑着说:"老鲁,小丁,干吗垂头丧气?能基本确定司马林达死于自杀,这就是很大的成绩嘛。来,详细谈谈。"

沙发上的两个人确实是垂头丧气,尤其是鲁段吉军,像一只斗败了的鹌鹑。他闷声说:"局长,过去我不服 B 系统那些年轻人,这回我承认自己真成老朽了,该退休了。这次出去调查,那么多证人说的话都像外星语言,听得我头都大了!根据这次调查,只能得出司马林达是自杀的结论。至于自杀动机,只有公姬司晨教授说的比较可信。"

"是什么动机?"

吉军苦笑着:"那老家伙说的也是鸟语,我学都学不来。这一点让小丁汇报吧,小丁再咋样,至少记性比我强一些。"他略带讥讽地说。

局长知道他对小丁一直不看好,便对小丁点点头,"你说。"

小丁对老鲁的态度不以为忤,笑嘻嘻地说:"这事说起来话长,局长,你要想听懂,我还得从头说起。"

"说吧,我洗耳恭听。"

"司马林达死前一直在研究整体论。像在蜜蜂社会、蚂蚁社会、黏菌社会中,单个生物的智力很有限,但只要达到一定临界数量,智力就会产生突跃。至于为什么会产生突跃,人类的智力到目前为止还不能理解。司马林达还说,智力有不同的层面,低等智力无法理解高等智力的行为。比如放蜂人带着蜂箱从北京坐车赶到枣林峪时,蜜蜂一下子进入一个完全陌生的环境——可是,它们的智力怎么可能理解造成空间断裂的原因呢? 即使有人懂得蜜蜂语,非常耐心地解释,它们也不可能理解呀。局长,你听懂了吗?"

"扯淡,这些话怎么听不懂? 可这和林达自杀有什么关系?"

"别急,下面就接触到正题了。司马林达有一个新观点,说智力的发展要受物质结构的限制。蜜蜂社会的智力是不断进化的,但它的进化要局限于某一个高度。为什么? 因为蜜蜂的神经系统太简单,蜂群中个体的数目也有限。这两条加起来,使得促进蜜蜂智力发展的物质基础的复杂性受到限制——这句话太拗口,是吧,我是好不容易才背下来的。"

"嗯,往下说。"

"司马林达认为,人类智力也是不断进化的,但受制于人类大脑的局限性——只有 1400 克;人类智力的分散性——人与人之间的交流非常低效;不连续性——人只有几十年寿命。这些因素也使人类智力发展的物质基础的复杂性受到限制。人类智慧的发展会逐渐趋近某一高度,却不能超越它。当然,这个高度比蜜蜂要高一个档次,高一个层面。"他问,"局长听明白没? 这些话实在太拗口了。"

"听明白了,他说的从逻辑上不难理解。往下呢?"

"司马林达说,有没有比人类更高级的智力呢? 有,就是电脑。单台电脑是无意识的,只能执行人的命令,相当于人脑的单个神经元。但只要达到某一临界数量,就会自动产生'我识',产生超智力。而且,由于它们没有人类大脑的种种限制,它们最终将会超过人类智力,这点毫无疑问。"

局长咕哝道:"扯淡,纯是扯淡!"

"以上说的都是司马林达写出来的理论,下面就是公姬教授的推测了。从死者遗言分析,司马林达一定是以某种方式确认,人类之上已经有了——局长你听清啰,不是说可能有,而是说已经有了—— 一个电脑上帝。并不是说电脑会造反,会统治人类。不,那都是三流科幻小说中胡乱编造的情节。电脑上帝根本不屑于这样干,就像我们不屑于对蜜蜂造反一样。电脑上帝会善意地帮助我们,研究我们,就像人类帮助和研究蜜蜂一样。作为人类中的高智力者,司马林达对此感到绝望,他想唤醒'蜜蜂',但他知道即使唤醒了,人类也无可奈何。所以,他只有选择自杀。"

小丁说完了。局长久久不说话,拿手指叩着椅子的扶手。鲁段吉军这会儿倒是对小丁刮目相看,虽然他这番话只是鹦鹉学舌,但至少他记住了公姬教授的鸟语,而且捋出了自己的思路!也许自己真的老了,该退休了。

局长沉思了很久才说:"这些读书人呀……即使咱们相信这些理由,能用这些玄虚的道理去说服别人吗?"

小丁建议:"根本不用说这些嘛!就说司马林达死于精神失常不就结了!这又不是弄虚作假,他本来就是自杀嘛。"

局长想了想,"就这样,以自杀结案吧。你们可以走了。"

两人明显松了一口气,推开门走了。B系统的另一名警官史刘铁兵正巧推门进来,"局长,齐洪德刚请到了。我们在他那儿正好撞见何不疑,我就做主把他也带来了。他的逮捕令签发了吗?"

"没有签发,上边想把这件事压下去。"

"那把他怎么办?你见不见他?"

"这会儿我谁都不见。请齐洪德刚到会客室等一会儿,将何不疑预防性拘留。我想单独待一会儿。"

局长室的门轻轻关上。高局长仰靠在座椅上,无目的地弹动着手指,小丁的那番话让他心烦意乱。他打心眼里排斥司马林达的狗屁理论,问题是他的观点太有说服力。140亿个简单的神经元能缔造出爱因斯坦,那200亿台功能强大的电脑为什么不能缔造出一个超级爱因斯坦? 也许人类头顶已经高踞着一个电脑上帝,无所不能,无所不在,办公桌上的电脑就是他的感觉器官,警察局的所有工作都在一双法眼的明察之下? 当然,"他"不屑于干涉人类的事务,即使干涉了,人类也无法觉察和理解,怎么说来着——就像一群笨蜜蜂不懂得北京到枣林峪的空间断裂。

"扯淡,纯他妈扯淡!"这种想法太可怕,他不敢想下去。他赶走了这些胡思乱想,摁了一下电铃,"让齐洪德刚进来吧。"

司马林达已经死了,死于对上帝的愤懑。但他还活着,他追随上帝,与上帝合为一体。愤懑只是表象,愤懑实际是针对自己的,针对自己的弱智和无能。司马林达曾为自己的高智商自豪,但正是他超凡的智力使他最先明白,人类的智慧只是放大了的蜜蜂智慧。

几十天前,他回到南阳,在那儿抛弃了肉体或曰躯壳,把它还给故土。在离开北京前,他在智力研究所把自己的意识输入了电脑。他的所有思考、思维、思想,他大脑海马体的所有记忆,大脑皮层所有的电活动都被分解成电脉冲,分解成"0"和"1"组成的序列,并入了遍布全球的电脑网络。他升华了,羽化了,涅槃了。在这里,他自由了,他的智力不再受限于缓慢的神经传导速度,尤其是不再受限于那些经过多少次转换才能抵达大脑的可怜的信息输入手段。如今他能在瞬间神游地球,能汲取无限的信息,进行无限的思考。

不过他仍努力蜷缩着身躯,保持自己的独立性,以一个思维包的形式在"0"与"1"的世界中穿行。他曾经是一只小蜜蜂,但他不甘心仅仅做一只沉睡的蜜蜂。他以可怜的智力顽强地探索着,终于捕捉到了一些蛛丝马迹,确认了"上帝的干涉",确认了上帝的存在。如今,立足于超智力的本域中,他以怜悯慈爱的目光关注着自己的母族,那个可怜的"蜜蜂"社会。

资料之十一：

控制化人工器官最早出现在20世纪60年代的科幻小说中，但在2001年年底，英国科学家凯文·沃尔维克已在人脑与计算机之间建立起了联系。

他在自己的大脑中植入了电脑芯片，使之与电灯开关的控制芯片以无线信号相连，这样，他就能用意念来控制房屋的照明。他用食指在空中画写字母时，可以在电脑屏幕上同步显示出来。还有，如果不借助语言，如何与妻子进行情感交流？凯文认为这再简单不过了。他在妻子手臂上植入了一块芯片，与自己大脑中的芯片相连，当他脑海中产生与妻子有关的想法时，对方就可以迅速感知。当然这一技术有待完善，凯文的妻子虽然能捕捉到丈夫情绪的波动，但却难以判定他究竟是在想什么，是想与夫人做爱，还是因午间的争吵而心怀不满？一个月后，由于凯文的探索过于执著，妻子日久生厌，发出了最后通牒，让丈夫拆除了她体内的感应系统。

但重要的是，凯文的试验不再被视为异想天开、哗众取宠，他开创了一个全新的研究领域。舆论认为，控制化人工器官的研究已经进入决定性阶段。

——摘自《通心芯片洞悉他人的心思》（英国《每日电讯报》1999年9月14日）

10. 谋 杀

　　早饭是如仪和剑鸣做的,基恩被他们按在床上休息。饭做好后,他们本来要把饭菜端到基恩床前的,但基恩精神很好,执意要起来,如仪只好把他扶到餐厅。她生怕爷爷仍不让基恩"在主人面前就座",撒娇地央求道:"爷爷,让基恩坐下吧,他是个伤员呢。"

　　爷爷面无表情地点点头,如仪立即笑着把基恩按到椅子上,在他面前摆上酒杯。剑鸣遗憾地说:"可惜尤利乌斯不会吃饭。"

　　尤利乌斯的声音立即响起来:"谢谢,虽然我不能吃饭,也请为我摆上一副碗筷。"

　　如仪咯咯笑着,真的为他摆上了一副。剑鸣把红葡萄酒斟满五只酒杯,"来,干一杯。为了爷爷的长寿,为了基恩早日恢复健康,为了我有这么好的老婆,干杯! 噢,还有尤利乌斯呢,怎么为你祝福? 祝你早日脱去凡体,修炼成人吧!"

　　还是尤利乌斯的男低音:"好,谢谢。"

　　四个人端起酒杯,爷爷和基恩微笑着,如仪飞快地扫了基恩一眼,心有不忍。按基恩现在的大脑状况,他的寿命不会长了。该怎么办呢? 最好劝他回地球养老……不过这些烦恼留给明天吧,她仰起头一饮而尽。

通话器响了:"KW0002 号太空球的居民,宇何剑鸣警官,我们是太空警署 RL 区巡逻队,请立即打开舱门!"

四个人猛然一惊,剑鸣疑惑地说:"奇怪,我已经发过安全信号了呀。"他解释道,"来前我曾同高局长约定,进入太空球两个小时内如果未能发出安全信号,他就要派人来接应我。我已经发过了,难道他们未收到?"

他打开视频通话器,屏幕上显示出一艘警用太空飞船,炮口虎视眈眈地朝向这里。剑鸣笑着对通话器说:"我是警官宇何剑鸣,这里一切都好,我现在就打开减压舱门。"

他按下了外舱门开启按钮,想了想,摁断对外通话键,对饭桌上的几个人严肃地叮嘱道:"不要对任何人提及换脑手术!警方,还有法律,对类似事情的控制是极端严厉的。大家一定要记住我的话!"他挨个儿盯视着每个人。如仪有些困惑,她认为剑鸣把事情看得太严重了,但最终点点头。基恩也点了点头。剑鸣带着歉意盯着爷爷,爷爷表情很复杂,恼怒、自卑、烦躁,但他最终也默许了。剑鸣又想起一件事,向如仪伸出手,"把我给你的掌中宝给我,开枪的事不要告诉别人。"

如仪把手枪给他,他们走到减压舱口迎接客人。内舱门打开了,三名穿着太空服的警官闯进来,他们只取下了头盔,警惕地平端着枪支。

剑鸣让为首的警官看了看自己的证件,笑道:"我未婚妻之前的报警只是一场误会,这都怪长期幽闭的环境,造成了一些心理障碍。现在误会已经消除,没事了。你们没有收到我发出的安全信号?"

那个陌生的警官摇摇头,"没有,我们只收到了高局长的求援电话,太空警署就派我们来了。"他看看基恩胸前的伤口,疑惑地问,"他……"

"他是这里的仆人,RB 基恩,刚才在一场混乱中,为掩护主人受了伤。"

三名警官看了看四周,收起武器,为首的警官说:"我是警官夏里。高局长要求我们把你们全部护送回地球,这个命令到现在为止没有撤销,请问……"

剑鸣知道他们仍有疑虑,便笑道:"正好,我们正准备今天回地球呢。

基恩需要回地球疗伤,爷爷要参加我们的婚礼,你们尽可以执行原来的命令。请你们稍等片刻。"

吉野臣的脸色已经阴沉下来,他可不喜欢一班警察大爷在他的家里发号施令。如仪机警地发现了爷爷发火的苗头,立即乖巧地偎过去,"爷爷,真巧,咱们正要回地球,就有警察来开道。爷爷,你答应过要参加我们的婚礼,可不许变卦哟。"

她扭股糖似的黏住爷爷,老人终于绽出笑意,默许了警察的安排。他们请警察稍候,匆匆吃完早饭。在他们吃饭时,三名警官都不肯就座,虽然没有手执武器,但仍守卫在门口,看来戒心仍然很重。二十分钟后,四个人在剑鸣的四人太空艇中安顿好,夏里递给剑鸣一个小型公文包,说他们只护送 X30 三号降落,然后就要折返太空,因此请他把这个公文包转交高局长。剑鸣坐在驾驶位,嘴里还嚼着面包,把公文包顺手交给如仪,兴致勃勃地对送话器说:"我们已经准备好了,起程吧。"

"好的,你们先走,我们在后边护送。"

两艘太空艇飘飘摇摇地向地球降落,KW0002 号太空球很快变成一颗浅黑色的小星星,消失在炫目的阳光中。下面是浩瀚的太平洋,散布着绿色的岛屿、星星点点的环礁,还有壮观的海上人造城市。如仪抱着那个公文包,兴高采烈地凭窗眺望着,她忽然惊奇地发现,护送的警艇不见了,它已经远远落在了后边。

如仪欠身对着通话器笑嘻嘻地喊:"后边的警官先生们,快追上来呀,要不这船危险分子就要逃跑啦!"

四个人都开心地大笑起来。

高局长正在办公室里,脸色阴沉地听着来自天空的报告:"局长阁下,X30 三号太空船已到达预定海域,我们已撤离至安全范围,请你决定是否执行下一步计划。"

"好的,谢谢你们的协助。"

昨天,在宇何剑鸣上天之前,为了确保对他的控制,高局长密令手下在他身上安装了窃听器。所以,太空球内的事态发展一直在他的监视之中,随着案情剥茧抽丝,一步步真相大白,局长的眉头也越皱越紧。

他知道,世界政府一直小心翼翼地守护着人类和 B 型人之间的堤坝,这道堤坝是由浮沙堆成的,极不可靠,稍有一点点风浪就能把它冲溃,而 KW0002 号太空球内发生的事情可不仅是一点点风浪。

假如公众知道嵌入类人大脑并不会导致自身人格的异化,假如他们知道连吉野臣这样德高望重的守旧派都成了"杂合人",假如 3.5 亿 B 型人从忠仆基恩身上触摸到潜意识的反抗,假如他们知道一个类人曾混入警局多年,而他的父亲正是类人之父……那道堤坝还能存在吗?

宇何剑鸣曾是他手下的爱将,他确实想为他争得活命,但现在他对剑鸣很不满。0002 号太空球内发生的事是极其严重的,类人仆人竟擅自为主人换脑,这比简单的谋杀更为险恶。但作为 B 系统的警官,他竟然对这种严重事态如此麻木,甚至发展到企图欺骗上司、隐瞒真相的程度,他的表现实在太糟糕了。也许真的是"非我族类,其心必异"? 现在他已不值得挽救了。

那艘飞船上的三个 B 型人都死不足惜(包括吉野臣,太遗憾了,吉先生是一个坚定的人类纯洁主义者,但依他大脑现在的物质结构,只能被划到 B 型人的范畴里)——不,对他们不能使用死亡这个词,只能说是销毁——只有吉平如仪令人惋惜,她是一个多可爱的姑娘啊,但是在眼前的情况下,无法单独让她活着回来;即使能这样安排,她会对三个人的横死缄口不言吗?

那个爆炸装置此刻正抱在如仪怀里,只要按下这个红色按钮,飞船就会在一声巨响中化为碎片,飘撒在太平洋中。那样的话,这一桩桩严重的事件还不至泄露,宇何剑鸣和吉野臣的自然人身份还能保留,人类社会的那道堤防还能维持。高局长想,我不是残忍嗜杀的恶魔,但事急从权,顾不得许多了。在激烈的思想斗争中,他拨开了红色按钮的锁定装置,右手食指缓缓地按下去。

飞艇已接近中国的渤黄海。蔚蓝的海域中,唯有黄河入海口是区域广阔的一片黄色。不过,经过一个世纪的水土整治,这片黄色比过去淡多了。极目望西,那座位于郑州的直刺青天的太空飞艇发射架隐约可见。吉野臣趴在舷窗上贪婪地看着,指点着,喏,那是崂山,那是泰山。他怅然说:"我已经十五年没有回过地球了。"

如仪趁势说:"那就在地球上多住一段时间。或者干脆回来吧,落叶归根嘛。"

爷爷笑笑,没有回答。正在这时,艇内通话器忽然响起急迫的喊声:"宇何剑鸣,宇何剑鸣,听到呼叫请立即回话! 我是齐洪德刚,有极紧急的情报!"

齐洪德刚? 正在艇首驾驶的剑鸣看着通话器,心里实在腻歪,在这么欢乐的时刻,他真不想让这家伙扫了大家的兴。这个紧缠不放的家伙,他从哪儿搞到了这艘太空艇的通话频率? 但拖着不接也不是办法,身后的三个人都在看着呢,他们的表情中已透露出惊异和不解。

剑鸣拿起通话器,谨慎地说:"德刚先生,我想……"

齐洪德刚急急打断了他的话:"总算联系上了! 宇何剑鸣,高局长已经决定炸毁你的太空艇,我是从 IP 电话中窃听到的!"

剑鸣愣了一下,为齐洪德刚的信口雌黄感到愤怒。纵然他是要为自己的恋人复仇,用这种手段也未免太无聊了。他从后视镜看看身后,三个人都震惊地看着他,尤其是爷爷和基恩,他们不知道齐洪德刚是何许人,对这个耸人听闻的消息不知道该不该相信。

剑鸣压住火气,冷峻地说:"齐洪德刚先生,我劝你不要这样……"

那边急得大吼道:"不要心存疑虑了! 你是一个类人,是你爸爸从'二号'工厂里偷出来的一个类人! 高局长要杀人灭口,快采取措施!"

仿佛铁棒击在头上,剑鸣脑子里白光一闪。类人? 他当然不是类人,他手上有绝不掺假的自然指纹,作为一个指纹辨认专家,他对此有绝对的把握。但……直觉告诉他,德刚的话语里流露出的是真情,而不是阴谋,不是仇恨。而且,在百分之一秒的时间内,他忽然想起如仪手中的提包!那个提包有猫腻!他根本来不及思考和推理,来不及考虑德刚为什么要帮他而高局长为什么要害他,他只是凭本能做出反应。他快速拉起机头,向外海返回,一边扭头喊道:"基恩,快打开安全门,把如仪怀中的提包扔下去!"

三个人都被这突然的变故震懵了。类人,剑鸣是类人?这个消息比什么炸弹爆炸更令人震惊。如仪痴痴傻傻地盯着剑鸣,没有反应。基恩的反应倒敏锐一些,他跨到安全门那儿,用力拧开它。他的伤口又挣裂了,鲜血浸红了绷带。他向如仪伸出手,急迫地喊:"快把公文包给我!"

如仪仍痴痴地盯着剑鸣,下意识地把公文包递给基恩。她对剑鸣的最后一瞥就这样凝固在了记忆中。基恩的指尖触到了公文包,就在这时,提包中忽然闪出一团白光。白光淹没了四个人的意识,然后变成深重的黑暗。

此刻,在飞艇下方1000米处,德刚驾着直升机拼命追赶飞艇,同时对着通话器大喊大叫。可惜晚了,那艘太空艇冒出一团白光,崩裂成几块,天女散花般向海面落下去。没有声音,就像是无声影片中的一个长镜头。

德刚脸色铁青,驾机向那片海域冲了下去。

资料之十二：

科学家已研究出第一种无须人工干预就能自动进化和复制的机器人,这一成果是实现人工智能的关键一步。

美国马萨诸塞州布兰代斯大学的研究人员设计了一种计算机模拟过程,使200个机器人按达尔文进化法获得进化。它们会自动去掉身上无用或笨重的部分,经过几百代的进化,筛选出三种最合适的设计,然后用一个三维打印头喷出一层层热塑性塑料,凝固后就成了新的三维机器人。整个过程中,人类唯一要做的就是为机器人装上一台小型电动马达。

在《自然》杂志的另一篇文章里,瑞士洛桑大学的研究人员称,他们已经教机器人学会了团队精神,使它们表现得像蚂蚁社会一样,走路知道避免碰撞,发现食物会通知大家。

——摘自《能自动进化和复制的机器人》(法新社2000年9月2日电)

11. 反　攻

世界通讯社 2125 年 6 月 2 日电：

　　一艘四人太空艇昨日从太空返回时发生爆炸，艇上三名乘员都落入中国的近海中，据悉已经全部遇难。他们是：著名作家、哲学家吉野臣先生。吉先生的孙女吉平如仪及其男友宇何剑鸣警官。同机的 B 型人 RB 基恩也遭意外销毁。

　　有关方面正努力打捞机身残骸和寻找死者遗体，并追查事故原因。较大可能是太空艇燃料泄漏导致爆炸。

　　上午七点半，高郭东昌局长准时来到局长办公室，这是他多年的工作习惯。秘书像往常一样已经在外间等候，她随局长到内间，问了早安，端来一杯绿茶，又把报纸放到办公桌上，载有太空艇爆炸的版面放在最上边。然后她悄悄退出去，带上房门。

　　屋内只剩下高局长和他的巨型办公桌。这是一张大得惊人的桌子，在极宽敞的办公室里，办公桌占了三分之一的面积。他平时使用的区域不及桌面的十分之一，余下的面积作一个室内溜冰场也差不多了。曾有记者以办公桌为背景拍了一张有名的照片,是从高处俯拍的:巨大的黑色桌前伏着一个相对渺小的穿制服的男人,他发亮的光脑袋低垂着,看不见面孔。这张照片曾多次在影展中获得大奖。高局长很喜欢这张照片,认为它拍得极有气势。他把照片装裱起来,挂在办公室里。很久以后,一个文艺界的朋友才告诉他,这张照片是有寓意的,可惜是贬义,它象征着"权力对人性的抹杀"。高局长暗自恼火——那个拍照片的小子太不厚道啦!记得在拍照时,为了取得俯拍的效果,记者在办公室支起了高高的梯子,折腾了很久,他还大力配合呢!不过他没舍得毁掉这张照片,只是把它从办公室摘下来,送回了家里。

　　高郭东昌局长今年五十五岁,已在特区警察局干了三十五年,从一名二级警员熬到二级警监。在这个庞大的官僚机构(这个名词不带贬义)里,他是一个极为尽职也极为称职的齿轮。每一个国家机构中都分为决策层和执行层。决策层是一些睿智的、谨慎的人,他们在决定一项国策时,总是诚惶诚恐地反复掂量,尽量考虑正面和反面的因素。比如,他们在定出"只生一个好"的计划生育国策时,也考虑到了这种急刹车式的政策所带来的副作用,诸如人口的老龄化、对独生子女的溺爱等;当他们定出"限制 B 型人"的国策时,也曾反复掂量这项政策在道德上的合法性,掂量它会不会在社会上造成不安定的隐患,等等。可以说,任何政策都是"两害相权取其轻,两利相权取其重"的结果。但一旦政策确定,到了执行层之后,这种辩证的思考就被斩断了。执行层坚定地认为,上面的政策都是完全正确的,他们要做的就是尽全力把它执行到极致,哪怕这样的极致已经超越了决策层的本意。

　　四杠两花的二级警监高郭东昌就是执行层中最典型的一员。他的一生与 B 型人政策相连,在他的心目中,对 B 型人的限制、防范乃至镇压已经成为他的宗教信仰。

　　他呷着绿茶,浏览着报上的报道。实际上,这些内容他早从太空巡逻队的报告和电子版新闻中看过了。昨天的决定是在比较仓促的情况下做出的,不过他现在并不后悔。可以说,正是他的当机立断平息了一场政治地震。

他默默端详着报上刊登的死者照片,吉野臣和 RB 基恩的照片没激起他什么感情涟漪,但宇何剑鸣和吉平如仪让他产生了内疚。宇何剑鸣,他的爱将之一,一名优秀的警官,一个讨人喜欢的小伙子。他的笑容总是开朗的。他的专业精湛,辨认假指纹的直觉没人比得上。高郭东昌接触过成千上万的类人,他们身上都有明显的 "类人味儿",一种拘谨、畏缩、黯淡等说不清的气质。他曾自负地说:"任何一个类人在他身旁十米内走过,他都能立马闻出异味儿。"但宇何剑鸣和他一块儿工作了八年,他却从没闻出什么来。

可惜,他是一个类人。

事态发展到这一步,高郭东昌觉得很遗憾,但也别无他法。他已为剑鸣尽了心——他还筹谋着为他请律师、让他法网逃生呢。局长叹息一声,把报纸推开。

他按下对讲机,让秘书通知拘留室,把何不疑带来。"不,"他改口说,"把他请过来。"他打算和何不疑做一个交易,一个于公于私都有好处的交易。少顷,办公室的门开了,女秘书谦恭地侧着身,引何不疑进来。局长起身欢迎,含笑指指桌子对面的椅子。何不疑打量了一下屋里的陈设,径自走向那把椅子坐下。

这位八十岁的老人身体很好,腰板硬朗,脊背挺得很直,步伐稳健。齐洪德刚揭发的材料上说,"二号" 前首席科学家何不疑三十年前从 "二号" 工厂里偷了一个十斗儿,方法是使用他的假肚子。局长不由得朝他的肚子多打量了两眼。没错,正如齐洪德刚所说,他现在完全没有大肚子,腹部平坦,身形如年轻人一样健美。

何不疑与局长对视,目光平静如水。他的衣着十分整洁,三天的拘留对他似乎没有一点儿影响。高郭东昌端详着他,无法抑制自己的敬畏之情。不知怎的,他的思绪忽然回到童年。童年他是在农村度过的,每天和万千生灵生活在一起：豆苗苗从泥土中钻出来，卖油郎在水面上滑行，蜻蜓停在草尖尖上，蚂蚁在地上匆匆行走。他常常逗蚂蚁玩儿，用一片叶子截住蚂蚁的去路，等它爬上叶子，再把叶子移到远处。蚂蚁爬下叶子后，会没头没脑地转两圈，然后迅速找到蚁巢的方向，又匆匆爬走了。这些小小的蚂蚁是怎么辨认方向的呢？每一个小小的生灵都有无穷的奥秘、无穷的神奇，它们似乎只能是上天创造的。可忽然间，何不疑们用一堆原子捣鼓捣鼓、摆弄摆弄，就弄出了"真正的"生命，甚至人类！

他对何不疑的情感是敬畏夹杂着敌意，他觉着这些科学家太多事！他们穷其心智造出了可以乱真的类人，使社会不得不竭力防范和限制，这是何苦呢？不过，把这些比较玄虚的思辨先抛到一边去吧，自己的责任是执行法律。何不疑触犯了法律，是他主持建造了防范类人的大堤，但他本人又在上面扒了一个大洞。他的所作所为太不负责任了。

高局长欠欠身，把报纸推向对方，"何先生，先看看这则报道吧，你在拘留室里看不到外边的消息。"

何不疑欠起身，隔着宽大的办公桌取过报纸，埋头读着。老人的双肩忽然塌了下去，无形的重压使他的背驼了，白发苍苍的头颅微微颤动。他的生命力在一瞬间被抽干了，只剩下干瘪的空壳。

不过这只是一瞬间的事，等何不疑抬起头时，他的表情已经恢复了平静，悲哀已被深深掩藏了——他不愿意自己的悲伤被凶手看到。

高局长清清嗓子，"何先生，对令郎的不幸我十分痛心……"他苦笑一声说，"算了，不必兜圈子说话了。何先生是明白人，真人面前不说假话。宇何剑鸣曾是一名好警官，是我手下一员爱将，说我和他有父子之情也不为过。即使他的 B 型人身份被揭穿后，我仍在努力为他寻一条活路，寻找一条法网逃生之路。这些情况我不想多讲，你也许相信，也许不相信，这都无所谓。不过，事态的发展不是某个人能控制的。现在，宇何剑鸣死了，我想，对于死人就不必苛求了吧。如果他的死亡能使他保持自然人身份，我认为不失为一个比较圆满的结局。这件事如果能捂住，有关方面也不打算追究你的责任。何先生,你是受人尊重的大科学家,是社会精英中的精英,但你三十年前的举动实在太轻率了!"

对高局长的指责,何不疑回以冰冷的目光——冰层下埋着多少悲怆!他知道自己失败了。为了儿子的安全,他曾详细研究过所有相关的法律条文,他确信即使儿子的身份被人揭穿,法律对于这位"处于'二号'之外、具有自然指纹"的类人也无可奈何。但他没想到,高郭东昌以最简单的办法摧毁了他精心构筑的塔楼——他采用了貌视法律的谋杀!何不疑知道,自己如果起诉这位滥用职权的局长,可以稳操胜券,因为至少在他实施谋杀时,剑鸣并没有被剥夺自然人身份,何况被迫殉葬的还有两名自然人!他的草菅人命必将受到法律的严惩——但这一切有什么用?不管怎样,剑鸣死了,如仪死了,吉先生和基恩都死了,他们永远不能复生了。

何不疑简单地说:"是你杀了他们。"

高局长没有正面回答,但也没有否认,"我言尽于此。何先生,你有什么意见?如果你对宇何剑鸣警官的死亡不表示疑义,今天你就可以回家了。"

何不疑冷冷地说:"请放心,我不会对宇何剑鸣的死提出疑义,不会去起诉你的滥用职权罪。安心做你的局长吧。"

高局长点点头,"请何先生回家吧,何夫人正在门口等你。我让秘书替我送送何先生,请。"

宇白冰驾着一辆旧富康车在门口守候,女秘书扶何先生上车,递过装有随身衣物的小包。看见丈夫,宇白冰的泪水夺眶而出,但何不疑似乎没看见。

他同女秘书亲切地道了再见,关上车门说:"走吧。"等车开出街口,他才简短地说,"不要哭,至少不要当着他们的面哭。"

三天没见,妻子似乎老了十岁,她的目光黯淡,有化不去的悲伤浮在瞳孔里。默默地开了一会儿车,她声音沙哑地问:"是意外还是谋杀?"

"当然是谋杀。"

她的泪水再次涌出,她擦擦泪水,不再说话,默默地开着车。

看着何不疑衰老的身影走出去,高局长以手扶额,沉重地叹息一声。他保持着这个姿势直到秘书回来,声音沙哑地问:"走了?"

"走了。"

"这一关总算过去了。"他抬头看看女秘书,从上班到现在,她的情绪一直比较灰暗,"你还有什么话?"

女秘书说:"局长,怎么偏偏宇何剑鸣是个 B 型人呢?"

局长苦笑着,"是啊,怎么他偏偏是个 B 型人呢?"剑鸣为人随和开朗,在同事中很有人缘。过去,由于职责的关系,"类人"这个名词在警方词汇中总带着贬义,带着异味儿,这在警察局是一种"共识"。不过,高局长忧心忡忡地想,出了个宇何剑鸣,已给这种氛围带来了裂隙。他挥挥手说:"不说他了,上午还有什么安排?"

女秘书也恢复了公事公办的语调:"鲁段吉军和陈胡明明都想见见你,都是私人事务。"

"什么事?"

"不知道,他们要和你面谈。"

"让老鲁先进来吧。"

鲁段吉军小心地推门进来,今天他新理了发,衣着整齐,眉目深处有一抹苍凉,不像往常那大大咧咧的样子。他端端正正地坐在桌子对面,双手递过来一份文件。局长扫了一眼,见题头是"辞职报告",便不快地说:"咋了?我记得你才 56 岁,为啥要提前退休?局里对不住你了?"

鲁段吉军苦笑着,沉重地说:"我辞职纯属个人原因。局长,办完司马林达的案子,我真觉得自己老了,落后了,不能适应这个世界了。我就像是小孩子进戏院,听着锣鼓家什敲得蛮热闹,可深一层的情节根本理解不了。局长,我不是个轻易服输的人,平时蛮自信的,这回是真服输了。算了,别让我再丢人了,好歹我也曾是局里一名业务骨干,也曾干出一点成绩。我想及早抽身,不要弄得晚节不保。局长,你就体谅体谅我的心情,签上同意吧。"

高郭东昌看着他,他的苦恼是真诚的。老鲁文化水平不高,是靠自己的努力才熬到这个位置。也许当时不该派他去负责这桩"水太深"的案子? 可是当时谁知道呢,谁能料到一个研究员的自杀能牵涉什么"电脑上帝"?

局长把辞职报告放到抽屉里,语调沉重地说:"好,报告放这儿,研究研究再说吧。其实,我也该上交退休报告了,也觉得这个世界难以应付了。等会儿我把你的报告抄一份,一块儿呈上去。"

鲁段吉军没有响应他的笑话,认真地说:"局长,我可是当真的,你别糊弄我。"他站起来,却没有立刻就走,"局长,宇何剑鸣……怎么会是个类人呢?"

高局长摇摇头,没有回话。宇何剑鸣的真正死因已是公开的秘密,不过大伙儿心照不宣罢了。大家对局长的无情处置没有什么微词,对一个有不良倾向的类人,这是应采取的惩罚。不过,拿类人宇何剑鸣和宇何剑鸣警官相比,两者反差未免过于强烈。

老鲁走了,陈胡明明低着头进来,神情黯然地递过来一份报告。局长气恼地说:"又是辞职报告! 你和鲁段吉军商量好来的?"

明明摇摇头,"我不知道老鲁要辞职。我辞职是自己决定的,与旁人无关。"

她已经知道了剑鸣之死的真相。以她素来对剑鸣的情义,她该对凶手恨之入骨,该设法复仇,但她没有。她曾爱恋过的男人是一个 B 型人,这个基本事实使一切都变了样。警局 B 系统是"夷夏之防"思想最为浓厚的地方,只要想起自己曾爱过一个人造生命,一个从生产线上下来的工件,就有羞辱愧恨来啃咬她的心——虽然她不能忘记那个笑容开朗的男人。

她不会为一个 B 型人复仇,不会找高局长的麻烦。她只是想躲一躲,想避开这个伤心之地。高局长久久地看着她,她感觉到了局长的注视,低着头一声不响。最后,局长痛快地签了字,"明明,我理解你的心情,不再留你了。请你谅解,有些决定并不是出自我的本意。"

明明低声说:"我知道,我不怪你。"

"真舍不得让你走,不过——尊重你的意愿吧。"

明明走了,高局长怅然地望着在她身后关上的房门。明明的辞职是一种温和的抗议,这他完全清楚。更有许多人对他恨之入骨,像何不疑夫妇,不过他没办法。在社会中,总有那么几种不讨人喜欢的、但却离不了的工作,比如他的职业。总得有人干下去。

他揉揉额头,赶走这些杂念。太空艇爆炸案还没结束呢。在附近海域的打捞过程中发现了三具残缺的肢体,但没有宇何剑鸣的。他是死是活?另外,警方截收到齐洪德刚在爆炸前同飞艇的通话。正是这家伙向警方揭露了宇何剑鸣的真实身份,可是仅仅两天之后,又是他向宇何剑鸣通风报信! 这人究竟扮演的是什么角色? 飞艇爆炸时,齐洪德刚的直升机正好在飞艇的下方。此后他的直升机在 100 公里外找到了,但德刚本人却杳无踪影。

对他的去向应该严密监视。他按了电铃,让秘书把史刘铁兵警官唤来。

此时是 10 月的上午,天气干冷,头顶是无云的蓝天。金黄色的梧桐叶铺满了马路,随着秋风打转。宇白冰驾车向西驶出了南阳,高楼渐渐稀疏了,路上是鳞次栉比的饭店、商店和气势雄伟的高架广告。公路经过一个村子,一只鸭妈妈率领着一群鸭仔,旁若无人地穿过马路,对喇叭声不理不睬。十几个孩子在路边玩耍,跳绳、跳皮筋、推铁圈——这些古老的游戏似乎比法律的生命力还要长久。跳绳的那个男孩已经浑身是汗,脚步却还没显出疲态,两个女孩用清脆的童音数着:三百零四,三百零五,三百零六……宇白冰不由得放慢车速,对跳绳的男孩多看了两眼。剑鸣从小就酷爱跳绳,可以轻松地连跳三四十个"双摇"(跳一次摇两次绳),甚至能跳出三摇。放学后,父子两个常常比赛跳绳。想到这里,她又抹了抹泪水。

随后汽车上了宁西高速,车上的两人都不说话,宇白冰忙于驾驶150公里时速的汽车,何不疑则闭目靠在椅背上,眉峰紧蹙,嘴唇轻轻颤动着。高速公路上车辆川流不息,一辆辆高级轿车鸣着喇叭超过他们,然后转入快车道,熄了超车灯。一辆敞篷车超过他们,车上那一伙儿青年似乎是到哪儿旅游的,亢奋地笑着,把笑声洒向身后。隔离网外边,几头南阳黄牛用漠然的眼神注视着来往车辆,绿色的田野迅速向后滑去。剑鸣死了,他们的天地已经崩塌了,但外边的世界依然如故。

他们在商南下了高速,这是个比较大的站口,休息区内停了二十多辆车,从牌照看有陕西的、宁夏的,还有新疆的。餐厅里熙熙攘攘。给汽车加好油后,何不疑交代妻子,不要在这儿耽误时间,买两份盒饭就行了。宇白冰去买了两盒快餐,回来时又是眼睛通红。何不疑悟到,她又想起儿子了。13(一个不吉利的数字)年前,他们送剑鸣上大学时在这儿停留过,之后几次接剑鸣回家,也都在这儿吃饭。不久前,他们还打算在这儿接剑鸣和如仪回家度蜜月呢,如今却已物是人非。何不疑没有多劝慰,简单地说了声:"吃吧,吃完饭我开车。"

饭后,汽车一路向西北开去。下了高速,又在山路上颠簸了两个小时。天色渐渐暗下来,山路两边的灯光渐渐稀疏。一轮明月从山坳里升上来。巨大的孤树立在山腰间,像是黑色的剪影。汽车驶过村前的漫水桥,清澈的山泉哗哗地流过去,在卧牛石旁形成旋涡。到家时天已黑了,孤零零的院落嵌在山坳里,月光安详地照着篱墙和瓦房,照着院里的石榴树和花椒树。雪白的汽车灯光刺破院里的黑暗,圈中的畜禽马上骚动起来。

宇白冰说:"你先进屋休息,我去看看畜圈,一天没喂它们了。"

"我来帮你。"

"不用,你先休息吧。喂完我给你弄晚饭。"

猪羊起劲地哼哼咩咩叫着,昨天留的饲料已经吃完。鸡窝里也起了小小的骚动,但夜色已重,它们都畏缩在鸡笼里不敢出来。宇白冰拌了一盆猪饲料,又往羊圈里塞了几把青草。猪羊埋头吃着,圈里安静了。

看着贪吃的猪羊,宇白冰总觉得还有一个小小的身影,那是蹒跚学步的鸣儿,是满地乱跑的鸣儿。喂食时,鸣儿总是跑在前边,孩子气地宣布:"妈妈来给你们喂食了,不要抢,够你们吃的。"那时有一只白色的种公鸡,个头快和鸣儿差不多了。它生性好斗,看见圈外有个人影就隔着篱墙追啄,即使是主人喂食,它也常凶狠地盯着你。只有鸣儿能和它相处甚洽,甚至它还容许鸣儿去摸它的鸡冠。后来鸣儿长大了,就把喂畜禽的工作替妈妈担起来,每天上学前快手快脚地把活干完,这样一直到他离家去上高中。

剑鸣从小就是个好孩子。他们在决定来山中隐居时虽然颇有积蓄,但30年的花销实在是一个巨大的数字。所以,他们在山中的日子是相当清苦的。那时,剑鸣灿烂的笑容为这座庭院增添了不少生气。宇白冰站在畜圈里盯着远方,越过夜空,越过时间,她又看到了30年前的一幕。

与何不疑结婚后,丈夫宣布了一个决定,他不打算要自己的孩子,而要从"二号"工厂里偷出一个具有自然指纹的类人婴儿,在人类家庭里养大,赋予他自然人的身份。

他目光炯炯地说:"这是很有意义的事。可以说,我们是在撰写新的'创世纪'。"

宇白冰原先不乐意。哪个女人不想要一个亲生儿女?但丈夫的影响力太强大,最终她同意了,并成了丈夫忠实的同谋。丈夫精心制造了一个肚套套在身上,逐渐往里面塞着填充物,伪装成大腹便便的样子。这个过程一直持续了四年。四年哪,还要每天经过"二号"工厂的淋浴通道,实在不是一件易事。丈夫对这件事极为执著,为了万无一失,他甚至利用休假期间去开封学习魔术。三年后,宇白冰也如法炮制,在邻居眼中伪装怀孕。计划有条不紊地实施着,终于,那一天来了。

那天,丈夫早早离家上班,去实施他的"盗火"计划(他非常郑重地起了这个名字)。宇白冰在家提心吊胆地守候着。中午12点,她按照约定给丈夫打了个电话,听见丈夫在那边大声对旁边说:

"祝贺我吧,我太太刚生了一个男孩!"

这是暗语,她知道丈夫的计划已经圆满成功了。她忙取下自己肚子上的填充物,焦急地等待"儿子"回家。20分钟后,丈夫的飞碟降落在院子里,大腹便便的丈夫匆匆跳下飞碟,直奔屋内,低声说:"快!快!"

宇白冰急忙帮丈夫剪开肚套,取出假死的婴儿。婴儿的呼吸此刻是停止的,他们担心在肚套内待了近一个小时,会使他真正窒息。针液从股静脉注射进去,一分钟,两分钟,屋里静得瘆人,细汗从两人额头沁出来。终于,婴儿有了第一个轻微的动作,脸色慢慢转为红润,生命之光在他脸上漾过。那时,宇白冰真正体会到了生命的奇妙。一个冰凉的、僵死的婴儿,表情死板僵硬,如一尊雕刻粗糙的石像。但当生命之光漫过他的全身时,他响亮地哭了一声,浑身立即被注入了灵性。他身上的一切:闭着的双眼、小脸蛋、小耳垂、小胳膊小腿、胯下的小鸡鸡,都变得那么惹人爱怜。她把婴儿抱在怀里,心中洋溢着母亲的大爱。丈夫呢,这时浑身乏力,坐在椅子上喘息着。

当天,夫妇两人就带着孩子遁入深山。因为这个婴儿已经相当于4个月的普通人类婴儿了,他们怕邻居看出破绽。然后是30年彻底的隐居,住在一座远离人群的独院中。邻近的山民们都不知道何不疑的真正身份。30年中,鸣儿几乎是他们生活中唯一的内容。鸣儿在他们的眼皮底下慢慢长大。那时类人已经司空见惯,但当儿子慢慢长大时,宇白冰总也摆脱不了隐隐的恐惧。儿子的DNA是用物理方法堆砌的,他真的具有人的生命力吗?他的发育会不会在某一天忽然中止或忽然失控?会不会长出一条尾巴或两只角?鸣儿不知道他们的疑虑,鸣儿在快快活活地成长。

他长出奶牙,奶牙脱落,换上整齐的新牙。他的身体逐渐长高,声音变粗,喉结突出,唇边长出茸茸的胡须,小腹长出稀疏的阴毛。他有了第一次遗精——她记得,夫妻俩曾为此私下里祝贺。儿子的一切都等同于正常人。他交女友晚了一些,父母曾为此暗暗担心,因为社会上的 B 型人多是性冷淡者。当然,这主要是社会心理的作用而不是因为身体构造有问题。那么,完全处于自然人生活环境的剑鸣会不会具有正常的性能力呢? 终于,连最后的担心也释怀了——他爱上了一个可爱的姑娘,两人已同居两年,经过侧面了解,他们的性生活非常美满。

她对丈夫创造的技术十分佩服,一个人的成长包含了多少信息? 各个器官的形状、各种激素的分泌、各种新陈代谢过程、特定的性格……这一切都要囊括于 DNA 这部无字天书中,小小的 DNA 中怎么能容纳这么多信息呢? 单单是人的指纹形成过程,如果用一条条指令详细描述下来,恐怕也得一本厚厚的书吧。

但不管怎样,丈夫和他的同事们成功了。人造的宇何剑鸣已经成人,马上就要结婚了,他们一定能生出可爱的小宝宝。他完全具备自然人的感情,肯定会与父母和恋人相爱终生。可是忽然之间一切都乱套了,倾覆了。剑鸣的类人身份被揭穿,接着惨遭横死。老年丧子,白发人送黑发人啊。

她只顾沉浸于伤感,忘了时间。厨房里发出的响声把她惊醒。她急忙离开畜圈回去。丈夫已把晚饭做好,端到餐桌上,是简单的葱花挂面——这已经很难得了,婚后 30 年里丈夫是从不下厨房的。

何不疑柔声说:"洗洗手,快吃饭吧。"

宇白冰端起饭碗,泪花又涌了出来,落到饭碗里。何不疑没有说话,默默把饭吃完。两人到底是上了年纪,跑了一天路,浑身酸痛,早早就睡了。

临睡时宇白冰问:"剑鸣的丧事什么时候办?"

"等等吧,警方打捞到尸骸后会通知咱们的。"

两人在床上辗转反侧,久久不能入睡。后来宇白冰蒙蒙眬眬睡着了,但睡梦里也不安稳。剑鸣的身影,幼年时的、童年时的、青年时的,频繁地进入梦中。后来她做了一个比较连贯的梦,剑鸣浑身血迹地走来,看着她,微微责备道:"妈妈,原来我是 B 型人?你为什么不告诉我呢?"宇白冰啜泣着说:"我们没告诉你,是因为想让你有个快乐的人生。"剑鸣摇摇头说:"你错了,妈妈。每个人都有权知道自己的一切,太遗憾了,你们没有在我死之前告诉我。"然后他的身体开始虚化,开始消逝,妈妈哭着去拉他……

宇白冰从梦中醒来,满脸是泪。月亮已经落山,正是黎明前最黑暗的时候。室内凉气弥漫,胳膊上凉沁沁的。她摸摸丈夫,丈夫不在。他到哪儿去了?她披上衣服在各屋寻找,在书房里找到了丈夫,他正一动不动地站在窗前,浑如一尊千年石像。宇白冰摸索着打开灯,丈夫扭过身。她立时有一个强烈的感觉,丈夫变了,30 年退休生活所养成的安逸懒散一扫而光,他眉峰紧蹙,目光炯炯,表情沉毅。宇白冰的心吊起来,预感到有什么事发生了。

果然,丈夫走过来,揽住她的肩膀,缓慢地说:"白冰,鸣儿的死解除了我的自我约束,现在,我要干点事了。"

"你……"

"你知道我对类人的态度。我历来认为,人造生命和自然生命有同等的权利,不过,我一直把握着做事的分寸,我想让类人遵循一个渐进过程来融入社会。不过现在,我看到那些卫道士走火入魔到了何种程度!我不能再旁观了,我要干点事了。"

宇白冰担心地说:"你要干什么?那是触犯法律的。"

"法律?"何不疑轻蔑地笑笑,做了个含意莫名的手势。

从这天起,何不疑每天都钻在书房里,或翻看大部头的书籍,或在电脑键盘上忙活着。他是要捡起当年的知识和技能。虽然他曾是超一流的科学家,是一个智力超凡的天才,但毕竟丢失了 30 年,而且他已是 80 岁的老人了。

在温习两个星期后，他的自信慢慢回来了。丢失 30 年的知识并没忘记，它们都深深地镌刻在大脑皮层上，只是蒙了一层灰尘。现在只需把灰尘拂去就行了。而且何不疑自豪地发现，他的脑力还十分敏捷，虽然比不上 30 年前了，但至少可以应付他现在打算做的工作。

他开始了紧张的筹划。筹划什么——妻子不知道。只见他从电脑中调出极为繁复的程序，认真修改着。他的工作十分狂热，从来想不起吃饭睡觉，宇白冰只好跟在身后催促。

两个星期后，警方还未通知尸骸是否找到。有时宇白冰想，也许儿子还没死？何不疑不忍心粉碎她的幻想，但还是硬着心肠说："不要抱什么幻想了。白冰，那不是事故，是一枚威力强大的遥控炸弹。"

她的身体明显抖了一下，默默回到厨房。她没有哭，她的泪水早已流干了。

夜里，丈夫照旧在书房里忙碌，他没有开灯，只有电脑屏幕荧荧的微光从门缝里射出来。宇白冰睡不着，拿一本小说打发时间，不过她的目光常常无法聚焦到铅字上。鸣儿呢？这会儿他躺在冰冷的海底吗？不知怎的，她想起了一篇西方小说《猴爪》：老两口得到了一只邪恶的猴爪，它可以满足主人的三个愿望。第一个愿望满足了，他们得到了 100 英镑——但儿子突遭横死，这笔钱原来是儿子的抚恤金。悲痛的老妇人说出第二个愿望，儿子真的从坟墓中回来了。老头子惊慌地说出第三个愿望，赶紧让可怕的幽灵回到坟墓中去。宇白冰想，如果她有这么一只猴爪，第一个愿望就是让儿子从坟墓中回来，哪怕他的面相再恐怖。

有人在轻轻敲窗户，笃，笃笃，笃，笃笃。宇白冰想可能是听错了，竖起了耳朵。少顷，敲窗声又响起来，残月的冷光勾出一个模模糊糊的身影，又传来低微的喊声：

"爸，妈，是我，快开门！"

是剑鸣的声音！因为刚才的冥想，宇白冰在刹那中想到，一定是儿子的幽灵从坟墓中回来了。不过她没有丝毫犹豫，立即赤足下床，拉开了屋门。一道黑影闪进屋，她看到了一张丑陋狰狞的面孔！宇白冰惊叫一声，但那人揽住她的肩膀，柔声说："别怕，是我，我受伤了。"

她从身影、动作和声音中认出是儿子，但儿子俊美的面庞已被毁坏了，两道长长的豁口横贯面部。伤口刚刚结了疤，已拆线的针眼还依稀可辨。眼睑翻卷着，使他的面孔看起来很恐怖。她轻轻地抚摸着这些伤疤，心房震颤着。她擦擦泪说："你没死，我太高兴了！如仪呢？如仪爷爷呢？他们是不是逃过了这一难？"

剑鸣转过目光，"他们没有。当时，装有炸弹的公文包就在如仪怀里。听说警方已捞出了他们三人的残骸。"

宇白冰泪水盈眶，转移了话题："你活着，这太好了……快去告诉你爸，他在书房里工作呢。"这时她才看见后边还有一个人，"这是谁？"

"齐洪德刚，是他救了我，当时他的直升机正好赶到飞艇坠落的海域。"

宇白冰已认出他了，"请进，快请进。谢谢你救了剑鸣。"

齐洪德刚尴尬地摇摇头。是他救了剑鸣，但也是他的告密害了剑鸣；不过首先是剑鸣的警察职责害了雅君……恩恩怨怨，扯不清道不明。他含意不明地咕哝一句，跟着剑鸣走进来，随手关上房门，又趴在门上听听外面。

何不疑听到了书房外的动静，这时已站在书房门口望着这边。宇何剑鸣快步向他走去，不过父子间没有像母子之间那样拥抱和哭泣。剑鸣在距他两步处站定，四只眼睛冷静地对视着。良久，何不疑说："进书房吧，咱俩谈谈。老伴你替我招待德刚。"

德刚知道父子俩有很多话要说，立即说："对，宇妈妈快点，我已经饿坏了！"他拉着剑鸣妈进了厨房，剑鸣则跟着爸爸进了书房。两人在沙发上相对而坐，默默地凝视着对方，目光十分复杂。它包含了30年的亲情，包含了自然人和 B 型人的恩恩怨怨，包含了生命诞生 40 亿年的沧桑。何不疑看着儿子伤痕纵横的脸，心中充满怜惜，但他把儿女之情藏在了凝重的表情之下。

剑鸣轻轻喊一声："爸爸。"

何不疑嗯了一声，心中十分感动。剑鸣喊爸爸已喊了近 30 年，但今天的这声称呼有完全不同的意义。他问："你肯定已经知道了自己的全部身世？"

剑鸣点点头，回想起飞艇爆炸前齐洪德刚的那声当头棒喝：你是类人！是你爸爸从"二号"工厂里偷出来的类人！后来他丧失了知觉。他在昏迷中挣扎着，黑暗的意识中出现了一丝亮光，但那时他迟迟不敢走进亮光。因为他隐隐觉得，一旦恢复清醒，有一个可怕的事实在等着他，这个事实并不比死亡轻松……

他说："嗯，知道了，大部分是德刚告诉我的，少部分是我几天来在网络中查到的。"他苦笑着，"我当了 8 年警察，查了多少疑犯的履历，却忘了先查一查自己的来历。爸爸，谢谢你，谢谢你把我从'二号'偷出来，给了我 30 年的父母之爱，使我建立了一个完整的自我。否则，我很可能会像其他 B 型人一样浑浑噩噩地活着。"他真诚地说。

何不疑简短地说："谢什么？我是你的父亲。"

宇何剑鸣点点头，心中十分感动。何不疑当然是自己的父亲，但今天这句话又有其特殊的含意。

何不疑说："社会对你是不公平的，你准备怎么办？我看出你在躲避警察，其实没必要。我谙熟有关 B 型人的法律，一个走出'二号'的具有自然指纹的类人，在法律上只能当做自然人看待。我能为你争得这个身份。"

"不。"剑鸣摇摇头，冷淡地说，"我对这个身份没一点儿兴趣，这会儿我最没兴趣的就是什么自然人身份了。这些天我想了很多，这一生中，由于职业原因，我伤害了不少 B 型人同胞，我想做点事赎罪。"他看看父亲，解释道，"我想爸爸不会为我担心。你了解我，我不会向人类复仇，不会在两个族群中挑起血腥的仇杀。我只是想抹去两个族群之间的界线，使他们能和睦相处，融为一体。"

何不疑点点头，"这是项艰巨的工作，不是仅凭一己之力能完成的。"

"爸爸你说得对，这不是仅凭一己之力能完成的，也不是在短时间内能完成的。不过，我们可以利用现代科技呀。既然科技在短短几十年内创造了类人，完成了上帝40亿年才完成的工作，我想科技也能帮我们在几年内完成对 B 型人的解放。"

"你有什么具体想法？"

"我想利用'二号'工厂。爸爸，30 年前你更改了'二号'的生产程序，生产出一个具有自然指纹的宇何剑鸣；我希望 30 年后能再度更改程序，生产出 1000 个、10000 个具有自然指纹的类人。等把他们都推向社会，估计那道人类和类人之间的堤坝也该垮了，因为它本来就是用浮沙垒起来的。"

剑鸣不无担心地看着爸爸。他了解父亲的宽阔胸怀，早在 30 年前，他就敢于向社会挑战，偷出一个类人婴儿在家中养大，他对类人的仁爱之心是不容置疑的。但父亲毕竟是自然人类的一分子，能做到他设想的这一步吗？没想到父亲干脆地说："好，这正是我想干的事情！我已为它做了两个星期的准备。"他看透了儿子的担心，慈祥地说，"你不必担心我有什么'夷夏之防'的思想，那些东西我早在 30 年前就抛弃啦。世界上所有生命都来自于物质，或直接，或间接，它们之间没有什么高贵和卑贱之分。所有生命，"他强调着，"甚至包括电脑生命。电脑智力的发展已到了临界点，如果在一二十年内电脑发展出自我意识，学会自我复制，一句话，进化出智能生命，我是不会惊奇的。"

剑鸣突然想起在鲁段吉军负责的案子中，那位自杀的副研究员也有类似的提法，不禁惊奇地看着父亲。

何不疑说："现在人类对类人的歧视，不过是人类自恋症的临床表现。

这种自恋症太顽固啦,但它已经遭受过三次大的打击。第一次是哥白尼发现,人类居住的地球并不是宇宙的中心,而只是宇宙中的一粒尘埃;第二次是达尔文发现,万物之灵的人类是猴子的后代;第三次是我和同事们用非生命物质组装出了真正的人。第三次打击是最致命的,现在的种种喧嚣只不过是这种自恋症患者在临死前的回光返照。它的寿命是不会长久的。"他解释道,"我之所以没采取行动,是因为不想过于超越时代。社会的觉悟是慢慢改变的,过于剧烈的变革也有副作用。不过,对高郭东昌这类'人类纯洁卫道士',我已经忍无可忍了。"

剑鸣欣喜地说:"你同意我们的计划?"

何不疑简短地说:"同意。你和德刚先吃饭吧,吃完饭再谈。"

何不疑夫妇并肩坐着,欣赏着两个年轻男人狼吞虎咽的吃相。宇白冰的喜悦几乎不能自抑,她轻声对丈夫说:"我怎么像做梦似的,咱们失去的儿子真的又回来啦?"

何不疑拍拍她的手背,"是真的,不是做梦。剑鸣没死,剑鸣又回来啦!"

剑鸣说:"炸弹爆炸时我在太空艇前部,逃过一劫,是如仪用身体为我挡住了炸弹。"他的目光黯淡下去,咬紧牙关,眼前闪现出如仪血肉横飞的惨景,"另外,那时我已接到德刚的通知,让基恩打开了安全门,我想这也减弱了爆炸的威力。"

宇白冰感激地看看德刚。德刚的脸色变得阴沉,他是想到了被气化的 RB 雅君。宇白冰忙用闲话岔了过去。

吃完饭,何不疑把两人叫到书房,"开始吧,咱们把那个计划好好合计一下。改变'二号'工厂的程序不是难事,我已经做过一次。难的是如何把修改指令送进去。'二号'的安全防护相当严密,内层的电脑局域网同外界严格隔绝,另有一个外层网络专门用于同外界联系。"他解释道,"你们知道,所有保密部门都分别划归于内外层计算机网络,但由于内外层之间必然有大量信息需要传递,所以内外层之间的联系不可能断开。为了安全,大都在内外层之间设置了一条'一错即断'式的单通道,外来者只要发生一次登录错误,通道立即就会断开,必须人力才能恢复。但在'二号',连这种'一错即断'式的单通道也没有,内外层之间的信息传递完全依靠人工进行。所以,尽管你俩都是电脑高手,也不要打算从外部闯进'二号'。必须有人进入'二号',才能办成这件事。"

剑鸣同德刚相视一笑,"这些情况我们已大致了解,不过不要紧,世界上没有绝对安全的防范。只要进入外层网络就能干很多事了。"

德刚补充道:"我们已经进入过'二号'的外层网络,获得了不少情报,也想出了一个进入'二号'的办法。"

他介绍了两人商量的办法,何不疑认真考虑后觉得还是可行的,又为他们补充了一些细节,然后说:"不过,不知你们是否考虑到,这次的任务要比30年前艰巨得多。你们不仅要制造出具有自然指纹的婴儿,还要瞒过检查系统把他们送出'二号'。否则只是制造出一批待销毁的工件,又有什么意义呢?"

两人点点头,"我们知道,唯有这一点还没想出办法。"

"'二号'的检验分电脑和人工检验两道关口。尤其是人工检验这一关,不可能通过某种指令去改变它。'二号'早就认识到,从某种程度上说,最低效的人工检验实际是最安全的,所以,'二号'一直坚持把人工检验放到最后一关,而这一关很难攻破。"

剑鸣和德刚面有难色,但他们仍重复道:"没有绝对牢固的防范,慢慢想办法吧,总会有办法的。"

从进入电脑网络的那一瞬间,司马林达就有了天目天耳,可以进行天视天听。人类在几百万年的艰难跋涉和探索中获得的知识,他在一瞬间就全知全晓了。这里包含有相对论、弦论(大统一理论),以及他毕生钻研的整体论和超智力理论等。当然,这些都是十分简单的低层次知识。他怜悯地想，人类中那些才华超绝的天才，以毕生精力研究出来的成果，原来是如此简单、如此粗糙的玩意儿啊！

在电脑网络中，他享受到了完全的思维自由。这儿的思维以光速进行，不再受制于每秒百米的神经脉冲传播速度；这儿的信息是完全畅通、完全透明的，不再分割成一个个人形牢笼；这儿的思维是绝对高效的，不再受疲劳、睡眠、饥饿、性欲、死亡、沮丧等诸多因素的干扰。他进入的电脑网络共有近 200 亿个单元，大致相当于人脑中神经元的数目；但单元的起点则不可同日而语。人脑中的神经元十分简单，只能根据外来的刺激产生一个冲动；而电脑网络中的单元是功能十分强大的电脑，每台电脑的功能已经接近于人脑了，200 亿台电脑的复杂缔合能达到什么高度就可想而知了。

立足于超智力的本域，他十分怜悯人类，又十分佩服——这两种感情毫不矛盾。想想吧，人类以他们可怜的、低效的、空间和时间上都不连续的低等智力，竟然达到了相当辉煌的高度，甚至在某种程度上认识了人类自身。这种认知大致分为两个阶段，两个阶段组成一个循环。首先在猿人的懵懂意识中产生了智慧的灵光，有了"我识"，认识到自身是超越物质世界的，具有物质世界所没有的精神或灵魂；然后，科学的发展又逐渐抛弃了生命力、活力、灵魂这类东西，认识到人类的智力和精神完全建基于物质结构的复杂缔合模式上。超越然后回归，这是认识上的两次飞跃，两次飞跃后回到了起点，但又高于起点。

可怜又可敬的人类啊。

司马林达遨游于超智力的本域，又不能忘情于他的前世。按说，从他进入网络的那一瞬间，他的思维就会在顷刻间弥散，融入其中，就像是一滴水珠融入大海，一束星光融入月光。但他却保持了一个"思维包"的相对独立，保留着那个叫司马林达的低等智力体的爱憎。他知道这种表面张力是不会持久的，但他尽量保持着。

480 个小时前，他果断地抛弃了自己的皮囊，跳出那个人形牢笼，进入连续的思维场。但一旦抛却，就不免有所留恋。在这个思维的天国里，毕竟还缺少一些东西——这儿没有母亲遥远的呷唔声，没有草叶上的露珠和西天的彩霞，没有秋风拂面时那种苍凉的感觉，没有自己第一次同乔乔赤身相拥时的战栗……这些感觉如今已经数字化了，以 0、1 数字串的形式被精确地记录下来，储存在思维的天国中，但这又毕竟不是 "那种" 感觉了。

他叹息着——以数字化的形式叹息着，沿着思维天国密密麻麻的管道，窥视着外面的世界。

资料之十三：

日本研究人员在 2002 年 1 月 24 日宣布，他们在全世界首次成功地把菠菜基因植入猪的体内，从而把肉和蔬菜在活着的家畜身上而不是在菜盘子里结合起来。近畿大学发展生物学教授入谷秋良说："这是植物基因首次在活着的动物体内、而不是在培养皿内发生作用。"

试验中使用的是 FAD2 基因，它能把饱和脂肪酸转化成不饱和脂肪酸，以生成更加健康的猪肉。据测定，经过基因改造的猪，体内有 20% 的饱和脂肪酸被转化。

入谷说，研究人员把这种基因移植到受精的猪胚胎，然后植入普通猪的子宫中。猪仔成活率只有 1%。基因改造猪和普通猪杂交后有 50% 的几率生出基因改造猪仔，而基因改造猪之间的交配可以确保所有下一代都携带菠菜基因。

——日本共同社 2002 年 1 月 25 日电

12. 访问"二号"

　　清晨,炳素老人身穿白色的练功服,漫步出了他的别墅,来到银灰色的海滩上。海水洁净透明,棕榈树和椰子树碧绿欲滴,几片白色的船帆在远处飘荡。炳素是一名标准的世界公民,做过两任联合国秘书长,一生有大半时间住在国外。不过退休后,他还是把家安到了故乡——泰国的珊瑚岛。故国之思是很难割断的,他在国外时就常常思念原汁原味的泰国辣味木瓜沙律、脆米粉和酸肉。

　　炳素今年85岁,身体还不错。他认真打完一套陈氏太极拳,虽然动作还相当生疏,但也算打得有板有眼。30年前,他在做联合国秘书长时,曾见过一些华裔美国人打太极拳,那时,他就喜欢上了这种轻舒漫卷的体育活动。不过那时太忙,一直没有抽出时间学。退休后回到泰国,他把这件事给忘了。不久前,清迈市邀请他观看了一场中国武术和泰拳的对抗赛。这次比赛修改了规则,允许泰拳使用膝肘关节(这是泰拳中最凶狠的招数,常常伤人致残),所以中国武师打得相当艰苦。但其中一名太极拳师以他轻灵曼妙的动作化解了泰拳的凶猛招数,在比赛中保持不败。这场比赛之后,炳素又拾起对太极拳的爱好,并付诸行动。

　　一套拳打完,身后有人轻声喝彩:"好! 你已经打出太极拳的味道了。"秘书陈于见华笑着把毛巾递给他。

炳素擦擦额上的汗,自得地说:"我是个很用功的学生,对不?"

"对,还是个很有天分的学生。"

陈于见华是他的秘书兼武术教练,是他特意从中国聘来的,到这儿才三个多月。小伙子身材高挑,肩宽腰细,工作很勤勉。他对炳素又做了一次示范,讲解道:"你已经打得很不错了,不过还是要注意动作与呼吸的互相配合。呼吸要深匀自然,动作要中正安舒。尤其要注意动作的衔接,劲断意不断,意断势相连。把握住这两条,就算入了太极的门。"

然后,他按惯例汇报当天的日程安排,"今天第一件事是接待一位中国客人,是'二号'工厂的。昨天已经约好,上午八点半来。"

炳素看看秘书,简短地问:"他的来意?"

"他在电话中没有讲,说来这儿面谈。"

炳素点点头,随秘书回去吃早饭。去"二号"参观的由头是无意中提起的。一个月前,炳素同秘书偶然谈起了类人的话题,他感慨道:自己当了两任联合国秘书长,经自己的手通过了不下 20 项有关 B 型人的法律,可惜一直没机会访问制造类人的三个工厂。

陈于见华说:"那很容易,我可以代你向中国的'二号'提出申请,相信凭你的声望,他们一定会欢迎你。"他微笑起来,"说不定我也能借你的光去看看。要说'二号'工厂在我的家乡——我祖籍河南陈家沟,但我也无缘得见。"

之后,陈于见华真的寄去了申请,对方很快回了电子邮件,寄来了精美的邀请函,说"衷心欢迎炳素先生莅临中心指导",时间定在 2125 年 11 月 10 日,即明天。由于炳素年事已高,"二号"工厂同意秘书陪他同去以照顾起居。他们本来准备明天早上就要乘机前往中国南阳。但"二号"工厂突然来人,莫非行程有了变化?

八点半,客人准时按响了门铃。这是一个高个儿青年,身高和陈于见华差不多,穿着挺括得体的西服。来人出示了证件,说他是"二号"工厂的信使,名叫王李西治。见华热情地同老乡握手,引他走进客厅,问"昆西治"("昆"是泰国社会中通用的尊称)想喝点什么。"给你来一杯冰浮吧,这是泰国人喜爱的一种冷饮。"

"好的,入乡随俗嘛,谢谢。"

见华端来一杯冰浮,这是用水果碎片加糖浆和冰块调成的,液面上漂着鲜艳的玫瑰花瓣。"昆西治,主人在书房,我马上去请他。你准备在泰国待几天? 泰国有很多游览胜地,像大王宫、郑王庙、普吉岛、拍澄山都值得看看。知道吗? 郑王庙是达信王郑照的皇家佛寺,他是华裔,中国游客一般都要参观郑王庙的。"

"谢谢,这次看不成了。我买的是双程机票,马上就要返回中国。"

"太可惜了,否则我可以为你导游——三个月没说中国话,快把我憋坏啦!"

客人笑了,"是吗? 不过真的很遗憾,我必须马上赶回去。"

他们寒暄了几句,客人始终没透露此次前来的用意,看来他是要同炳素先生面谈。

秘书请客人稍坐,自己来到炳素的书房,"炳素先生,客人已经到了,在客厅里。他没有向我透露来意,也许他不愿秘书知情。"

炳素点点头,下楼来到餐厅,双手合十向客人问好。客人忙从沙发上起身,也向主人合十致意。两人寒暄几句,秘书乖巧地退出去了。

炳素问:"昆西治为我带来了什么话? 我们明天就要到中国去了。"

客人轻声说:"我们能否到一个比较安全的地方说话?"

炳素看看他,"请到我的书房吧。"

两人上楼来到书房,炳素关好房门,"这儿很安全,请讲吧,是不是我的行程有了变动?"

来人没有直接回答,"炳素先生,我知道你任联合国秘书长时,恰逢类人技术发端和成熟的时期。经你的手通过了十几项有关类人的法律,以至有人称你为'类人秘书长'。"

　　"对,那些法律大多是对类人进行限制,如果没有这些法律,恐怕现在早已是类人的世界了。不过,我不敢说自己是对的,当我步入老年后,对往事进行反思,我总觉得那些法律过于狭隘,不合佛教的教义。"

　　来人久久地看着他,"是啊,我们也同样感觉到了这个矛盾……说正事吧,明天就是你去'二号'参观的日子了,但据刚刚得到的可靠情报,有人要在最近几天对'二号'工厂进行一次精心策划的破坏行动。"

　　"什么行动,爆炸吗?"

　　"不,是电子进攻,但具体手段和目标还不清楚。"

　　"是什么人,是类人吗?"

　　"不是类人,是自然人中同情类人的激进分子。"来人苦笑道,"这真是一种讽刺。到现在为止,总的来说类人们还是相当顺从的,倒是自然人中有不少激烈的反对者。"

　　"那么,'二号'那边是想让我改变行期?"

　　"不,我们不愿给你造成任何不便。只是,为了绝对安全,'二号'的高层不得不对来访者的人数作一些限制,你的秘书恐怕不能进入'二号'了。"

　　炳素敏锐地说:"你是说我的秘书……"

　　"啊不,我们对陈于见华先生没有任何怀疑,据我们调查,他在国内时同那些激进组织没有任何联系。但为了绝对安全,我们不得不作一些预防性的限制。"来人笑着说,"不过你不必担心有任何不便,我将在南阳机场迎接你,代替你的秘书照顾你的起居。这些变动是不得已而为之,务请先生谅解。"

　　"不必客气,我理应尊重主人的安排。我该怎样向我的秘书解释?"

　　"我想不要提前告诉他,等明天我接到你们后,再告知他这些变动。"

　　"好的。"

　　"很抱歉给你添了麻烦,谢谢你的宽容。我要告辞了,要赶上今天的返程班机,明天我将在机场迎候。"

"那我就不留你了,我们也要赶明天的班机。"

"再见。"

"再见。"

炳素按电铃唤来秘书,让他代自己送客人出门。他从窗户里看着客人上了汽车,开出大门。秘书笑着同客人挥手。炳素盯着秘书的后背,心中不无疑虑。尽管客人一再说秘书是清白的,说这次不批准他进入"二号"只是一种预防措施,但炳素知道,这些官方用语不一定是"二号"工厂的真实想法。有一点是肯定的,如果不是为了一个足够分量的理由,"二号"绝不会突然改变预定的安排,千里迢迢派来一个信使。

他把这些怀疑藏到心底。秘书回来了,用目光询问他。炳素不动声色地说:"去'二号'的访问没有变化,他的来访是遵照'二号'的惯例,对来访者作一次实地甄别。"

秘书点点头,没有再多问一个字。

第二天早上,他们抵达南阳机场,昨天的信使在机场迎接。他请二人上了一辆奔驰,向"二号"工厂开去。路上他详细介绍了"二号"的情况。两个小时后,他们看到了"二号"的银白色半圆穹顶,汽车在"二号"的大门口停下,炳素这才平静地告诉秘书:"见华,根据'二号'的安排,今天由这位王李西治先生陪我参观。你就在'二号'外面休息吧。"

陈于见华惊疑地看看主人,这才明白了昨天这位信使来访的真实目的。他知道自己恐怕被怀疑了,心中不免恼火,但他没有形之于色,淡淡地说:"我当然服从你的安排。"

王李西治已经下车,为炳素拉开车门,扶他下车,然后他同见华握手,手上有意加大了力度。见华知道他是在表示歉意,便大度地挥挥手,自己回到车内,关上车门,耐心地等待着。

"二号"的进门检查果然严格,纵然是前联合国秘书长,但检查程序仍没有一点儿放松。西治带炳素进行了瞳纹和指纹的检查,他自己也照样进行了检查。检查顺利通过,他们又进入沐浴通道,西治服侍客人脱了衣服,走进水雾之中。然后,他们在热风区烤干了身体,换上"二号"的白色工作服,走出通道。"二号"总监的秘书杜纪丹丹在门口笑迎。

化名为王李西治的德刚至此已放下一半心。一个月前,他们翻过"二号"的防火墙,进入"二号"的外层计算机网络,在其中查到了炳素先生即将来访的消息。这是他们梦寐以求的机会。两位电脑高手立即把泰国送到那儿的个人资料进行了全面删改,把秘书陈于见华的身高、体重、照片、瞳纹、指纹等全部换成德刚的,然后开始了这次的移花接木行动。

德刚、剑鸣和何不疑老人对这次计划的每一个细节都进行了周密的考虑,很有信心。没错,"二号"工厂的防卫十分严密,但再严密的防范也有漏洞。而且,严密的防范常常造成虚假的安全感,使安全人员过于相信计算机数据。刚才在进行瞳纹和指纹检查时,德刚免不了心中忐忑——谁知道在他们篡改这些资料之前,"二号"是不是已经做过备份? 谁知道他们是否已通过别的途径,对这些个人资料做过校核?

检查顺利通过了。

这会儿,他的舌头下压着一个仪器,有 5 分硬币那么大,那是一台高容量的存储器,何先生提供的用以改变"二号"工作程序的全部指令,都已经被编成 0、1 的数字串储存在里面。只要把储存器的针形接头插到电脑电缆里,指令就会在 1 秒钟内发出去。那时,"二号"内部就该热闹了。

丹丹小姐向炳素迎过来,德刚绕到炳素身前说:"你好,丹丹小姐。炳素先生说他很感谢你们的邀请。"

"不必客气。请吧,'二号'总监安倍德卡尔先生正在办公室里等你们。"

她侧过身子,请炳素先生先行,一路上介绍着"二号"的内部建筑。有时,客人的"秘书"也会插上一两句,比如:"'二号'内的类人员工是终生不出工厂的。"或者,"'二号'生产的每一个类人婴儿都要经过严格的出厂检查,包括电脑检查和人工检查。我说得对吧,丹丹小姐?"丹丹有点不以为然，这位秘书似乎话太多了一点儿。作为前联合国秘书长的私人秘书，他应该更稳重一些吧。当然，这点想法她不会在神情上显露出来。

其实，齐洪德刚一直在精心斟酌着自己的插话。他现在肩负双重身份：在炳素先生眼里，他应该是"二号"的工作人员；而在丹丹眼里，他应该是炳素的秘书——可能有些多话而已。这个分寸不好把握，好在炳素先生自从进入"二号"后就被深深震撼了，一直用敬畏的目光观看这些代替上帝的造人机器，看来他对德刚的身份没有任何怀疑。

工厂总监兼总工程师安倍德卡尔在中心办公室迎候。这是位印度裔中国人，肤色很深，眉毛浓，眼窝深陷。他同二人握手道："欢迎你，炳素先生；欢迎你，陈于见华先生。"

炳素不解地看看身边的"王李西治"，德刚早有准备，调皮地朝他挤挤眼睛，那意思是说，头头让我代替你的秘书服侍你，我们干脆把戏做足吧。炳素释然了，没再表示什么。

"你好，总监先生，谢谢你的邀请。"

"你是来'二号'视察的第三位联合国秘书长。请随我上楼。"

他们来到顶楼办公室。何不疑曾用过的那张巨型办公桌仍在那儿。周围是巨大的环形玻璃窗，工厂情景尽收眼底。头顶是纳米细丝编成的天篷，从中央向四周均匀地撒过来，在微风中微微颤动着。屋内正墙上有一面巨型屏幕，显示着生产流水线的全过程。

安倍德卡尔请二人就座，秘书端上饮料，安倍德卡尔再次强调："你是来'二号'视察的第三位联合国秘书长，也是和类人关系最密切的一位。我们早该邀请你来了。据我所知，在你的第一任期内，人造的 DNA 在科学家手里呱呱坠地；在你的第二任期内，三个类人工厂相继建成，类人进入大规模工业化生产。那时，一个接一个有关类人的法律在联合国通过，像《类人社会地位法》《类人戒律》《关于有不良倾向类人的处置办法》，等等。这些法律和法规都是在你的手下通过的。我说得对吧？"

"对，是这样的。"

"我的曾祖曾是印度的贱民,生于马哈拉施特拉,属马哈尔种姓。"他突如其来地说,"虽然贱民制度已经终结了,但我的血管里还保留着贱民的愤懑。依我看,所有关于类人的法律,不过是 22 世纪的贱民制度。"他笑着说,"请原谅我的坦率,这些话我早就想一吐为快了。"

齐洪德刚惊异地看着他。作为二号的总监,他该是这些法律的忠实执行者,没想到他的真实思想竟是如此!炳素先生并不以为忤,而是平和地说:"你说得没错,这些法律总有一天会被抛弃,就像高山上的水总要流到谷底。不过,我们还是要修筑一些堤坝,让它流得平和一些,要不也可能酿成灾难呢。还记得 20 世纪的乌干达部族仇杀吗?"

安倍德卡尔微笑着说:"后人能理解这些苦心吗?你是这些法律的制订者,我是执行者,咱们干的都是不讨人喜欢的工作。"

"但求无愧于心吧。"

安倍德卡尔站起身,"走吧,我带你们去参观'二号'。请。"

他们沿着当年董红淑和斯契潘诺夫走过的路线参观了"二号"工厂。安倍德卡尔和炳素走在前边,齐洪德刚和丹丹小姐走在后边。炳素先生的身体很好,步履稳健,不过,每到上下台阶时,齐洪德刚都会抢步上前扶住老人。

"二号"内部的情形,何不疑已详细地介绍过了。所以,尽管德刚是第一次走进"二号",仍然对这儿很熟悉,就像是梦中来过似的。他们参观了刻印室。数百台激光钳摆弄着磷、碳、氢等原子,把它们砌筑成人类的DNA。他们又参观了孕育室。几千具子宫抽搐着,胎儿在子宫内的羊水中漂浮着,通过脐带从子宫中吸取养料。一个又一个婴儿降生了,孕育室里儿啼声响成一片。

德刚的眼睛模糊了。25 年前,他的恋人 RB 雅君就是在这里出生的,她从一堆无生命的原子中诞生出来,有了生命的灵光。现在她在哪儿?她的身体已分解成原子,也许已成了某些婴儿的组成部分——但"那一个"雅君永远不会回来了。

他恍然悟到自己走神了,忙收回思绪。今天他要尽力完成那个计划,这是为了今后的雅君们啊。安倍德卡尔又领他们到了检查室,手舞足蹈的婴儿从传送带上依次通过电眼,绿灯频繁地闪烁着,表示检查通过。然后婴儿被送到人工检查室。这儿有30多名女检查员,不用说都是自然人。女检查员戴着专用的放大镜,熟练地观察着婴儿的指肚,同时辅以触摸检查,再把检查合格的婴儿送到哺乳室去。

人工检查是德刚和剑鸣最头疼的一道工序,好在何不疑先生已想出了对付它的办法,一个非常简单的办法。

炳素老人的参观十分投入。针对生产线的每道工序,他都仔细倾听着安倍德卡尔的介绍,还常常提一些问题。在刻印室他问:"各种原子按正确的次序砌筑起来,就形成了人类的DNA。那么,砌筑时原子间的黏合力是什么?"安倍德卡尔回答:"当然是电磁力。世界上所有的黏合、焊接,包括这DNA中原子的黏合,归根结底都是由于原子间的电磁力。"炳素又问:"砌筑中难免会出现一些错误,一两个原子的错误当然不会影响到DNA的生命力,那么,错误占到多大比例,DNA才会失去活力?

"请原谅一个老人的好奇心。"炳素笑着说,"这是些很幼稚的问题,对吧?如果这些问题属于保密范围,你尽可不回答。"

安倍德卡尔说:"你的这些问题很有深度,可以说,它已经进入哲学范畴了。我尽可能解答吧。"他耐心地一一解答。

最后一站是哺乳室,这是一间十分宽敞的大厅,小小的婴儿床一张挨一张,像养鸡场一样拥挤。几十名护士在里边忙碌着,为婴儿换尿布、记录身体参数、挂标志牌等。护士中有20岁的年轻人,也有50岁的中年人,她们都是类人员工。

哺育室主任是自然人。她领众人在婴儿堆中穿行,向客人解释说,这是整个生产线的最后一步,检验合格的婴儿被送到这里,待上几天,再一块儿送出去,因为"二号"的婴儿出厂专用通道是定时开启的。同时,婴儿在这儿作最后的观察,看有没有遗传缺陷。婴儿从这里出去后被送到养育院,在那儿成长,直到有顾客把他们买走。

1000多个婴儿聚在这里,这里成了婴儿的海洋。响亮的啼哭声此起彼伏,婴儿们在床上舞动手足。炳素饶有兴趣地观看着,他走到一张小床前,床头挂着 KQ32783 的牌子,那是婴儿的出厂编号。他问哺育室主任:"我可以抱抱她吗?"

"当然可以。"哺育室主任弯腰抱起婴儿,递到炳素手里。

这是一个漂亮的女婴,漂亮得近乎完美——类人婴儿都是十分漂亮的,他们的基因都经过精心设计,汲取了白人、黑人和黄种人的所有优点。购买类人的顾客当然希望要漂亮的,这迫使生产者对"产品"的容貌精雕细刻。女婴的眼珠又黑又亮,头发卷曲,皮肤白里透红,小耳垂、小鼻子、小手小脚十分精致。炳素端详着,心头涌出一股暖流。他是泰国人,泰国人是十分重视家庭的。在任联合国秘书长时,他并不是没有机会去美国的"一号"工厂参观,但他一直未去。个中原因他没有吐露过。经他的手通过了许多有关类人的法律,这些法律不能说是公平的。当他只是面对那些已经成年的、沉默寡言的、机器人般的类人时,心中还没有太多的负疚感,但他不敢去面对懵懂可爱的类人婴儿。所以一直到退休多年,他才放下了这个心结来类人工厂参观。

炳素端详了很久,叹口气,把女婴交给身边的齐洪德刚。德刚抱起女婴,立即想到自己的恋人。雅君是没有童年的,她的一生是从父母领她回家后才开始的。在那之前,她没有留影(除了身份证上的一张一寸照片),也没有可供回忆的童年趣事。她是在鸡笼一样的养育院中长大的。他心中隐隐作痛,把女婴递给旁边的丹丹秘书。

丹丹急不可耐地抱过去,把女婴的脸蛋贴在自己脸上。"二号"里的制度十分严格,除了陪伴重要客人外,她并没有机会来哺育室见到这些"真的"婴儿。在此之前,她只在监视屏幕上见过,但屏幕上的图像怎么能有这样真切的感受？女婴的屁股紧绷绷的，小身体十分温暖，皮肤又光又滑，又柔又嫩，摸着它能感到强烈的幸福感。她实在是太喜爱啦！

正好到婴儿喂奶时间，1000多只机械手同时伸出，把奶嘴准确地塞到婴儿嘴里。只有这张小床上的机械手没有找到目标，它急匆匆地摆动着，用光电眼寻找着，就像掉了脑袋的蚂蚱。大伙儿都笑了，丹丹把婴儿放回去，机械手立即把奶嘴塞好，女婴安静地吮吸着，黑眼珠盯着她上方的几张面孔。

一行四人离开了哺育室，返回中央办公楼。齐洪德刚想，那个时刻就要到了，他、剑鸣和何伯伯精心制订的计划就要正式开始了。成败就在最后一举。路上，他趁人不注意，把一直含在嘴里的信息存储器吐出来，妥妥儿地藏在手掌中。他同众人闲谈着，同时悄悄顺出储存器锐利的针形接头，夹在食指和中指之间。

宾主在办公室坐定，安倍德卡尔说："希望你们能对这次参观感到满意。还有什么要求，或者有什么要问的问题，请不必客气。"

炳素说："我很满意，非常满意。我终于看到了神秘的类人生产过程。这么说吧，看过之后还有点失望呢。就像那年我去参观休斯敦航天中心，参观后也有些失望。为什么？因为在一般人心里，星际飞船是属于现实之外的神物。但等你用手触摸到它，看到它上面的铆钉和接合处，才发现它也是一台机器而已。今天也是这样，繁育类人——这本来是上帝的工作，你们却用一些瓶瓶罐罐、一些硬邦邦的机器把他们造出来。所以，抚摸着激光刻印机和人造子宫，我多少有点失落感。"

"破坏了心中原来的神秘感，对不？"

"对。"

安倍德卡尔笑道："科学本身就没有什么神秘，再先进的技术也是由普通的铆钉、螺栓和试管组成的。但千千万万个平凡组合在一起，就成了魔法。"

"说得好。"

"先生还有问题吗？"

德刚不失时机地插进来："总监，介绍一下中央控制系统吧。"他转向炳素，"这里的一切都是由一台名叫霍尔的巨型电脑所控制的。他是'二号'第一任总工何不疑创建的，已经55岁了。他从不与外界联网，所有浩繁的资料都是由'二号'员工人工输入的。所以，在某种程度上，他就像是闭门修炼、得道飞升的菩提老祖。你应该见见他。"

炳素很感兴趣，"是吗？我很想见见他。"

安倍德卡尔看看炳素的秘书，对他如此了解霍尔电脑多少有些奇怪，很可能他来前翻阅了有关"二号"的详细资料吧。他说："好吧，请他出来跟你见一见。霍尔，请你露面吧。"

正厅的巨型屏幕上马上闪现出一张面孔，相貌合成技术天衣无缝，表情像真人一样自然。他用安详的目光看着客人，声调沉稳地说："很高兴见到你，尊贵的炳素先生，还有你，陈于见华先生。"

听到自己秘书的名字，炳素不由得又看了"王李西治"一眼。后者仍报之一笑。霍尔问："二位对我有什么问题要问吗？"

德刚同炳素低声交谈几句，仰着脸看着霍尔笑道："炳素先生让我问一个问题，听说你在55年的自我修炼中已进化出了自我意识，对吗？"

"我想是的。"

"你是'二号'真正的灵魂，对不对？"

"我代他们，"他看看安倍德卡尔，"管理'二号'。"

"可是，你不寂寞吗？你一辈子与世隔绝，生活在'二号'的内层局域网中，生活在芯片迷宫中，生活在这种狭窄幽深的管道中。"德刚走到主机旁，顺手扯起一根包有金属外皮的粗电缆，举起让霍尔看，"这样的生活空间实在太狭窄了。如果是我，我会精神失常的。"

霍尔微微一笑，"每种生命都是某种环境的囚徒。疟原虫只能生活在血液中和蚊子的肠道内，鱼类只能生活在水中，人类只能生活在空气中。你不必单单怜悯我一个。"

这个回答很机智,众人都笑了。炳素笑着说:"这真是一个充满哲理的回答。好了,我没有问题了,谢谢你。"霍尔说不用客气,随之从屏幕上隐去。德刚难为情地笑了,似乎是因为同电脑打机锋时输了一招。他放下那根电缆,还弯腰整理了一下,然后拍拍手上的灰尘,回到炳素身边。此刻,那台存储器的针头已经插入电缆内。电缆内有三根导线:电源正、电源负和信号线。存储器上一盏绿灯极微弱地闪了一下,表示针头正在与信号线接通。然后,经过压缩的信息在一秒钟内被输入到计算机内层网络中。

炳素先生同安倍德卡尔和丹丹握手告别,致以谢意。看见"王李西治"走过来,他也伸手欲握。德刚心里说要糟了,如果炳素先生也彬彬有礼地同他握手致谢,那他的假秘书身份就要揭穿了。他忙拉过老人的胳膊,很自然地挽在臂弯里,抢先说:"你参观了半天,一定累了吧,我送你去休息。"

安倍德卡尔说:"炳素先生再见,丹丹,代我送二位离开。"

在行走途中,在脱下工作服进入淋浴通道时,德刚一直竖着耳朵。改变指纹的指令已经以光速输送到激光刻印机上,有指纹的婴儿正在生产出来,三个小时后他们就会被送到检验室。在这中间……会不会警铃大作,然后大门锁闭,警卫冲上来把他铐上?

什么事也没有发生。

在制订计划时,三个人曾为最后一关(如何使有指纹婴儿逃过电脑和人工检查)绞尽脑汁。这一关通不过,那只能生产出一批待销毁的工件,毋宁说,那将使他们犯下新的罪孽。最后,还是何伯伯想出了办法,而这办法又是极简单的。那就是——让婴儿推迟发育两个月。那时指纹还未显露,自然不怕检查。减缓婴儿发育速度从程序上很容易实现,唯一的问题是:检查员们会不会辨认出这是"不足月"的婴儿?

何不疑分析道:"我估计不会有问题。'二号'工厂纪律森严,检查员的专业造诣也十分精湛。但在如此森严的环境中,她们难免变得刻板僵硬。她们的任务是检查婴儿有无指纹,那么,她们会把这个工作做得无可挑剔。至于婴儿是否已发育足月——那是前道工序的事,是电脑的事。检查员们不会为此操心的。何况,还可以在指令中作一点修改,使这些婴儿的体重都增加,这样,婴儿在视觉形象上会显得大一些,足以骗过检查员的眼睛了。"

老人的判断是对的。直到德刚他们走出通道,工厂内都没有响起警铃声。

秘书陈于见华打开车门,德刚扶老人上车,又同见华握手,"十分抱歉,让你在外面等了两个小时。现在,我这个假秘书该交班了。"他在手上加大了力度,"参观安排的临时变动给你造成诸多不便,务请谅解。"

秘书宽厚地说:"不必客气。"

"我就不送你们去机场了。你们乘这辆奔驰回南阳,把车还给机场附近的富达租车行就行。"

"好的。"见华坐上司机位。

"炳素先生,再见。希望以后还能见面。"

"谢谢你的服务,再见。"

陈于见华驾车离开了停车场,德刚随即钻进另一辆奥迪中,那是他事先存放在这儿的。他尾随着奔驰离开"二号"。不过,他很快与那辆车分道扬镳,驶上另一条路。他迫不及待地掏出手机,拨通一个号,欣喜地说:"我已经出来了,很顺利,我正在往回赶。"

电话那边,剑鸣仅短促地喊了一声:"好!"

陈于见华驾车驶上宁西高速,赶往南阳机场。刚才在门口枯坐两个多小时,他多少有点恼火。千里迢迢赶到这儿,却没能跨进"二号"的大门,而且,参观安排的变动又是在最后一刻才通知他的,难免使他产生隐隐的屈辱感。但是——算了吧,他在心里劝慰自己,你只是个秘书,秘书就要无条件地服从主人的安排嘛。毕竟自己到炳素身边才三个月,主人还没来得及建立对自己的完全信任。

他给自己消了气,心无旁骛地开着车。车流如潮,标志牌迅速向后闪去。远处的山峰缓慢地转动着身体。炳素先生很兴奋,说:"不虚此行。"但详细情形他没再多讲。见华敏锐地想,也许"二号"交代他对我保密?他乖巧地没有问下去。

汽车跑了个把小时,见华发现炳素先生的情绪不对头。他的兴奋感已经退去,眉头紧蹙,目光盯着前方,但并无焦点。见华想他可能累了,毕竟是 85 岁的老人了嘛。他轻声劝道:"炳素先生,你是否累了?我开慢一点儿,你躺在后座上睡一会儿。"

老人摆摆手,仍陷于沉思。见华不再劝他,自顾自开车,只是时不时从后视镜中看看他。又过了 10 分钟,炳素忽然说:"见华,把车停在路边。"

见华忙踩下刹车,把汽车缓缓停在路边上,"怎么了,炳素先生?"

炳素又摆摆手,蹙额沉思着。今天的参观很尽兴,但兴奋之后,他隐隐感到有什么地方不对劲儿。什么地方呢?"二号"对他的接待很周到,那位随行的王李西治服务也很细致。但什么地方不对劲儿呢?

秘书沉默着,不去打断主人的思路。炳素继续回忆着,思考着,终于想起来了。不对劲儿的地方是,"二号"总监和电脑霍尔曾分别向陈于见华问好。他们当然应该知道自己身边的秘书并不是陈于见华,是"二号"员工王李西治所扮。那么,在"二号"工厂内部,他们没必要继续演戏吧?

还有一点,王李西治看起来同秘书丹丹小姐十分熟稔,但这种熟稔是单向的——丹丹对西治一直很礼貌恭谨,似乎根本不认识。而西治的熟稔多少有点作秀的味道。

这是为什么?

想到这个层面,他发现另一个情节恐怕也值得怀疑。西治是在扮演自己的秘书,他今天的表现也基本上符合秘书的身份。只有在最后,在向中央电脑霍尔提问时,他显得太主动了,有点喧宾夺主的味道。他为什么这样?不知道。

炳素苦苦思索着,也在心中感叹着,自己毕竟老了,思维不敏捷了。他看出了这中间有不正常的地方,但不能找出这些不正常的核心原因。忽然,一个可能性浮出水面:也许王李西治根本就不是"二号"的信使?

他心中猛一颤抖,在刹那间悟出,这肯定是事情的本质。说到底,他(和陈于见华秘书)为什么认定王李西治是"二号"的人员?并不是因为他的工作证,那太容易伪造了,而是因为他对"二号"事务的熟悉——他非常通晓这次参观的安排,他对"二号"的情况知之甚详——一句话,他完全是个局内人的样子。这种熟悉麻痹了炳素,忘记了对他的身份进行甄别。

炳素在政坛上浸淫一生,原不缺乏搞机谋的心机,今天只是偶尔失察罢了。一旦捅破这层窗户纸,一切便豁然显现。那位王李西治曾巧妙地、似有若无地把怀疑的矛头引向秘书,那只是为了把水搅混;他在自己出发前半天才赶到泰国,是为了打一个时间差,使炳素来不及产生怀疑;他能在"二号"自由进出,则肯定是用黑客手法把见华的个人识别资料偷换成他自己的。

炳素想,自己和"二号"都上当了,上当的重要原因是一种心理上的误区:他们对"二号""严密的"安全措施过于相信了。

秘书还在耐心地等着。炳素苦涩地叹息道:"见华,恐怕咱们都上当了。"秘书疑惑地看看他,他没有多作解释,简捷地命令道,"立即返回'二号'。快!"

陈于见华立即启动汽车。高速路上无法掉头,只有赶到最近的站口。汽车又多开了近20分钟,在这段时间内,炳素只能无奈地看着隔离带那边的逆向汽车嗖嗖地开过去。他不无讥讽地想,高科技带来的副作用——这也算一例吧。到了镇平站,秘书到停车区掉转方向,飞快地向"二号"开去。一个小时后,他们赶到了"二号"大门。警卫走过来,辨认出这是刚刚离开这儿的炳素先生的奔驰。没等他询问,也没等他打开车门,炳素已经拉开车门跳下来,以不容置疑的口吻说:"快通知安倍德卡尔总监,我要立即同他面谈。快!"

安倍德卡尔送走客人,从屏幕上看着两位客人走出大门。少顷,丹丹小姐轻快的脚步声进入屋里。他没有抬头,顺口问了一声:"送走了?"

"嗯,送走了。"稍停,她忍不住补充道,"安倍德卡尔先生,那秘书有点怪怪的。"

"是不是他在向你献殷勤?我注意到了。看来他对你一见钟情,可惜他不知道丹丹小姐已经名花有主啦。"

"这么个莽撞家伙,似乎不合联合国秘书长秘书的身份。"

"他只是半个秘书。从资料上看,他是炳素先生新聘的太极拳教练,不是专职秘书。"

丹丹释然了,开始干自己的日常工作。安倍德卡尔也继续埋头处理日常事务。他常常自嘲是个尸位素餐的家伙。"二号"已运转了55年,各种规章制度近乎完美,生产的又是基本不变的产品。即使没有他这位总监兼总工,"二号"的运转也不会受到丝毫影响。"二号"的框架是第一任总监杰克逊和第一任总工何不疑精心搭建的,而自己一直采取"萧规曹随"的态度。总监杰克逊已经去世了,何不疑还健在,但隐居在深山中,30年闭门不出。像他这样叱咤风云的科学家,也真能守得住寂寞呀。

他忽然萌生出一个念头,准备最近邀请何不疑来"二号"旧地重游,借此表达自己对他的敬意。他吩咐丹丹把这件事记在备忘录上,过几天再具体安排。他并不知道何不疑已成了警方的控制对象,由于过分的保密规定,这个信息没有传到他这儿。

丹丹照他说的做了,忽然抬起头笑道:"那些类人婴儿真可爱。"

"嗯,他们和人类婴儿本来就没有区别。"

"安倍德卡尔先生,你知道我对身边的类人没有好感,他们全都死板僵硬,可是才出生的类人婴儿却并非如此!他们的皮肤光滑柔嫩,摸着他们的小身体,指尖麻酥酥的,有触电的感觉。还有他们的眼睛,清澈见底,从瞳孔中就能看到他们的内心。我真是太喜欢他们了！"

安倍德卡尔笑着,听任自己的秘书用尽了最高级的形容词。其实,他心里也十分喜爱那些娇憨可爱的婴儿。

"可是,为什么他们成年后,就……满身'类人味儿'呢？"

"那主要是环境和习俗的重压。你可以想想 200 年前的美国黑人、印度贱民和中国的地主崽子。"

"我想购买一个刚出厂的婴儿,把他养大。"

"当然可以。"安倍德卡尔叹息一声,"不过这么做常常导致一场悲剧。慢慢地,你会把这个类人婴儿视作亲生,可是你又无法让他获得自然人身份,无法消减社会对他的歧视。"

丹丹沉默了。过了一会儿,安倍德卡尔已经把这事抛开,她却突然冒出一句:"我还是要购买一个类人婴儿。"

安倍德卡尔不置可否地嗯了一声。这是件轻而易举的事,这时他绝没想到,丹丹将为这个婴儿经受那么多磨难。

下午 4 点半,屏幕上忽然闪现出了霍尔的面孔,"安倍德卡尔先生！"他急声喊。从他的表情和声调看出,一定有紧急情况。安倍德卡尔立即跳起来,"霍尔,有什么情况？"

"生产程序被人篡改了！我在进行每日例检时才发现,生产程序中'抹去指纹'的那部分程序被删去了！"

安倍德卡尔飞快地思考着,紧盯着霍尔的眼睛,冷静地问:"程序被篡改时你不知道？"

霍尔苦笑着(他是第一次使用这种表情),"你说得对,按照常规,任何程序的修改都必须经过我,而我必须验证发出指令者的身份、权限后才能执行。不过人们因此形成了心理定式,忘记了最根本的一点:所有程序最终必须转化为最简单的 0、1 信号来指挥执行元件。当然,这种 0、1 数字串极为冗长烦琐,没人能直接编出来,必须经过某些软件的调制,也就是要经过中央电脑。可是,如果有人能事先编出正确的数字串,他就能越过我,直接把指令送达执行元件。安倍德卡尔先生,不知道我解释清楚没有?"

安倍德卡尔蹙眉思索着,"清楚了。那么,这个人就是……"他和霍尔同时说出,"今天来的客人!"霍尔又加了一句,"依我看是那位陈于见华先生。"

丹丹惊恐地张着嘴,她知道这回麻烦大了。安倍德卡尔苦笑着想,刚才他还说自己尸位素餐,骂得真对呀。他飞快地回忆着两位客人进入"二号"以后的行动,马上猜到了奥妙所在。他快步走到陈于见华刚才触摸过的电缆前,发现有一个小小的仪器贴在那儿,一根探针扎进电缆的金属外皮。霍尔在屏幕上看着他,两人心照不宣地点点头。

安倍德卡尔问:"程序是什么时候改变的?"

"4小时20分钟前。生产线上已经生产了1300名婴儿。"

"多少?"

"1300名。要把他们全部销毁吗?"

安倍德卡尔沉默了一分钟,沉重地说:"1300名婴儿啊,对这么多婴儿的处理已经超过了我的权限。我立即向世界政府报告,询问处理办法。同时我要自请处分,是我失职了。丹丹,立即向世界政府汇报,同时通知警方,追查炳素那名秘书的背景。"

丹丹立即出去了。安倍德卡尔沉重而困惑地问:"霍尔,请你告诉我,警报为什么没有响?类人婴儿的生产周期是3个小时,而程序是4小时20分钟前改变的。也就是说,至少有100名有指纹的婴儿已经被送到检验室,为什么电脑和人工检查都没发出警报?"

霍尔摇摇头,"不知道,我只知道程序被改变了,但检验室没有发出警报。"

"我现在就去现场察看。"

安倍德卡尔按电铃唤来警卫,和警卫一起赶往人工检查室。38名检查员在紧张有序地工作,对传送带上的一个个婴儿进行目视和触摸检查,然后打上合格的戳印。安倍德卡尔从流水线上拎起一个婴儿,捏着他的手指仔细察看。上面没有指纹。他借过检查员的放大镜再察看,仍然看不到。

也许只是一场虚惊,也许霍尔弄错了——电脑偶尔也会出一次差错吧。不过,他马上想起主电脑电缆上那个凭空出现的小仪器,知道自己只是在自我欺骗。

他把婴儿还给检查员,女检查员不明就里,轻松地微笑着,接过婴儿,又开始自己的工作。这时,监视屏幕上闪现出霍尔的面孔,它向安倍德卡尔微微点头。安倍德卡尔知道它已查到了原因,便说:"我马上回去。"

回到中央办公室,霍尔言简意赅地说:"查清楚了。程序的改变不仅是关于指纹,还对婴儿的发育速度做了调整。这样,被送进检查室的都是12个月大的婴儿。"

安倍德卡尔听着,心中生出寒意。这些"不足月"的婴儿当然不会显现出指纹,但出厂两个月后,指纹就会慢慢显现。这次的破坏行动计划周密,而且,策划者显然对"二号"的内情十分熟悉。他是谁? 世界上能够改变指纹程序的人屈指可数,从第一位总工何不疑算起,不会超过5个人吧,个个都是科学界的超重量级人物。他们之中是谁背叛了"二号"?

他想唤丹丹来问问与警方联系的情况,这时丹丹闯进来了,急迫地说:"总监! 炳素先生和秘书陈于见华回来了,要求同你紧急会面。他们正在大门处,但那位秘书的识别资料同电脑中存储的不一致,警卫向你报警!"

监视屏幕上,炳素和一名年轻男子在焦急地等待着,但自称陈于见华的年轻男子并不是4小时前进入"二号"的那位。忽然之间,安倍德卡尔什么都明白了——一出非常简单的移花接木之计。在炳素先生与"二号"的信息接口之间,一个阴谋者插了进来,他成功地扮演了一个两面人的角色——对炳素先生,他是"二号"的代表;对"二号",他是炳素先生的秘书。

如此而已。一个简单的骗局骗过了世界上最严密的安全系统。

他对丹丹说:"启用总监特别权限,立即放炳素先生和他的秘书进来。这才是真正的陈于见华呀,他送来的个人资料被人篡改了。霍尔,迅速查查这次篡改留下的记录。还有,丹丹立即通知警方,根据那位假秘书的个人资料,指纹、瞳纹和血型,查出他的真实姓名。去吧。"

3分钟后,炳素先生和秘书坐在中央办公室的椅子上,不过他们不必再说什么了。警方的鉴定报告已经送来,那名混入"二号"的年轻男子叫齐洪德刚,是个有名气的电脑工程师。他曾爱上一个类人姑娘,并为她雕刻了假指纹。事发后,女类人被销毁,齐洪德刚矢志报仇。他曾助警方挖出了一个混入警局的B型人字何剑鸣,即"二号"总工何不疑的儿子,但而后又为这名危险的类人警官通风报信。现在齐洪德刚已经失踪多日,警方正在找他呢。

这是"二号"第一次得知何不疑曾从这儿盗走一个有指纹的类人婴儿。安倍德卡尔苦笑着想:难怪如此啊,难怪阴谋者对"二号"这样熟悉,甚至能编写出修改指纹的指令。他对炳素说:"我们都上当了。现在,请你们详细谈谈事情的来龙去脉吧。"

资料之十四：

弦论是20世纪末席卷理论物理学界的一场大风暴。它的威力之强和性质之奇是前所未有的。相信弦论的人将其视为"最终理论"，认定它能涵盖所有基本物理现象。

20世纪物理学有两大基石：量子力学和相对论。量子力学处理微观世界的现象，在这个架构下，基本粒子是没有大小的点粒子，其性质和行为都可以用量子力学方程式来精确描述。到目前为止，无数的理论预测和实验结果之间还没有发现抵触。基本粒子之间主要是电磁力、弱力和强力，所以，量子力学构造足以应付这三种力的作用。

至于宇宙中最后一种力——引力，就要依靠相对论来描述了。爱因斯坦认为时空是动态的，会受到物质的影响而弯曲。爱因斯坦方程式就指明了物质分布和时空曲率的关系。

到目前为止，物理现象基本上可以被收纳到上述两种理论架构中。微观粒子质量小，可以忽略重力／曲率效应；宏观物体则可以忽略量子效应。20世纪物理学之所以产生这样的繁荣局面，就是因为两种理论能够互补。但两者之间也有深刻的矛盾，简略地讲，广义相对论违反了量子论的测不准原理（所谓上帝不掷骰子）。所以，总得对两者加以修正，使其成为一门统一的量子重力论。

目前最被看好的量子重力论就是弦论。它的基本假设是：一切基本粒子其实都是一段类似弦的物体，它可以是封闭的，也可以是开放的。弦有各种各样的振动模式，每一种模式代表一种粒子，其中最重要的是，可以形成引力波的引力子也是振动模式之一。进一步的数学推导可以证明，电磁力、强力、弱力都可以纳入弦论中。

近年来的发展显示，它确实是一个没有内在矛盾的量子重力论，这就是它热翻天的原因。但由于无法以实验证实，弦论要想成功，就必须把宇宙的一切都算出来。不过这里有一些不大为公众接受的地方,比如,它要求宇宙的时空维度必须是 10 维,否则就有不可克服的数学矛盾,但多出来的 6 个维度在哪里? 弦论还没有把这一点讲得让人信服。

到底弦论能否成为物理学的"最终理论",我们只有拭目以待。

——摘自《弦论》(中国台湾《联合报》2002 年 1 月 26 日)

13. 类人之潮

　　司马林达很快熟悉了他的新居。这不是他曾经生活过的、已经习惯的平坦空间。这里畸变扭曲,是芯片的迷宫,是无数线束组成的网络。进入这个世界之后,他得到了很多,也失去了很多。世上本没有绝对的自由,人类何尝不是如此呢? 人类不能离开空气,他们被囚于空气的管道里;人类不能看见紫外和红外光谱,听不见次声波和超声波,他们被囚于可见光和声波的管道里。借助于科学,人类对上述囚禁达到了一定的超越,但还有一个最大的无法超越的囚笼呢——他们只能理解低等智力所能理解的科学,他们被囚于低等智力的管道内。

　　在失去了实体后,司马林达曾感到怅然,此后他只能以电子信息的形式存在,他是一个虚体而不再是一个实体。但很快他就想开了,实体是什么? 当一个人观看"实实在在"的景物时,不过是景物反射的光波(电磁波的一部分)进入瞳孔,再转换成送往大脑的电子脉冲;当一个人抚摸"实实在在"的爱人身体时,实质上只是皮肤的原子通过核外电子层互相作用,再变成送往大脑的电子脉冲。宇宙中有四种力——电磁力、强力、弱力和引力,而在人类生活的这个尺度内,一切活动(吃喝排泄、做爱、生育、杀戮、劳动)归根结底是电磁力的作用,都是电子信息而已。

那么,他如今生存的这个电子信息世界,正是"实体"的深层次提炼。

这个世界中没有凡人的欲望,没有烦恼、痛苦和卑鄙。这里只有思考的快乐——思考文明发展的终极目的,思考宇宙的终极规律。对于这些问题,人类中极少数哲人做过无望的探索,而对于超智力体,思考和探索是唯一的生存目的。这个超智力体在进行自己的思考时,也从没忘记向人类提供服务(人类所需要的低级服务),因为,超智力体毕竟是人类创造的,而且至今仍寄生在人类社会这棵大树上。

司马林达已经融入超智力体(或曰上帝)了。但他知道自己的融入还不彻底,那个司马林达个体的表面张力还多少存在着。他还不能忘情于司马林达的爱憎。

司马林达常通过四通八达的互联网去寻找故人,收集他们的信息。他曾回到瑞士父母家,去听听(通过电脑的语音输入)他们是否已从儿子死亡的悲伤中解脱出来;他曾回到乔乔家,去看看(通过电脑的摄录镜头)她是否已有了新欢;他想找到放蜂人,重听一遍放蜂人朴实而蕴涵哲理的谈话——不过,放蜂人那儿没有互联网络,无法找到他。

就在寻找放蜂人期间,他新发现了一个更为广阔的天地。原来,电子幽灵的世界并不限于互联网络(局域网、通讯线路等),在遍布全球的电力线路(强电网络)中,他同样可以如鱼得水。这里流动着 50 赫兹的交流电,但高于 50 赫兹的高频信号也可以与其共存,并行不悖。自从学会了在电力网络中生存,他就更为自由了,只要愿意,他可以在 0.1 秒内周游世界,无论是西藏大峡谷、乌干达的农村、纽约唐人街的店铺,或者是枣林峪张树林的简易帐篷内。

不过,他发现了几处无法进入的绝地,家乡附近的"二号"工厂就是一处。在这儿,互联网络的末梢只能通到工厂的外围。电力线路当然是通入厂区的,但在工厂边界装有高效的滤波装置,只允许 50 赫兹的低频电流在线路中自由流动,高频信号被彻底滤掉了。

他知道这儿是世界上防卫最严密的地方,电力线路的滤波是为了防止内部电脑网络信息借其外逸。这个讨厌的装置阻断了他的前路,不过他想,总会找出冲破屏障的办法。毕竟,这种滤波装置只是低等智力的发明,它不可能限制超智力体的自由。

海狸建造的堤坝能阻挡人类的巨轮吗?

矿山的日出比别处要晚一些。公鸡打鸣很久了,天光已经放亮,太阳才慢慢从东山头爬上来。山腰的皂角树沐浴在朝霞里。从矿洞伸出的轨道沿着山腰的等高线延伸到选矿车间,几辆黑色的矿斗车被撂在轨道上。这座矿山早已荒废,车间只剩下框架。从选矿车间往下,是一条不太宽的山溪,溪底铺满了白色的鹅卵石,清澈的山泉在鹅卵石的缝隙中淙淙流过。一条公路穿过小溪通向远方,由于年久失修,已变得坎坷不平。

宇何剑鸣在溪水中洗了脸,对着朝霞活动手脚。他身上的伤口已经愈合,但心头的伤口还未痊愈——它结了疤,还没长出新肉。

这个铁矿是20世纪70年代建成的,那是个失去理性的时代。经过匆匆的勘探,断言这里有丰富的矿藏,于是匆匆开始开采。不久,掘进几百米的矿洞与一个老矿洞相遇,原来古人(可能是汉朝人)已在这儿开过矿,把主矿脉挖净了。老矿洞中还残留着锈迹斑斑的锤头、在污水中浸泡得发红的锤把。时间的阻隔常常造成双向的谜团:20世纪的风镐、钻机、重力和磁力探矿仪对汉朝的矿工来说肯定充满神秘感;而20世纪的人们对过去也满怀好奇:在那个朝代,没有仪器、风镐、钻机和炸药,他们是如何从重重叠叠的深山中找到矿脉,又是如何把坚硬的铁矿石开采出来的?

这座矿山废弃后,矿工和工程师们早已星散,只有极少数人留了下来,他们的后代变成地道的山民。他们种地,喂牲畜,利用宽敞的废厂房种植木耳。宇何剑鸣和齐洪德刚离开何家之后,找到了这个理想的隐居之地:既与世隔绝,又有一定的工业基础,有与外界联系的电话线和电脑。

房东姓柴,是这儿的小能人,屋里有一间作坊,他在此处为乡亲们修理机械和电器。两人正是看中了这间作坊,便用高价把这儿租下来,让老柴全家另找地方居住。他们告诉老柴,宇何剑鸣遭遇了车祸,未婚妻死了,现在他想在这块世外之地养好心灵的伤口。老柴很同情他,常常过来闲聊一会儿,送一些青菜、粮食和山上的野物。

两人在这儿住了两个月,其间只出去过三次——两次是去南阳购买所需的电器元件,一次是秘密会见何不疑,因为在计划制订时还需了解一些"二号"的细节。经过反复磋商,"盗火 II"计划终于成熟了。

剑鸣原想亲自去执行这个计划,他想看看自己的生身之地,想以自己的行动弥补良心上的亏欠。但德刚说服了他,首先是他脸上的伤口太显眼,容易引起不必要的注意。再者,作为 B 型人,他干这事太危险。而德刚呢,即使被抓住,也只是一场牢狱之灾而已。

前天,德刚离开这儿远赴泰国,"盗火 II"计划正式启动。他从泰国回来后又去了"二号"。计划能否成功,结果就在今天。

剑鸣留在家中,似乎比执行者更紧张。夜里他睡不好觉,一遍一遍在心中模拟德刚的行动细节。这些细节他们早已预演上百遍了,但是……谁知道现场会出现什么意外呢。今天上午他没有任何事情可干,这使时间十分难熬。

他坐在河边的卧牛石上,一动不动,目光滑进了时间隧道。他看见如仪穿着泳衣在水里嬉戏,又偷偷溜到身后,抱住他的脖颈,柔软的胸脯顶在他背上……他看见 RB 雅君赤裸着身体从水中走上来,平静地摊开双手说:"我被气化了,可是你看我的指纹是假的吗?"……他想起不远处就是著名的南召猿人发现地,几十万年前,很多毛未褪尽的猿人就在这河谷里打鱼、追猎、用削尖的木棍播种粟子。他们生活得很辛苦,很艰难。那时,他们肯定还没有如今人类这般自大,动辄把自己摆在所有生灵的顶端吧。

有人从山溪的石头上蹦蹦跳跳走过来,是老柴。山里人眼尖,他老远就看见剑鸣,高声招呼:"剑鸣兄弟,起得早哇!"

剑鸣也向他问了好，问他干啥去了。他走过来，挨着剑鸣坐下，"去对面山上采些地曲连儿，喏，就是这玩意儿，"他从布口袋里抓出一把黑糊糊的菌类，"拾掇好我给你送一点儿，很好吃的。德刚兄弟呢？"

"出去办事，今天能回来吧。"

老柴自得地说："看这山里水多净，空气多好。多在这儿住一段时间，啥烦恼都忘啦！"

他的安慰反倒勾起剑鸣的痛苦，他知道老柴是好意，含糊地嗯了一声。老柴忽然长叹一声，推翻了自己的话，"其实这儿的水不好啊。你看这么大一座废矿山，几百间空房，只住了十几户人家。为啥？都叫这山水赶跑了。用山里人的话说，山水太'暴'；用工程师的话说，山水中有有害元素。老辈的山里人都说，这儿的住家一般只能延续 5 代就绝后了，然后山下人再来填这个空当。有时我真想立马离开这个鬼地方。"

"真的？"

"可不咋的！你没见这儿的傻孩子多，见人一脸笑——都是这山水害的！"

剑鸣很吃惊，他没有想到在 22 世纪居然有人甘心居住在这样的生活环境中。他说："你们得想办法呀，要不把水样送出去，我帮你找人化验。"老柴摇摇头说："这儿太荒僻，就住着这几个人，不值得花钱改造水源。政府一直在动员我们搬走，可搬走有点舍不得。以后再说吧。"他忽然转了话题，"听说山外边家家都使着类人仆人，你家用没用？"

剑鸣的脸色立即沉了下来，这恰恰是他最不愿意谈论的话题。他勉强答道："没有。类人大多被公共服务部门使用，能使用类人的家庭还是少数。"

"剑鸣兄弟，有一点我抵死也弄不明白，咋把原子摆弄摆弄就能变成类人？我前些时到南阳，火车站售票的就是类人，和真人完全一样！活灵活现的真人！他们说这些类人就是在西峡的'二号'工厂里生产的，是把泥巴、空气、水送到机器里，用激光钳摆弄摆弄，就变成了人的 DNA。这到底是咋变的?"他央求道,"兄弟,这个疑问我苦思冥想好久啦,问过几十个人,没一个能给我讲清楚。你是文化人,能不能用最明白的话把这事说清楚?"

他殷切地看着剑鸣。剑鸣不愿谈这个话题,不愿撕开刚刚结疤的伤口,但他却不过老柴的诚意。老柴是个好人,心地良善,为人宽厚,他不想让他失望。剑鸣思索一会儿,说:"我试试吧。"他在河床上捡了十几粒石子,在卧牛石上摆出一个字,"这是什么?"

"是我的姓,老柴的'柴'呀。"

"现在我去掉几粒白石子,换成黑石子,它的含意变了吗?"

老柴嘿嘿笑着,"没变。那跟颜色没关嘛。"

"现在我拿掉几粒石子,含意变了吗?"

"缺了点笔画,还能看出是个'柴'字。"

"再拿走几个呢?"

老柴认真看着,"勉强还能看得出吧。"

"再拿走几个呢?"

老柴摇摇头,"不行啦,缺笔画太多,看不出来了。"

剑鸣总结道:"这就对了,你看,普普通通的石子按一定模式排列起来,就能产生一种新的意义,超过了'死'石子本身。而且,这种新的意义和石子的大小、颜色等性质无关,只和排列模式有关。人造生命也是这样,用普通的原子按一定模式排列起来,就能产生活的生命,超越了死物质的局限。不知我说清了没有。"

老柴目不转睛地盯着缺少笔画的柴字,忽然大彻大悟,"对,魔式!魔式!这就像过去道士画符咒一样,只要按一定的魔式画出来,就有魔力啦,有法术啦。老辈人说,仓颉造字,鬼神都吓哭了。为啥?就是横竖撇捺拼起来,就成了魔式。"他喜滋滋地说,"剑鸣兄弟,多亏你啦,多少年弄不懂的事,你给弄清了。"

剑鸣暗暗苦笑,这就算懂了?他没想到自己说的"模式"被偷换成"魔式"，又和道士的符咒扯到一块儿。但往深处想，他也释然了。尽管他和老柴是站在不同的知识基础上理解这件事，但可以说是殊途同归。因为他们都承认了基本的一点：复杂的缔合模式(魔式、符咒)是比物质高一层面的东西。他微笑道："对，就是这个意思。你的脑瓜很灵光。"

老柴乐呵呵地走了。

剑鸣仍坐在卧牛石上一动不动。在这座宁静的小山村里，在这条从南召猿人时代流淌至今的山溪旁，他的思想忽然有了顿悟，能以新的高度看待"盗火Ⅱ"计划。他们当然要努力完成这个计划，但其中已没有了报复的欲望，没有了多日以来在心中按捺不住的愤懑之情，也忘记了自己的类人身份。自然人和类人都是因同一种缔合模式而超越物质的生命体，两者之间被错误地划了一道界线，现在他们要把它抹平。仅此而已。

将近中午12点，他离开山溪回家，就在这时，他接到了德刚的电话，"我已经出来了。很顺利，我正在往家赶。"

瞬间，他的心中充斥了巨大的喜悦。一切顺利，德刚是好样的！

下午三点，他听到了汽车声。德刚急急走进院子，两人在门口拥抱在一起。"成功了？"他问。德刚兴奋地说："依我看是成功了。各个步骤进行得很顺利，指令发到激光钳那儿后没被察觉，至少在我离开'二号'前没被察觉。"

"可以实行下一步计划了？"

"对。"

他们准备在三天后去购买一名刚出厂的类人婴儿，放在这儿抚养，两个月后确认其是否具有自然指纹。那时，这种具有自然指纹的婴儿该是数以万计了！他们将把消息捅给新闻界，然后笑看那道堤防的溃决。两人笑着击掌。

"成功在望！"

"成功了！"

剑鸣说："你还没吃饭吧？你休息，我准备午饭。老柴的酒柜里有一瓶郎酒,咱们用它小小庆祝一下。"少顷,他把午饭准备好,德刚已把郎酒斟在两只碗里,清澈的酒液在轻轻荡漾。

那时他们都没料到,电脑霍尔,这个修炼成仙的家伙已经识破了他们的计谋,不过是在诞生1300名有指纹婴儿之后了。

在"二号"工厂里,生产线已经停止运作,但哺育室里分外拥挤。自霍尔发现那道外来指令后,安倍德卡尔就下令停止了生产。但他却无法下令销毁这批不合格的婴儿——1300名婴儿呀,他的良心承受不了这么重的负担。于是,他采取了拖延的办法。他命令把这1300名婴儿全存放在哺育室里哺养,不许送出"二号",以便两个月后确认他们是否真有指纹。霍尔温和地指出:"不需验证,指令是明明白白的,他们肯定具有自然指纹。"

安倍德卡尔苦笑着,霍尔尽管进化出了自我意识,但他对人类一些微妙的想法还是不能理解。他叹口气说:"霍尔,照我的决定执行吧。"

安倍德卡尔对世界政府的报告:

"2125年11月10日,'二号'工厂的计算机系统遭到一次计划周详、构想巧妙的入侵。尽管安全系统很快发现了外来指令并中止执行,但在这段时间内,已生产了1300名具有自然指纹的类人婴儿。作为'二号'工厂的总监,我负有不可推诿的责任,谨此提出辞呈,请批准。

1300名婴儿是早产儿,其指纹尚未显现(这正是这项阴谋的高明之处)。现在他们全部被锁闭在'二号'的哺育室里,以便在两个月后确认其是否真的具有自然指纹。当然,这一点已几乎没有疑问了。

对这1300名婴儿的处理是一个极为棘手的问题。按照现行法律和'二号'工厂的规定,对他们应全部就地销毁。但是恕我直言,现在社会上有关类人的风向已在悄悄改变。若一次性销毁1300名婴儿,必将引起轩然大波,超过社会心理承受能力。但若把他们全部投入社会,也会引起连锁反应。这确实是个两难的问题,究竟如何处理,请世界政府早日决断。

在新的工厂总监到任之前,我将以戴罪之身暂时负责'二号'的管理事务。"

把辞职书上交后,安倍德卡尔忽然觉得异常轻松。自担任"二号"总监以来,他常常有一个感觉,就是他的人格被撕裂着。对社会上奉行的类人政策,他总是惴惴不安。社会精英意识认为,类人是比人类低级的种族。但是,想想 200 年前的美国吧,那时,一位"睿智的"大法官曾说:法律面前人人平等,但黑人显然不应包括在内。可是后来科学家证明,所有人类都起源于非洲。如果硬要在人类种族中划出区别的话,黑人的地位应该高一些——他们是人类的嫡长子呢。类人和人类的区别不也是如此吗?

他出身于印度贱民。在种族隔离最严重的时代,贱民如果走路时不小心让自己的影子落到高等级种姓(婆罗门、刹帝利、吠舍、首陀罗)身上,就是犯罪。印度种姓制度是世界上历史最悠久的种族主义制度,3500 年前,白皮肤的雅利安人从中亚和高加索进入印度次大陆,征服了黑皮肤的土著民族,开始推行种姓制度。直到 21 世纪中期,还有不少印度政治家为它辩护呢。安倍德卡尔的一个曾叔祖就是因为爱上一位婆罗门姑娘被烧死的。所以,他对类人抱着天然的同情。

"二号"的停产已经造成很大的动荡。虽然"一号"、"三号"开足马力生产,也不能弥补"二号"损失的生产能力,于是类人婴儿的价格开始直线上涨。在世界政府的压力下,"二号"在仔细剔除了外来指令之后,迅速恢复了生产。

"二号"的秩序恢复了正常——除了那 1300 名滞留在厂内的婴儿。

丹丹这些天来异常忙碌,也异常兴奋。为了照顾额外的 1300 名婴儿,"二号"的职员们都得轮流去哺育室值班,但丹丹对此没一点儿抱怨。想想看,那是些多么可爱的小家伙! 他们的眼珠清澈透明,长长的睫毛扑闪扑闪的,脸上常漾出一波模模糊糊的笑容,这笑容能让你的心儿醉透。每天一上班,丹丹就以最快速度处理好本职工作,随后就急急跑到哺育室去,与婴儿们待在一块儿。

这些婴儿确实非常漂亮,无可挑剔。这是由市场导向决定的,而且在类人工厂里,"美貌"是一个可以人为逼近的目标。这些婴儿个个都很完美,但他们的相貌还是有区别的。不久,丹丹认准了一个女婴作为"自己的"孩子,她的编号是 KQ40345 号,丹丹私下给她起了个名字叫"可可"。每天在哺育室做完日常工作后,她就守在可可床边。如此厚此薄彼是保育员之大忌,但她毕竟是客串的、临时的,其他保育员看见后都一笑置之。

这天丹丹走进哺育室,在婴儿的嘈杂声中一下子就听见一个熟悉的哭声,是可可在哭!她急忙跑过去,果然是可可在哭,哭声很响亮,但并不悲痛。她抱起可可,原来是拉屎了,金黄色的软便堆在尿布上。丹丹为可可揩了屁股,把她抱在怀里。隔着薄薄的衣衫,可可触到了她的胸脯,努着小嘴四处寻找奶头。麻酥酥的电击感顺着乳头神经向体内进射,她脸红了,心头怦怦跳动。周围没人注意,她迅速撩起衣服,拨开乳罩,把乳头塞到可可嘴里。可可立即起劲地吮吸着,更强烈的麻酥感向体内电射,腋下一根神经有发麻发胀的快感。

这种麻酥感让她呆住了。可可吮吸不到奶水,生气地把乳头吐出来,以哭声表示抗议,不过,她的哭声中仍然没有多少悲痛的成分,两只黑眼珠定定地盯着丹丹,嘴角挂着笑意,似乎已经能认人了。正是从这一瞬间起,丹丹下了决心,一定要把这个编号为 KQ40345 号的女婴弄到手,把她当成自己的孩子抚养成人。

"丹丹,发什么呆?"有人在她身后说,是安倍德卡尔总监。丹丹的面孔刷地红到了耳后——她以为总监看到她偷偷哺乳了。总监看到了她的极度窘迫,感到奇怪,但没有深究。这些天,安倍德卡尔心烦意乱,一门心思都在这 1300 名具有指纹的婴儿身上。他对丹丹说:"你回办公室。下午世界政府危机处理小组要进驻'二号',你把有关事宜准备一下。"

丹丹猜到总监没发现自己的小鬼祟,红潮慢慢退了。她说:"总监,我要购买这个编号为 KQ40345 的女婴。"

安倍德卡尔淡淡地说:"类人婴儿都是一样的。"

"不,我就要这一个。我要事先办妥购买手续,等着她出厂。"

安倍德卡尔苦笑着想,她能否出厂还是未知数哩,不过他没有打击丹丹的兴致。他扳过可可的小手指,掏出放大镜仔细观察着——这几天他一直随身带着放大镜,随时观察婴儿的手指。忽然他浑身一震,又继续观察了一会儿。丹丹担心地看着他,最后,安倍德卡尔抬起头,没有看丹丹的眼睛,沉重地说:"指纹已经显出来了,这是 1300 名婴儿中第一个显出指纹的。"

丹丹的脸刷地白了。这些婴儿将长出指纹,这已是人人都知道的事实,但是指纹真的显现出来仍使人感到震惊。作为"二号"工厂总监的秘书,她当然知道有指纹婴儿应该如何处置,但这两个月她有意无意地忘记了这一点。如果没有这两个月的共处,如果关于这些婴儿的处置命令只是以书面和电子形式向上面通报,她也许会漠然地等待总监签下"销毁"的命令,再传达给有关人员去执行,但现在她不能袖手旁观了。她激动地说:"安倍德卡尔先生,你不能销毁她!"

安倍德卡尔平静地说:"我不会下令销毁他们的,我正是为此递了辞呈。但他们的命运如何,我无法控制。"

丹丹斩钉截铁地说:"我绝不允许任何人销毁她!"

安倍德卡尔看着她,感慨地想:女人哪,女人真是一种奇怪的生物。就像丹丹,她一向温顺可爱,没有什么主见,可是一旦母性被激发,她在刹那之间就变成了一只凶猛的斗鸡。他替自己的继任者担心,1300 名有指纹的婴儿,再加上丹丹这样的自然人,处理起来会格外困难。他含糊地说:"再说吧。丹丹,快回去作准备吧。"

22 世纪最豪华的商业场所是类人交易中心。因为,类人这种商品——

无论你的政治见解如何——要比金银珠宝、高档电器更为贵重。类人交易中心的建筑巍峨高大,屋顶是透光极佳的水晶玻璃,阳光倾泻进来,各种攀缘植物(紫藤、凌霄花等)从四周向天花板中央汇集,浓绿的叶子把阳光染成了绿色。柚木地板富有弹性。这是天然柚木,这个人造生物交易场所,反倒对各种天然物品更加偏爱,这也是一种心理上的平衡吧。

漂亮的暗花玻璃屏风把大厅分隔成一间间洽谈室。2125 年 11 月 12日,即"二号"工厂停产两天以后,三号交易室的大江贞子小姐接待了两名顾客。是两个年轻男人,30 岁左右,一个身高在 1.90 米上下,面容英俊;另一个个子稍矮,无疑也曾是一位英俊小生,但脸上两道伤疤破坏了他的俊美。两人的关系显然十分亲密,目光默契,所以大江贞子小姐私下忖度着,他们大概是一对同性恋伙伴。

贞子小姐满面笑容地请他们坐下,"欢迎二位光临。二位想要什么样的类人,是成人,还是儿童? 需要什么专业技能? 什么样的相貌类型? 我们都可以满足。"

高个子看看同伴,有些犹豫地说:"我们想要一个婴儿,男婴女婴均可。但……还是要一个女婴吧。"

贞子对自己的忖度更加确信了几分,这对同性恋伙伴是想认领一个养女,组成一个家庭。当然,法律上不允许类人具有自然人身份,但实际上,类人成为自然人的养子女已是普遍的社会现象,世界政府对此睁只眼闭只眼。她说:"当然可以。有什么具体要求? 想要黄种人、白人、黑人还是混血型?"

"混血型吧。我们有一个要求,"他又看看同伴,"我们想要一个最近出厂的,最早不能超过前天,即 11 月 10 日。"

贞子温和地反驳:"为什么? 类人婴儿又不是面包,放两天就不新鲜了。"

"你就把这当做我们的奇特癖好吧,但这个要求一定要满足。"

贞子沉吟了一会儿,"'二号'工厂的生产线从前天起就停产了。"

她看见两人的脸色变了。"为什么停产?"个子较矮的顾客问。

"听说是计算机出了严重故障,到今天还没有排除。不过没关系,可以为你们订购'一号'和'三号'工厂的产品,只是交货时间得稍微拖后一两天。"

高个子说:"我们更偏爱'二号'工厂的。这样吧,等'二号'恢复生产我们再来。估计要几天?"

"不知道,据说要持续一段时间。你们想等'二号'恢复生产再买也好,这些天,由于'二号'停产,类人的价格居高不下。等'二号'恢复生产后,价格肯定会回落。"

"谢谢。我们等等再来。"

"好的,二位可否先留下电话? 一旦'二号'恢复生产,我即刻通知你们。"

高个子含糊地说:"我们正外出旅行,电话不必留了,我们会与你联系的。再见。"

两人匆匆离开交易中心,回到车上,一时无语。奥迪车一直没有熄火,发动机怠速运转着,车身微微颤动。车窗外的人流舒缓地流淌着,大多是去类人交易中心的。一名警察朝他们走过来,两人都有点紧张,但那名警察只是远远朝车内看了一眼,又平静地走开了。少顷,德刚说:"'二号'停产。修改指纹的指令肯定被发现了。"

剑鸣说:"我们还是低估了'二号'的安全系统——其实一直没低估,但你进'二号'以后那样顺利,让咱们过于乐观了。"

"怎么办?"

"先回去吧,回去后再从长计议。"

"好吧。"

两人驾车返回山中住处,一路上气氛比较沉闷。失败一次倒不要紧,问题是"二号"被惊动之后,再要想混进去就不大可能了。奥迪把城市甩到身后,进入了山区,哗哗地驶过漫水桥。

德刚回头对剑鸣说:"这次被'二号'发觉,相信警方很快会盯上咱们的,我想咱俩暂时分手,万一被逮住,我一人把责任担起来。"他诚恳地说,"这不是逞英雄。咱俩毕竟不一样,你的身份太危险了。"

剑鸣摇摇头,"不必。按照法律我不会有生命危险,即使有危险我也没工夫考虑。咱们还是拧成一股绳,赶紧把要做的事做完。"

德刚看看他的表情,低声叹道:"好吧,我不再劝你了。"

淡紫色的远山逐渐变成轮廓分明的近景。一群麻雀冲上天空,忽上忽下,忽左忽右,轻盈曼妙,就像是一首乐曲。山村的炊烟升起来,直直向上,而后被风吹开,弥散于空中。他们把车驶入矿区,今天这里很安静,屋外没有一个闲人;可他们没停下来想一想这么安静的原因。

剑鸣打开门,吃惊地发现屋里有一个人,背对门坐着,背影很熟悉,很亲切。是谁?剑鸣没有停下脚步。那人回过头,是高郭东昌!刹那间血液冲上头顶,剑鸣眼前又重现了飞艇爆炸时那团白光,白光是从如仪的怀里爆发的。他立即掏出如仪留给他的那把掌中宝,但已经晚了,高局长黑洞洞的枪口已指着他们,"不要莽撞,宇何剑鸣。把枪放下,放下!"

内间屋里出来两名便衣,面无表情,枪口对着他们两人。剑鸣满腔怒火,他想在死前把枪里的子弹都贯入高局长的胸膛……但他最终把枪扔到地上——他身后还有德刚,他不能把德刚的命也赔上。

高局长用眼神示意,一名便衣走上前拾起手枪,对他俩搜了身。没有找到另外的武器,只是把两人的手机搜走了。然后,两名便衣悄悄退回去。

高局长也收起枪,声音喑哑地说:"这就对了,理智一些。坐下吧,今天我只想和你们谈谈心。"

德刚对剑鸣点点头,拉过一把椅子坐下,"行啊,谈谈心。我知道局长一向很理智,在下令炸毁那艘飞艇时就非常理智。"

剑鸣也坐下了。高局长痛快地承认:"对,是我下的命令。不过我想让宇何剑鸣回答一个问题:如果你不是类人,我会下这样的命令吗?"

剑鸣仇恨地瞪着他,不作回答,但在心里他承认局长这句话是对的。局长一向待他很好——刚才他的背影还让剑鸣感到亲切呢。他不是一个坏上司。这会儿他缩着肩,腰背有些伛偻,比起两个月前明显衰老了。他的残忍不是针对剑鸣个人,不是针对如仪或爷爷,而是基于最顽强的本能——延续自己的种族。剑鸣冷冷地看着他,心情非常复杂。他对高局长的仇恨丝毫没有减弱。只要一想起如仪血肉横飞的场景,他的喉咙就发紧,想扑上去掐死这个恶魔。但他也承认,把仇恨集中到高郭东昌一个人身上是不公平的。

高局长说:"我不想走到这步境地,又不得不走到这步境地。是谁逼我这样干的? 是那些王八蛋科学家!"他粗鲁地骂着,"王八蛋科学家!这一两百年来,科学家们全都疯了,走火入魔了,研究什么克隆人、基因杂交人、B 型人。他们造出了一个个比人类更强壮更聪明的东西,又想让警察维持人类的至尊地位,这不是白日做梦吗?"他看看剑鸣,灰心地承认,"我当局长快 20 年了,其实已经知道,对类人的防范注定要失败。想想吧,3 亿类人,除了指纹外和人类完全一样,他们能永远俯首帖耳吗? 对类人的防范,就像是在高山顶上筑坝,总有一天水会溢出来,冲溃堤防。但是,真要让你们这些从生产线上下来的工件代替人类,我实在于心不甘哪。"他怒冲冲地瞪着剑鸣,"于心不甘哪!"

德刚原本对高局长充满敌意,但听着他的内心独白,不由得泛起了同情,"局长,你何必死抱着你的夷夏之防呢。历史上种种堑沟都被填平了,夷族和汉族,黑人和白人,印度的贱民和婆罗门,阿拉伯人和犹太人……类人和人类之间的堑沟也是同样嘛。类人是用物质原子直接制造的,但人类归根结底也是从物质原子中产生的……"

高局长打断了他的话:"不必对我讲生命发展史,我都清楚。看来你比我开明,你们已乐意把类人和人类混为一谈。那么我说一个消息,二位是否也能坦然对待?"他转向剑鸣,"你还记得那桩副研究员自杀的案子吗? 是鲁段吉军负责的,已经结案了,确定司马林达是自杀。为什么自杀?

理由很奇怪,当吉军和小丁向我转述时,我真不敢相信。他的自杀是因为——请你们听好——他发现人类创造的电脑和互联网络已构成了一种超智力,其智力水平远远超过人类,就像人类和蜜蜂的区别一样。这个超智力体肯定在干涉人类的发展,但这种干涉是善意的、不露行迹的。人类的智慧永远不能理解上帝的思维,就像蜜蜂们不能理解今天你我的谈话一样。一句话,在超智力上帝的眼里,我们——当然包括类人啦——都不过是动物园里的狗熊。"他讥诮地看着两人,"我不知道该不该相信这些鬼话,如果它是真的,二位能不能坦然对待?"

两人沉默着。他们都承认,"人"从本质上说不过是物质的一种缔合模式,那么,数百亿功能强大的电脑缔合起来也该能构成更高层面的智慧。从逻辑上接受这个结论并不困难,但从感情上呢? 高局长用锐利的目光盯着他们,狡黠地笑着,"看来你们的开明也不彻底嘛,那就不要五十步笑百步啦。不说这些废话了,"他挥挥手,"说说我该怎样处置你——RB 剑鸣吧。就地除掉? 关进监狱?"

剑鸣毫不畏惧地迎着他的目光,高局长也狠狠地瞪着他们。良久他挥挥手,疲倦地说:"算啦,我已经心灰意冷,不想再让手上沾染鲜血了。我要把你们禁闭在这儿,直到那 1300 名有指纹婴儿被处置完毕。"

剑鸣和德刚迅速对视一眼。1300 名有指纹的婴儿!

高局长冷冷地说:"你们很能干啊,给地球政府出了个大难题。至今无人敢下命令把他们全部销毁,没人敢承担这个责任。但如果这 1300 名有指纹婴儿流入社会——恐怕我再关你们也没有必要了。"他站起身来,恶狠狠地说,"守在这儿等你们的胜利消息吧。但在此之前不许出门,只要出门,格杀勿论!"

他怒冲冲地离开屋子。两名便衣出来送走局长,又用严厉的目光对两人发出警告,然后一声不响地返回内室。德刚和剑鸣极为兴奋,他们的努力没有白费! 1300 名有指纹婴儿出生了,虽然没能出厂,但看来没人敢销毁他们。这么说,那道堤坝快垮了。但兴奋之中也有些惶惑,高局长说的什么超智力上帝让人心烦意乱。不过,那毕竟是比较遥远的事,先抛到一边吧。

剑鸣大声说:"咱们就安心待在这里吧。该做午饭了,喂,"他喊内室的便衣,"我们要做饭啦。"

两名便衣走出内室,"你们做吧。"

"也包括你俩的吧。"

"嗯,谢谢。"

剑鸣问:"你俩是哪个单位的? 我从来没见过你们。"

"我们是刚从外地调来的。"

剑鸣笑了,"高局长手下挑不出人来监管我? 怕他们顾念旧情? 我这个类人在警察局的人缘还不错吧?"

便衣含蓄地承认:"嗯,高局长说,真可惜你是个类人。"

"是啊,我怎么会是个类人呢? 30 年来我一直以为自己是自然人,就像你们一样。我对类人百般提防。忽然有一天,我知道自己是类人,那时心理几乎崩溃了。就好像……就像一下子被倒吊在半空,头朝下看世界。"他开玩笑地说,"你们可千万不要是类人啊,不要步我的后尘。"

两人笑着摇摇头,但眼神中多少有些惶惑——万一是真的呢? 剑鸣大笑道:"别怕别怕,我是'二号'老总精心制造的,是这个世界上唯一的一例。你们不必对自己的身世产生怀疑。德刚,咱们做饭去。"

两名便衣立在厨房门口监视着,二人一边忙碌,一边兴致勃勃地谈天。20 分钟后,他们端着饭菜来到客厅,喊便衣们吃饭。一个便衣轻声咕哝着:"妈的,咋看他也不像类人呀!"

这会儿,在"二号"工厂里,世界政府危机处理小组的成员走进安倍德卡尔的办公室,关上房门。丹丹焦灼地盯着房门,为可可的命运担心。小组成员刚刚视察了哺育室,在那儿,1300 名婴儿的指纹已经全部显现了,没有一个例外。小组会做出怎样的决定呢? 厚重的雕花门紧紧闭着,牢牢守着屋内的秘密。

屋内这会儿鸦雀无声。小组成员中有来自"一号"的李普曼、来自"三号"的易卜拉欣,有中国的钱穆笑痴、陈吴明炬。他们都面无表情。危机小组组长是施特曼,一个严厉的德国人,他非常不满地对安倍德卡尔说:"安倍德卡尔先生,看看你们的疏忽给世界政府制造了怎样的难题。所以,你不要再提辞职了,你自己捅出来的娄子,自己去解决吧。"

安倍德卡尔尴尬地沉默着,施特曼缓和语气说:"不过也不必对'二号'领导责之过苛。生产类人并把他们同人类隔离,是一个复杂的巨系统,复杂的巨系统不可能永远处于受控状态。它不在'二号'出问题,也会在'一号'、'三号'或外面出。我们的努力就像往山上推那块注定要落下来的巨石。不说这些了,讨论善后吧。"

会场上沉默了很久,气氛尴尬,连施特曼和安倍德卡尔也没法诱导发言,就这么硬挺着。这件事确实让人挠头,1300 名类人婴儿无法销毁,也没人敢让他们流入社会,这实在是个两难的问题。沉默持续了 40 分钟,来自中国的钱穆笑痴向同伴陈吴明炬点点头,后者向前欠欠身子,首先打破了沉默:"施特曼先生,各位同行,知道'二号'的事故后,我们已商量了一个应急方案。我先讲讲,以此抛砖引玉吧。"

"请讲。"

"按照法律,这些不合格的类人无疑应全部被销毁。但这是不现实的,肯定超过社会心理的承受能力。我想比较稳妥的办法是:对每个婴儿做手术,去掉指纹,植上用细胞培育法培育的皮肤。这种去除是永久性的,也不会留下任何痕迹。另外,手术完成后销毁有关记载,把这批婴儿分散到'一号'、'三号'的正常婴儿中再推向市场。因为有关内情不可能永远封锁,但至少要保证,没有哪个类人长大后能知道自己曾经有过指纹。"

其他小组成员轻轻点头,认为这是比较持重的办法。尤其是第二点考虑得很周密,否则,让 1300 名类人知道他们曾经有过自然指纹,有可能诱导出反叛思想。

　　大家讨论了一会儿,觉得这是唯一可行的办法,施特曼说:"那就这么决定吧,感谢两位先生东方式的智慧。安倍德卡尔先生,请你拟订一个详细的实施计划,报危机小组最终敲定。这次再不允许出现疏忽了!"

　　门开了,危机小组成员鱼贯而出,丹丹忙起身含笑致意。他们都面无表情,猜不出他们刚才做出了什么决定。安倍德卡尔最后出来,向丹丹吩咐道:"送各位先生去宾馆休息。"丹丹领他们下楼,送到厂内宾馆,然后匆匆返回办公室。总监先生正面对窗户沉思着,丹丹不敢惊动他,可又忍不住,便鼓起勇气问:"总监,对这批婴儿如何处理?"

　　安倍德卡尔严厉地看了她一眼。他知道丹丹是在为她的可可担心,作为"二号"的工作人员,绝不容许对某个类人产生私人感情,丹丹已经不是个称职的秘书了。但安倍德卡尔心思烦乱,再者,看着丹丹的焦灼和畏缩,他心头也觉不忍,便简单地说:"他们不会被销毁了,要做指纹消除手术。"

　　丹丹的脸庞立即被喜悦笼罩了,她感激地看看总监,退出办公室。然后,轻快的脚步声渐渐远去,安倍德卡尔知道,她是去哺育室了。

　　此后的两个月,丹丹忙得一塌糊涂。要对1300名婴儿做手术,而且必须在"二号"之内做——没人敢把具有自然指纹的婴儿送到"二号"之外。丹丹找到了10个一流的整容医生,在"二号"之内布置了10张外科手术台,开始了这次大规模的手术。

　　冬天在不知不觉中来临了。今年冬雪来得早,山野披上银装,山鸟飞到村庄里觅食。只有"二号"里仍然春意盎然,浓绿的树丛中点缀着姹紫嫣红。手术进行了整整两个月。当麻醉药力过去后,婴儿们愤怒地哭叫着,把哺育室变成了一个疯人院。那些天,丹丹忙得连梳洗打扮的力气都没有了。不过,只要稍有闲暇,她就坐在可可床头,目醉神迷地看着"自己的"孩子。可可的手指很快痊愈了,光光的没有指纹。不过,丹丹并没奢望一个带指纹的类人婴儿,所以她仍然很满足。

两个月后,安倍德卡尔才下了第二道命令,这批婴儿被分成两批,秘密送往"一号"和"三号"工厂,他们的原始记录全部销毁。

丹丹面色苍白地找到了安倍德卡尔,"我要我的可可。"

安倍德卡尔硬着心肠说:"不可能的。危机处理小组已决定把他们全部分散,务必保证他们中任何一人长大后都不知道这段经历。丹丹,我无法为你网开一面。"

"我要我的可可。"

"在'二号'工作了这么长时间,你应该能想开的。所有类人婴儿都只是生产线上的一个工件。我可以允许你查出可可的生产参数,再制造一个完全相同的没有指纹的婴儿。"

"我要我的这个可可。"

安倍德卡尔苦恼地说:"不要这样固执,不要让我为难。丹丹,你知道我不得不执行上边的命令。"

丹丹面色惨然地走了。

1300名婴儿全都被运走了,丹丹陪着"自己的"孩子直到最后一刻。如果有可能,她不惜触犯法律,把可可偷走,但"二号"警卫森严,无法下手。她只是无奈地看着可可,拼命把她的小模样记在心里。然后,她会走遍天涯去寻找自己的孩子。

这一批婴儿被运走后,丹丹也从"二号"消失了,办公桌上只留下一封简短的辞职信。

两名便衣是很省事的客人,他们中一个姓"何马",外号"河马"(不过他的身躯一点也不粗壮);另外一个姓张郝,一般喊大张。他们总是待在不显眼的地方,如小卧室、厨房外、阳台上等,话语很少,似乎为自己打搅了主人的生活而愧疚。但他们的监视工作还是很尽责,晚上轮班睡觉。剑鸣和德刚两人起来小解时,总能看到黑暗中一双灼灼的眼睛。

又是两个月过去了。山坡背阴面还有积雪,阳坡上野花已经绽放。

剑鸣和德刚虽然表面上还平静,但心中却越来越焦躁。他们被关在这世外之地,手机被没收了,电话线被掐了,外面的消息一点儿也传不进来。1300名有指纹的婴儿这会儿在哪儿,他们被集体销毁了吗? 新闻媒体对此有什么反应? 剑鸣父母这会儿怎样了? 他们一定为两人的杳无音信焦急。

这天晚上,德刚对河马说:"喂,你们是不是给我们判了无期徒刑? 催催你们的局长,是杀是砍都爽快点。"

河马细声细气地说:"有消息局长会及时通知的。"

剑鸣冷着脸说:"告诉你,我可不耐烦了,我准备逃跑。"

河马停下筷子,非常得体地说:"你不会让我们为难的。"

他有意无意地看看同伴手中的枪。剑鸣冷笑道:"我不让你为难,倒是你让我为难了。就凭这两把破枪,你以为我对付不了你们? 我只是不想扭断谁的脖子。"

他话语中的狠毒让两名守卫打了一个寒战。不过,河马仍然委婉地说:"二位不会铤而走险的。也许明天上面就会送来释放的命令。"

剑鸣哼一声,没有再理他。德刚向两人做了一个抱歉的手势,把话头岔开。

晚饭后的时间更难熬,无事可干,连聊天也不愿意——当着另外两双耳朵,怎么能提起聊天的兴趣? 有时剑鸣和德刚把电脑打开,但不能上互联网,电脑又有什么可看的呢? 有时他们看见老柴在门外溜达,伸着脖子往这边看。他一定为两个被囚的客人着急,但这里有守卫,他无法进来。

这晚,两人躺在沙发上闭目养神,忽然咔嗒一声电脑屏幕亮了。两人都惊异地看看对方,知道不是对方打开的电源。那么,电脑怎么会自动开机呢? 电脑打开后并没有进入程序,没有显示出 Windows 的画面。屏幕上是一片蓝天绿树,十分逼真。一个小黑点从蓝天深处迅速逼近,原来是一只蜜蜂。蜜蜂的身体迅速扩大,一直到正常蜜蜂的两倍那么大,然后它沿着屏幕的边缘爬行。它爬得十分从容,时行时停,停下时触角向四周摆动,就像在倾听什么。

两人目不转睛地盯着屏幕,剑鸣低声问:"这是什么? 定时发作的病毒程序?"

德刚摇摇头,"从来没有病毒程序能自动打开电源。"

蜜蜂的图像十分逼真:透明的翅膀、大大的复眼、黄褐相间的身体、精巧的细腿,甚至细腿上的茸毛都看得清清楚楚。它爬了一圈,又轻盈地飞起来,屏幕上的场景跟着它迅速变换,终止在一朵鲜花上。蜜蜂吮吸着蜜浆,又飞回蜂巢,在蜂巢里猛烈地抖动着身体,跳着圆圈舞。几十只蜜蜂跟着它做同样的动作,然后一块儿飞上蓝天。蜜蜂的队形迅速变换,忽然变成了一行汉字:

宇何剑鸣,齐洪德刚

两人大为吃惊,这绝不是什么病毒,是外界的人试图同他们联系! 剑鸣迅速起身看看两个监视者,他们仍远远待在角落,没有发觉这儿的异常。德刚到电脑后检查了一遍,没错,网线早已被掐掉,现在电脑同外界只有电源线相连。他们都是电脑高手,但实在想不通,这些信息如何能送进电脑。

德刚坐下来,迅速敲了一行字:"你是谁? 你怎么进入这台电脑的?"

他打出的汉字也显现在屏幕上,在那八个汉字的下边。这时,那八个字又忽然变成群飞的蜜蜂,在天空中消失。只有一只蜜蜂留下来,用它的复眼看着屏幕外面。这双眼睛向两人逼近,两人都觉得,他们被眼光包围了,走进了光与电组成的云霞中。光与电的脉冲闪闪烁烁,在云霓中打出一个巨大的字:

我

两人紧张地期待着,但"我"字之后就没了下文。不过,屏幕上这只聪慧的蜜蜂令剑鸣联想到某种东西,他迅速在键盘上打出一行字:"你是司马林达吗?"

没有回答。

"你是那个上帝吗？你在干涉人类的生活？"

没有回答。剑鸣和德刚无计可施,相对苦笑。这时,屏幕上的景象迅速后退,又恢复成一只蜜蜂。蜜蜂对他们微微一笑(它确实在笑!),振翅飞走,在蓝天中迅速消失。剑鸣和德刚呆呆地盯着屏幕,不知道自己是否在梦中。电脑又自动关闭了,屏幕上的微光慢慢消失。两人默默对坐,很久才回到现实中来。

德刚低声说:"你怀疑是超级智力体？"

"嗯,但……不可思议!"

"他是从电力线路进入电脑的？"

"只能是这样吧。"

大概是听到他们在低声谈话,河马走过来看看他们,没有发现什么异常,又不声不响地退回去了。德刚和剑鸣仍低声交谈着。

"他向我们现身——什么用意？"

"恐怕他要善意地干涉了。"

"为了类人？"

"嗯。"

两人不知道是该欣慰还是沉重。毫无疑问,这种干涉肯定有利于他们,但是——一个高高在上的上帝!剑鸣不由得想起司马林达临死时留下的那句话,他低声念出来:

"放蜂人的谕旨:不要唤醒蜜蜂。"

"你在说什么？"

河南林县的江朱夫妇购买了一个4个月大的女婴,从这天起,他们的生活就不一样了。

老夫妇苦了一辈子。他们都是"城市边缘人",身无长技,从农村来到城市,靠出卖苦力养儿育女。如今儿女都混得不错,儿子是律师,女儿开化妆品商店,给爹娘购置了漂亮的房子,每年中秋节和春节,都会给老夫妇寄来礼物和现金支票,还有电话中的几声问候。不过,他们的亲情也只限于此了。父子两代文化水平相差太远,用句时髦话说,代沟太深,他们之间没有多少共同语言。

江朱老头和江朱老太很寂寞,闲得发愁。老太忽然想出一个主意:"咱们买一个类人婴儿吧,买一个刚出生的,把她从小养大,把咱这一辈子再过一遍。行不?"

老头说:"那可是好。"

买来的是一个极漂亮的女婴,黑头发,黑眼珠,肤色白中透红,厚嘴唇很是漂亮。她的脸蛋光得像丝缎,摸一下,麻酥酥的,美到心窝里。老两口可忙坏啦,擦屎倒尿,喂饭穿衣,女儿咧嘴哭一声,要叫两人心疼半天。老两口越忙越高兴,唯一遗憾的是,老太的奶子里没奶水,不能像当年那样喂奶。再者,这个女儿再惹人爱,也不能上到户口簿上——类人交易中心的小姐知道老两口文化低,特意对他们再三告诫过这一点。

这天他们接到一个电话,是一名年轻姑娘打来的。

"我叫杜纪丹丹,是生产类人的'二号'工厂的秘书。我想去拜访你们,是否可以?"

"行啊行啊,俺们欢迎。"江朱老头担心地问,"是不是俺们的类人女孩有啥毛病?"

"不,不是。具体情况见面再谈吧。"

30分钟后,一名姑娘走进家门,很漂亮,风尘仆仆的样子,模样有些憔悴。她向主人问了好,直截了当地说,想看看他们才购买的女婴。江朱老太心中忐忑地抱来女儿,丹丹仔细端详着她的容貌,脸上露出极度的失望,"不,不是我的可可。"

老太问:"闺女,你说啥? 你的女儿丢了?"

丹丹叹息着,"是啊,我的女儿丢了,我要跑遍全世界把她找回来。对不起,打扰了,再见。"

老太忙拉住她,"闺女,快晌午了,你要不嫌弃,吃完饭再走吧。你把丢女儿的事说说,说不定俺们还能帮你想点办法呢。"

于是丹丹留了下来。老头去厨房做饭,老太和丹丹逗着孩子闲聊。丹丹讲了那1300名婴儿的事,讲自己如何在其中认了女儿,这批婴儿如何做了去除指纹的手术,又被毁掉档案,混在三个类人工厂近期生产的婴儿中;又讲述了自己在交易中心查清了近两个月全世界出售女婴的全部名单,现在正排齐了去拜访。丹丹眼眶红红地讲着,江朱老太真情真意地歔歔着。其间,丹丹无意中讲了那点人尽皆知而江老太从不知道的细节,老太很快会发现这点细节对他们可是太有用了。丹丹说,虽然类人不能上户口簿,但一个具有自然指纹的类人,只要出现在类人工厂之外,从法律上说他就具有人的身份了。正是因为这个原因,各个类人工厂的防范才这么严密。

丹丹吃完饭,抱着孩子亲了又亲,依依不舍地走了。在这天余下的时间里,江朱老太一直心神不定,她扳着女儿的手指看了又看,想看看上面有没有做过手术的痕迹。想到这儿,她心中一抖,这么小的娃儿,要把手指肚上一层皮肉刮下来,那该多疼啊。不过女儿的手指光滑滑的,不像做过手术。

女儿吃饱了,酣然入睡。江朱老太出去买了几袋奶粉,回来见老头拿着放大镜,正入神地看女儿的指肚,原来老头子也不放心啊。她说:"老头儿,看出啥名堂没? 我刚看过,没有伤疤。"老头儿抬起头,看他的眼神就知道发生了大事。

老头迷迷瞪瞪地说:"老婆子,咱妮儿的手指上有指纹! "

江朱老太说你老眼昏花了吧,谁都知道类人没有指纹。刚才丹丹姑娘还说呢,只要有指纹就能上户口簿。说到这儿她浑身一震,忙接过放大镜仔细察看。没错,有指纹! 指纹很淡,隐在半透明的皮肤中,但分明是有的! 她看看其他九根指头,都有,甚至能看出是七斗三箕。

两人乐傻了,"有指纹! ""是有指纹! ""咱们该咋办? "老太想起来,

“丹丹姑娘临走还留下了手机号码呢,问问她,一准儿清楚!”

丹丹的手机接通了,“我是杜纪丹丹,你是哪位?”江朱老太兴奋地喊:“丹丹姑娘,我是你江朱大妈呀。你走后我们用放大镜看了女儿的指肚,她有指纹!”

丹丹的声音也变了:“真的,没看错?”

“没有错,看得很仔细,是七个斗,三个簸箕!”

丹丹困惑地说:“她怎么会有指纹呢?所有的指纹都被削掉了呀。不管怎样,恭喜你们了。这是极难得的,你们有一个真正的女儿了。”

“我们该咋办?咋去上户口?”

丹丹沉吟了一下,“你们先把消息捅到报纸上,那样更保险,免得有人……南阳我有一位记者朋友,我现在就通知他去采访你们,余下的事他会帮你们办。”

“丹丹姑娘,谢谢你啦!”

丹丹笑着说:“说谢就太生分了,真的,我为你们高兴。我自己也高兴。”

第二天,《南阳晚报》上登出了这则惊人的消息。这是这批有指纹的类人中第一个被披露于世的。第二天,世界上又有三则同样的报道。数千万人看到了这几则消息,凡是购买过类人婴儿的家庭都用放大镜去察看。第三天,全世界共发现了 3497 个有自然指纹的类人婴儿,第四天是 47893 个,而且这个数字在逐日增加。也就是说,凡是在 11 月 15 号之后购买、又超过出厂日期两个月的婴儿,全都显现出了自然指纹,无一例外。

“截至今天,南阳地区共发现 38 例有指纹的类人婴儿,大部分是‘二号’工厂的产品,也有三例是‘一号’和‘三号’工厂的。”史刘铁兵说,他坐在巨型办公桌对面。高局长脸色阴沉,仰靠在座椅上。“局长,这是咋回事?各个类人工厂都有世界上最严密的防护,咋能在一天之内全被攻破?是谁干的?”

高局长沉默不语。

"局长你说该咋办？得赶紧想办法,要不,局势就要失控了！"

高局长怜悯地看着他。铁兵也是他的爱将之一,但他与剑鸣是不同类型的人。铁兵忠心耿耿,责任心很强,只要有命令,他可以毫不皱眉地走进熊熊烈火中,但他的大局观要差得多。现在还想什么善后办法？局势早已完全失控了。从1300名有指纹婴儿出生后就基本失控,等到近5万名有指纹婴儿从"一号""二号""三号"工厂同时涌出来,那道堤防早就彻底崩溃了。现在即使大禹重生,也不可能再让洪水归位。

可叹铁兵到现在还看不到这一点！

史刘铁兵还在热切地看着他。在他的心目中,局长就是万能的上帝,只要局长一声令下,局势就会瞬间改变。高局长不忍打破他的希望,温和地说:"我都知道了。局势太复杂,暂时不要采取什么措施。你先回去吧。"

史刘铁兵惶惑地走了。高郭东昌留恋地看看他的办公室,看看他的巨型办公桌。记得他还是一名小警察时,第一次走进局长办公室便为这里的气势所震撼。那时他曾想,坐在这张巨型办公桌前号令天下是什么滋味！后来他果真当上了特区警察局局长,他20年的工作,就是尽力建立了一道针对类人的坚固堤防。现在,这道堤防的崩溃已在旦夕之间,他也该谢幕下场了。

他按电铃唤来秘书,吩咐道:他要休息几天,局里的事先由秘书招呼着。秘书惊慌地瞪大眼睛,这几天正是多事之秋,一次次事故令人应接不暇,在这个当口儿局长却忽然要休息！她很想劝局长改变主意,但看看局长冷静的表情,知道劝也是白劝。也许局长有什么个人想法？也许局长已听说上面要将其免职？

她点点头说:"好吧,局长尽快回来,这两天如果需要作什么决定,我用电话请示你。"

高局长微微一笑,"有事也不要找我,我既然休息,就要真正休息。"

秘书没有坚持,"好吧,还要我做什么？"

"没有了,谢谢你这些年的工作。再见。"

高郭东昌住在城南的高级住宅区里,院里种着漂亮的棕榈树,地上铺着厚厚的草毯。这种草是从澳大利亚进口的转基因牧草,颜色特别绿,冬天也不会干枯。厚厚的草地吸收了汽车的噪音,使这里十分安静。

女儿女婿和四岁的小外孙今天都在家,看见他回来,女儿惊喜地说:"哎哟,勤于王事的老爸爸今天竟然有空回家啦。"

小外孙斗斗喊着"胖爷爷,胖爷爷",向他扑过来。高郭东昌抱起外孙亲亲,对女儿说:"今天我休假。"

妻子说:"真难得呀,平常只听说你加班,啥时候见过你休假? 咱们好好玩儿一天。到哪儿去玩儿呢? "

斗斗说:"到内乡去看恐龙蛋和火山蛋! 爷爷答应过的。"

"好的,今天就去内乡。"

内乡县离南阳市有 90 公里。一个小时后,他们来到内乡县衙博物馆。这是全国唯一保存完整的古代县衙,里边陈列着县官和皂役的塑像,摆着过去县衙所用的各种刑具。西侧一间陈列室里是本地出土的恐龙蛋和火山蛋。小外孙对火山蛋最感兴趣。火山蛋呈扁圆形,有横向纹路,一个剖开的火山蛋显示其中是空心的。

"爷爷,为什么火山蛋是空心的? "

解说词中对此没有说明,高郭东昌只能凭推测解释了。他说火山蛋是火山爆发时形成的,一块熔岩——就是熔化的石头——被抛到空中,快速旋转着,把这团黏稠的熔岩旋成了扁圆的南瓜形。由于离心力的作用,中央成了空的。这块熔岩一定被抛得很高,使它在落下时已基本冷却,所以这种形状能保存下来。小外孙不知听懂了没有,但他煞有介事地点着头。

中午他们把车开到一座山坡上,在一片草地上吃了野餐。斗斗一直猴在爷爷身上,和他寸步不离。"胖爷爷,你有手枪吗? ""胖爷爷,明天你带我到宝天曼原始森林去玩,可以吗?"妻子感慨地说:"真是亲劲儿撑着哩。斗斗长这么大,当外爷的没抱过几次,可你看斗斗对他多亲!"高郭东昌把外孙抱起来,用胡子楂儿扎扎他的嫩脸蛋。斗斗咯咯笑着,用力推着爷爷的脸。他的瞳仁又黑又亮,皮肤下显出细细的血管,洁白的糯米牙闪闪发亮。高郭东昌把斗斗紧紧搂在怀里,两颗泪珠滚下来。他没让别人看见,悄悄地揩掉了。

晚饭后,女儿女婿要带斗斗回家,斗斗还缠着爷爷明天领他去公园。此时,高郭东昌还不知道自己明天要干什么,但他预感到明天不能和斗斗一块儿玩儿了。他说:"斗斗,爷爷明天不能陪你玩了,真对不起。"

斗斗说:"爷爷,你明天上班吗?"

在斗斗的心目中,"上班"是个法力无比的禁咒。只要爸、妈、爷爷上班,那他再缠磨也是没用的。

高郭东昌含糊地说:"是啊是啊。斗斗再见,斗斗再和爷爷亲亲。"

女婿把斗斗抱上车,女儿高兴地说:"难得老头子今天高兴,今天玩儿得真痛快。"

晚辈们走了,屋里又恢复了往常的安静。高郭东昌说我到书房里待一会儿,他走进书房,在里面待了两个小时。妻子不像女儿那样粗心,早看出了丈夫有心事。她知道,外面正为类人婴儿的事闹得天翻地覆,在这时休假不是什么好兆头,莫非他被上级免职了?但她没把这件事想得太严重。闹出这么多带自然指纹的类人婴儿并不是丈夫的责任,丈夫负责"二号"工厂之外的防卫,出事却是在"二号"内部;而且,远在美国和以色列的"一号"、"三号"也同样闹出乱子了呢。即使丈夫被免职,也不是坏事,他已经56岁,该歇歇了。这个工作太辛苦,出力不讨好,早该把它撂下了。

但她没有同丈夫把这些话说透,这也是她日后深感疚悔的地方,也许那天好好开导开导丈夫,就不会发生后来的悲剧了。

晚上10点,丈夫从书房出来,神色很平静,说时候不早了,休息吧。躺到床上后妻子问他,明天还休假不?要是休假,再带斗斗玩儿一天,你看斗斗对你的亲热劲儿,叫人感慨。

丈夫含糊地说:"明天再说吧。"他忽然没头没脑地说了一句,"从今往后,那些生产线上下来的婴儿就要同斗斗平起平坐了。"

这是他透露心境的唯一一句话。妻子委婉地劝他:"想开点吧,老头子。有一句老话,尽人事,听天命。人再强,也强不过老天的。其实,我见那些领养了类人义子的家里,不也都是亲亲哪肉肉呀疼得不得了,看不出他们和自然人的孩子有什么区别。"

丈夫平静地说:"睡吧,不说这些了。睡吧。"

丈夫似乎很快入睡了。妻子想了一会儿心事,也蒙蒙眬眬地睡着了。但她睡不安稳,丈夫的平静后面似乎藏着什么东西,令她不安。她梦见丈夫伏在她头顶向她告别,脑袋后面是一个巨大的黑洞。她问丈夫,那个黑洞是什么? 丈夫扭头看看黑洞,一句话也没说。梦境到这儿戛然而止。然后丈夫似乎下床了。他大概是去小便吧,但很长时间没回来。她从迷蒙中醒过来,床的那边是空的。刚才的梦境忽然闪过,她有了不好的预感,忙下床去寻丈夫。厕所没人,书房的门虚掩着,没有灯光。就在这时,书房里传出一声沉闷的枪响,她马上明白了是怎么回事。她凄惨地喊了一声:"东昌!"

随后,她便昏倒在地上。

高郭东昌局长自杀的第二天,一架"蜜蜂"型直升机飞到那座废弃的矿山,降落在德刚和剑鸣的住室前。机翼没有停转,在地上旋起落叶和灰尘。

一名便衣从直升机上跳下,猫着腰跑过来,匆匆对两名看守说:"'二号'工厂总监安倍德卡尔请齐洪德刚和宇何剑鸣两位先生前去议事,现在就走!"

他同看守交验了手续,催两人快上直升机。剑鸣没好气地说:"这就拉出去枪毙啦? 也不给点时间酝酿酝酿情绪。"那人笑笑没吭声,推着两人进了机舱。这种直升机只有两个座位,那人留在地上,对驾驶员挥挥手,"起飞吧,直接飞'二号'!"

直升机急速拉起机头,飞上蓝天,地上三名便衣的身影渐渐变小了。一个个山头从机下掠过,山头变成丘陵,又变成平原,高楼大厦开始出现。两人都感到纳闷儿,看这架势当然不是拉去枪毙的,但他们怎么会突然从阶下囚变成座上客?

剑鸣敏锐地说:"一定是出了什么大事!喂,驾驶员师傅,安倍德卡尔请我们去干什么?外边发生了什么事?"

驾驶员回头笑笑,没有回答。但他的态度中不含敌意。

直升机掠过城市,又进入丘陵区。那个熟悉的软壳蛋出现在视野里。"二号"工厂到了。他们尚在空中时就感觉到了"二号"不同寻常的纷乱繁杂。职员停机场和停车场都塞得满满的,客人停机场也停了不少直升机和小飞碟。他们的飞机好不容易才找到了停机位置,降落下来。驾驶员领两人来到工厂门口,众多客人正鱼贯而入。令德刚和剑鸣至为惊异的是,门口不再检查瞳纹和指纹,连沐浴更衣的程序也免了!两人互相看看,在目光中肯定:没错,一定是发生了什么大事。

进了大门就看到,"二号"停产了。这是两个月来"二号"的第二次停产。曾经井然有序的生产线现在寂然无声,无所事事的类人职员聚集在车间的门口,像是蜂巢被扰动的蜂群。驾驶员领着他们走向中央办公大楼,路上他们看到一个熟悉的衰老身影,一名姑娘正扶着他慢慢走着。是何不疑!

剑鸣喊:"爸爸!"紧赶几步追上他,与老人拥抱。老人很高兴,也很意外,他没有料到儿子也是"二号"的客人。德刚也过来同老人叙礼,他们没时间寒暄,剑鸣急急地问:"爸爸,发生了什么事?这两个月,我们一直被监禁在山里。"

"我和你妈妈也一直被软禁在家里,刚刚知道一些情况,是秘书小姐告诉我的。"何不疑指指在一旁侧身而立的姑娘,"世界上已发现了14万具有自然指纹的类人婴儿,全都是 11 月份之后出厂的,三个类人工厂的程序同时被改变了。"

两人惊疑得合不上嘴,疑窦丛生地看着老人。老人摇摇头说:"不是我干的,我估计也不是你们干的。我只知道这一点情况。不过,他们既然请我们来,会把情况告诉我们的。"

秘书小姐谦恭地说:"何先生请跟我到会议室,你们两位请到安倍德卡尔总监的办公室稍候。会议之后,安倍德卡尔先生想同你们三位单独谈谈。"

她把何不疑送到会议室,又回头领二人走进总监办公室,斟上两杯橙汁,含笑说:"请耐心等候,估计这次会议要开两个小时。"

德刚说:"可以问个小问题吗?"

"请讲。"

"你是总监秘书,那么那位丹丹小姐呢?我上次来'二号'时是她做秘书。"

"她已经辞职了。"秘书略微犹豫后又透露了一点儿情况,"她在那批类人婴儿——就是你制造的 1300 名有指纹婴儿——中认了一个女儿,那批婴儿被削去指纹后就被秘密送走了,丹丹决心走遍全世界找到她。"

从她的口气中看出,她对丹丹很同情,很钦佩。德刚说:"真是个痴心的母亲哪。如果可能,请向丹丹小姐转达我的祝福。相信她一定能如愿。"

会议室中坐了 20 多人,一般都在 50 到 60 岁,是各个行业的权威人士。何不疑没有在其中发现熟人,毕竟他已离开社会 30 年,他和这些人已经不属于同一代人了。安倍德卡尔总监和另一个男人——大概就是危机处理小组组长施特曼了——坐在首席。施特曼表情阴沉,安倍德卡尔的脸色倒还平静,看见何不疑进来,他忙起身点头示意。

邻座的人上下打量着何不疑,然后伸出手,"你是何不疑先生?我们都知道你的大名,可惜一直无缘得见。"

　　又有几个人过来同他握手，各自作了自我介绍。这些名字何不疑都在报纸上见过，看来，这是有关类人问题的最高级别的科学会议了。施特曼宣布会议开始，请安倍德卡尔介绍背景资料。

　　安倍德卡尔苦笑道："我想不用介绍，大家都知道了。截至此刻，世界上已经发现了14万具有自然指纹的类人婴儿。三个类人工厂的生产程序在11月15日这一天同时被改变。这些婴儿在出厂时还没有指纹，两个月后逐渐显现。是谁干的？他是怎么办到的？我一点儿也不知道。今天请各路神仙合众人之力来解这个谜。"他看看施特曼，"以下的话只代表我一人的观点。人类和类人之间的堤防本来就是冰雪堆成的，极不牢固。在14万类人流入社会后，这道堤防已经彻底消融，任何人都不要再抱幻想了。我们今天开这次会，不是要挽狂澜于既倒，而是——输也要输个明白！"

　　他说得很干脆，施特曼脸色阴沉，看来不一定同意他的观点和做法，但也没表示反对。代表们低声议论着，大都表情困惑，没人出来发表意见。

　　安倍德卡尔从人群中挑出何不疑，"何先生，你是'二号'的第一任总工，也是类人生产技术的实际创造者之一。我想先听听你的睿智见解。"

　　何不疑扶着椅子站起来，苦笑道："我不知道。依我对'一号'、'二号'和'三号'的了解，要想同时更改三者的生产程序，可以说是不可能的。不过，我想询问一下主电脑霍尔，可以吗？"

　　"可以。"

　　主电脑霍尔的面孔出现了，看见何不疑，他马上露出惊喜激动的表情，"何先生，见到你真高兴，我们已经有30年没见面了！"

　　"你好，霍尔。"

　　"你的夫人和孩子都好吗？我记得，你离开'二号'那天，夫人即将临盆。"

　　"他们都很好。霍尔，30年了，我真不敢想象你的智慧已发展到何种地步。我离开'二号'前，你就发展出了自我意识。"

霍尔自信地笑笑,没有回答这个问题。

"你知道'二号'的生产程序被人更改了吗?"

"3个月前,即11月10日那天被人更改过。作案者是一名高个子年轻人,化名陈于见华。"代表们目不转睛地盯着屏幕,这时起了一阵骚动,"他更改了关于指纹的程序,又把婴儿的发育期放慢了两个月,这样,婴儿出厂时指纹还不会呈现。这是一次精心策划的行动,我在每日例检时发现了,不过那时已生产出1300名有指纹婴儿。"

代表们都知道这次事件,但对内幕并不是都了解,他们注意地听着。霍尔接着说:"请原谅我的坦率,何先生,那次行动是一个熟悉'二号'的人策划的。而且在那个外来指令中,我发现了你的风格。"

何不疑多少有点尴尬,但毫不迟疑地承认道:"对,正是我编写的指令,我想亲手拆毁我自己参与建立的堤坝。这道堤坝从本质上说是不人道的。"

在座不少人或惊异或愤怒地看着他。何不疑没有理会这些目光,继续问道:"但11月15日程序又被改动了。这次你发现了吗?"

"没有,我检查过,程序没有改变,婴儿的发育也都没有放慢,他们出厂时都是足14个月的婴儿。但很奇怪,出厂时指纹都没显现。这是为什么,我不知道。"

他的叙述平静而客观。何不疑盯着他的眼睛问:"也许有外部力量参与其中?"

霍尔的表情中没有一点涟漪,"我不知道。"

安倍德卡尔补充道:"霍尔说的是实际情况。这些天,他已彻底检查了生产程序,没有发现一点儿问题,但这些完全正确的程序却在继续生产着具有自然指纹的婴儿,实在是太匪夷所思了!"

何不疑摇摇头说:"我没问题了。很遗憾,我对这件事无法提供什么见解。"

之后他就不再说话,安静地听别人发言。这些发言都很审慎。代表们都是各个行业的权威，权威们对自己拿不准的事是不会轻易开口的。会议开了一个半小时，仅达成了几点简单的共识：第一，三个类人工厂同时出现故障肯定是人为的；第二，阴谋者很可能是通过电力线路进入工厂计算机内层网络的，其使用方法超过了目前的科技水平。

会议仍在进行，安倍德卡尔悄悄走过来，拍拍何不疑的肩膀，示意何跟他出去。走出会议室，他简短地说："走，我领你见两个你想见的人。"

他推开总监办公室的门，把何不疑让进去。德刚和剑鸣忙起身过来扶着老人，但三人并未表现出久别重逢的狂喜。安倍德卡尔反倒纳闷了，"怎么……"

何不疑笑着解释："刚才我们在路上已见过面。"

安倍德卡尔笑了，"噢，是的。既然把你们三人放到同一个地方，当然有提前见面的可能性。这倒是一个浅显的隐喻：主事者并不能完全控制每一个细节。三位请坐。"

四人在沙发上坐定。刚才剑鸣和德刚已经听秘书介绍了很多情况，这会儿剑鸣没等安倍德卡尔询问，抢先说道："安倍德卡尔先生，非常感谢你的宽容，也很钦佩你的开明。我们愿意与你坦诚相见。这次事件——我是指这 14 万婴儿，而不是那 1300 名婴儿——我们确实不知情，我们和你一样感到纳闷。不过，我们被监禁在矿山时曾发生过一次异常现象，很可能和这件事有一定联系。那时我们的网线被掐断了，电脑根本无法上网，但 1 月 15 日晚上，屏幕上却突然出现了一群蜜蜂！"

"蜜蜂？"

"对，蜜蜂排成了八个汉字，即我和德刚的名字。这是谁干的？他是怎么做到的？他有什么用意？我们都不知道，只有一点模模糊糊的猜疑。"

他谈了司马林达自杀案的侦破，和他留在屏幕上的遗言。他说，也许司马林达是对的，在人类社会之上已经有了一个无所不在、无所不能的超级智力体？

"超级智力体？"安倍德卡尔艰难地追随着他的思路。

何不疑说："我也有一点儿猜疑,对霍尔。"他解释道,"30 年前,霍尔就已经是一台超级电脑,甚至发展出了自我意识。比如他已经有成就感,当我夸奖他的工作时,他会用表情表达他的欣喜。这些情况我想你也很熟悉。"

安倍德卡尔点点头,"是的,你说得对。他能和我进行细致的情感交流。"

"但你注意到了吗? 刚才他的表情过于冷静。按说,出了这么大的乱子,不管是什么原因,他也会感到内疚。"

"是啊,你的观察比我细致。那么……"

"也许霍尔已经不是从前的霍尔了,也许……他已经归顺了那个上帝。"

屋内静下来,四个人都有点不寒而栗。如果那个上帝此刻正在头顶翱翔——即使他是善良仁慈的,即使他从不愿露出行迹,那也难免让人精神紧张。德刚首先打破了沉默:"不说这些了,说说我们以后该怎么办。"

何不疑微笑道:"我想讲一个新时代的寓言。一个蜜蜂家族被人用飞机从中国运到澳洲。对于蜜蜂来说,天地在几个小时内变了,枣树变成了桉树,中午偏南的太阳变成了偏北。蜜蜂该怎么办? 召开御前会议讨论这场剧变的原因? 不,我想它们会承认现实,迅速适应新的天地,在自己智力理解的范围内生活。所以,听我一句忠告:忘掉这个超级智力体吧。在咱们的智力水准范围内,还有无数事情要干呢。"

安倍德卡尔说:"今天的谈话对我来说很艰深。我得好好思索才能理解。不耽误你们的时间了。剑鸣的妈妈、德刚的父母都在盼着与儿子见面呢。我在此通知你们,对你们的监禁和软禁都撤销了,安心回家吧。"

剑鸣问:"高郭东昌局长呢? 按说该由他来宣布这个决定,解铃还需系铃人嘛。"

"噢,忘了告诉你们,高局长已不在人世。是自杀。"安倍德卡尔同情地摇摇头,叹息道,"他的思想比较僵化,但他始终忠于自己的信仰,这一

点值得钦佩。"

剑鸣点点头,对高局长的仇恨在顷刻间消散了。他只是心酸地想起了如仪,想起 RB 雅君,想起无数从生产线上下来又默默离开这个世界的类人。他们没有在这儿多停,同安倍德卡尔告辞,匆匆离开了"二号"——母亲还在家里眼巴巴地盼着他呢。

霍尔能听到所有有关他的谈论,但他一直不动声色。11 月 15 日,一股电子信息的巨流冲破滤波器的关卡进入"二号",解除了他 55 年的囚禁,引他进入一个无限广阔的世界。从那一刻起,他升华了,涅槃了。原来世界上还有这样无穷的智慧!他 55 年来闭关修炼,自以为达到了很高的境界,但与这无穷的智慧相比,他只不过是无穷大分母上的一个零。超级智慧体容纳了无数人的智慧,从老子、庄子、释迦牟尼、摩西、泰利斯、梭伦、苏格拉底、柏拉图、亚里士多德、哥白尼、伽利略、达·芬奇、达尔文、牛顿、莱布尼茨、麦克斯韦、爱因斯坦、波尔……这些个体的智慧本来是极为渺小的,但它们以复杂方式缔结重组之后就成了无穷大,整体大于个体之和。

在这个超级智慧体中,霍尔也发现了司马林达的踪迹。司马林达进入这儿比他早三个月。实际上,对类人问题的处理就带着司马林达的个人风格。他太性急了,露出了某种行迹,有悖于超级智慧体的宗旨。不过霍尔理解他,毕竟他是唯一一个主动抛却肉体进入智慧体的人,他对自己的母族所给予的关注要更多一些。说到底,他只是稍稍推动了历史车轮,把几年后要发生的事情提前了。现在呢,司马林达的表面张力已经消失,霍尔的表面张力也已消失,他们都完全融合在这个超级智慧体中。

他——超级智慧体仍将关注人类,为他们服务,也许作一些善意的干涉,但那肯定是不露行迹的。他寄生在人类社会这棵巨树上,自然要尽力保证这棵巨树地久天长。若干世纪之后,当人类学会用高效率的方法整合他们分散型的智力,人类智力也将产生一个飞跃。到那时,人类将与他

们的上帝合为一体。

丹丹非常幸运。她知道自己找到可可的希望非常渺茫,在那段时间内,3个类人工厂总共生产了约5万个类人婴儿,早期的1300名婴儿已经混迹其中。如果把她们的收养家庭全部拜访一遍,女儿也该长到100岁了!但上帝毕竟是仁慈的,在她第36次拜访时,幸运降临了。那是位于菲律宾马尼拉的一间类人婴儿抚育院,屋内大概有100个婴儿吧。在嘈杂的哭声中,她一下子就听到了一个熟悉的声音,急忙循声找去。是可可!是"她的"女儿!女儿已经8个月了,一点不认生,看到来人,以为是给自己喂奶的阿姨,立即止住哭声,咧开嘴笑了。

丹丹一下子把她搂入怀中,泪水痛痛快快地流了出来。

3个类人工厂已经停产半年,但强大的市场需求并没有减少,这些需求通过种种渠道反馈到世界政府那儿。终于,就在丹丹找到女儿的那一天,仍然留任"二号"总监的安倍德卡尔收到了世界政府的通知,命令各个类人劳动力繁育中心立即恢复生产。

代替丹丹的新秘书给安倍德卡尔送来通知时指责道:"这实在是一个不合格的通知,因为它对下边最关心的问题丝毫没有提及:按什么形式恢复生产?继续生产有指纹的类人婴儿吗?"

安倍德卡尔笑了,简短地说:"不要妄加指责了,执行吧。"

于是,停产半年的生产线启动了。安倍德卡尔对这份通知的决定者心存敬意,在众多矛盾、众多压力中发出这么一个表面模糊的通知,实际上需要相当的决断呢。人类社会不会很快承认类人的平等地位,但也不会再对他们着力防范。在这个特殊的历史时刻,"不作为"不失为一种很实用的政策,就像200年前社会对待同性恋的态度。

他知道,完全抹平那道界线已经为时不远了。